LES LIVRES DE
SAMUEL

Ce fascicule a été revu, pour le Comité de Direction, par M. l'Abbé A. ROBERT, P. S. S., Professeur à l'Institut Catholique de Paris, et par M. H.-I. MARROU, Professeur à la Sorbonne.

LA SAINTE BIBLE

traduite en français

sous la direction de l'École Biblique de Jérusalem

LES LIVRES DE

SAMUEL

[1-2 Kings]

traduits par

R. DE VAUX, O. P.

Directeur de l'École Biblique

(2e édition revue)

LES ÉDITIONS DU CERF

29, boulevard Latour-Maubourg, Paris

1961

NIHIL OBSTAT :
Bruxellis, die 31ª julii 1953.
F. Ceuppens, O.P.

IMPRIMI POTEST :
Romae, die 23ª augusti 1953.
E. Suarez, O.P.,
mag. gen.

IMPRIMATUR :
Parisiis, die 8ª septembris 1953.
M. Potevin, v. g.

INTRODUCTION

Nom et contenu. Dans l'ancienne tradition juive, les deux livres de *Samuel* ne constituaient qu'un seul ouvrage. Lorsqu'ils furent traduits en grec, on les répartit, pour des raisons pratiques, en deux volumes de longueur à peu près égale et cette division a été adoptée pour les Bibles hébraïques. D'autre part, la traduction grecque des Septante unissait *Samuel* et *Rois* sous un même titre et les appelait les quatre livres des *Règnes*. La Vulgate latine conserva cet arrangement, mais le nom de livres des *Rois* y remplaça finalement le titre grec. Les livres I-II de *Samuel* qui sont traduits ici correspondent donc aux livres I-II des *Règnes* de la traduction grecque, aux livres I-II des *Rois* de la Vulgate.

Le titre hébreu est influencé par une tradition qui considérait le prophète Samuel comme l'auteur d'une partie du livre, mais cette tradition n'est fondée que sur une fausse interprétation d'un texte de 1 Ch **29** 29.

Le titre ne correspond pas davantage au contenu de l'ouvrage, car Samuel ne joue un rôle important que dans la première moitié du premier livre, et le récit se poursuit après sa mort jusqu'à la fin du règne de David. On distingue ainsi cinq parties inégales :

I. *Samuel* (1 S **1-7**). Le jeune Samuel, dont la naissance a exaucé la prière de sa mère demeurée sans enfants, est consacré à Yahvé dans le sanctuaire de Silo. Dieu l'appelle à être son prophète tandis que les fils du prêtre Éli, par leurs fautes, entraînent la condamnation de leur famille. Ils périssent dans une bataille contre les Philistins et Éli meurt en apprenant que l'arche a été prise. Mais Yahvé inflige aux Philistins tant de maux que ceux-ci renvoient l'arche à Bet-Shémesh, d'où elle est déposée à Qiryat-Yéarim. Samuel fait figure de juge et de libérateur.

II. *Samuel et Saül* (1 S 8-15). Samuel étant devenu vieux, le peuple demande un roi. Sur le conseil de Yahvé, Samuel cède à leurs instances et donne l'onction à Saül, qui est ensuite publiquement désigné par le sort et qui s'impose enfin à tout le peuple par sa victoire sur les Ammonites. Samuel dépose alors le pouvoir. Saül et son fils Jonathan mènent la guerre contre les Philistins, mais, pour avoir désobéi aux ordres divins qui lui sont transmis par Samuel, Saül est rejeté par Yahvé.

III. *Saül et David* (1 S 16-2 S 1). Samuel donne l'onction au jeune David. Celui-ci entre au service de Saül, il se distingue en abattant un géant philistin qui défie les Israélites. Mais la gloire de David éveille la jalousie de Saül qui cherche, par plusieurs fois, à se défaire de lui. David s'enfuit de la cour et mène la vie errante d'un chef de bande, poursuivi par Saül. Il trouve finalement asile chez les Philistins, dont il devient le vassal. Ceux-ci ayant repris la guerre contre Israël, David est heureusement dispensé de se battre contre ses frères. Les Israélites sont écrasés à Gelboé, Saül et Jonathan meurent dans le combat. David leur consacre un chant funèbre.

IV. *David* (2 S 2-20). David est sacré roi à Hébron par les hommes de Juda. Une lutte s'engage avec les partisans d'Ishbaal, le fils survivant de Saül. A l'insu de David, le chef de l'armée d'Israël, Abner, puis Ishbaal lui-même sont assassinés. Désemparés, les Israélites se tournent vers David et le reconnaissent comme roi.

David, devenu roi de Juda et d'Israël, prend Jérusalem. Il y transporte l'arche et fait de la ville la capitale politique et religieuse de son royaume. Par ses guerres victorieuses, il écarte le danger philistin, étend son territoire, subjugue les peuples voisins.

A l'intérieur cependant, de graves crises mettent en question son pouvoir. Il a fait grâce à un dernier survivant de la maison de Saül et ce n'est pas de là que vient le péril. Ce sont d'abord plusieurs drames de famille qui assombrissent le règne. David commet l'adultère avec Bethsabée, mais son repentir lui mérite le pardon de Dieu, et le fils qui naît de cette union, Salomon, deviendra un jour l'héritier du trône. Le premier-né du roi, Amnon, ayant outragé sa demi-sœur Tamar, est assassiné par le frère de celle-ci, Absalom. Après l'avoir tenu à l'écart, David pardonne au meurtrier, mais Absalom intrigue contre son père et entre finalement en révolte ouverte contre lui. David lui abandonne Jérusalem et s'enfuit en Transjordanie. Les révoltés le poursuivent mais ils sont battus par les troupes restées fidèles à David et Absalom est tué. David rentre à Jérusalem, où il doit encore faire face à un soulèvement dirigé par le Benjaminite Shéba.

V. *Suppléments* (2 S **21-24**). La fin de l'ouvrage est occupée par des pièces détachées, se rapportant au règne de David : la grande famine et l'exécution des descendants de Saül, les exploits des héros de David, deux pièces poétiques attribuées au roi, enfin le dénombrement du peuple, qui est puni par une peste et qui s'achève par le pardon divin et l'érection d'un autel sur le site du futur Temple.

Composition et date. Ce bref résumé ne laisse pas apparaître les dissonances que perçoit un lecteur quelque peu attentif. Ainsi Saül est oint en secret par Samuel, 1 S **9** 26 s, et deux fois proclamé roi par le peuple en des occasions différentes, 1 S **10** 17 s; **11** 15. Sur l'institution de la monarchie, il y a deux séries de textes, l'une qui lui est favorable, 1 S **9**; **10** 1-16; **11**, l'autre qui lui est opposée, **8**; **10** 17-24; **12**. Saül est deux fois rejeté par Samuel, 1 S **13** 14 s; **15** 26 s, mais continue cependant de régner jusqu'à sa mort. Il y a deux manières de présenter les débuts de David auprès de Saül,

1 S 16 14 à 17 11 et 17 12-30. Deux fois David s'enfuit de la cour, 1 S 19 12 et 21 1 ; deux fois, il épargne Saül, 1 S 24 et 26 ; deux fois il se réfugie auprès du roi de Gat, 1 S 21 11 s et 27 1 s.

Ces divergences et ces répétitions, dont la liste pourrait être allongée, rendent évident le caractère composite de l'ouvrage. On a cherché — et l'on cherche encore — à y retrouver la suite des « documents » dont serait composé le Pentateuque. On peut sans doute reconnaître, dans 1 S, deux chaînes de récits qui se croisent mais il est parfois difficile de les démêler et de lier ces récits en suites continues. Il est plus conjectural encore de les rattacher aux « documents » ou aux « traditions » Yahviste et Élohiste des premiers livres de la Bible, car il manque ici ces traits constants de style et de pensée qui guident l'analyse littéraire du Pentateuque.

Le livre combine ou juxtapose des traditions diverses sur les débuts de la période monarchique. Les notes qui accompagnent la traduction donneront à ce propos les indications nécessaires. Voici, en résumé, comment on peut se représenter la composition de l'ouvrage. Une série de récits anciens concerne l'oppression philistine et fait suite aux narrations de Jg 13-16 ; après une histoire de l'arche captive des Philistins, 1 S 4-6 (qui sera continuée par 2 S 6 : installation de l'arche à Jérusalem), on a la version monarchiste de l'institution de la royauté, 9 ; 10 1-16 ; 11, qui prépare la guerre de libération, 13-14. Samuel y apparaît comme un homme de Dieu, en relations avec les confréries d'inspirés, 10 5 s ; cf. 19 18-24, et comme l'instrument de Yahvé dans l'élection de Saül. Le cycle de Samuel a été complété par le récit de son enfance et de sa vocation, 1-3, et par celui du rejet de Saül, (13 8-14), 15, qui prépare l'onction de David, 16 1-13. Une couche plus récente présente Samuel comme le dernier des Juges de l'époque précédente, 7, et se continue par la version antimonarchiste de l'institution de la royauté, 8 ; 10 17-24 ; 12. Sur les débuts de David, son amitié avec Jonathan, ses difficultés avec Saül, sa vie errante au désert, son séjour chez les Philistins circulaient des traditions parallèles et, semble-t-il, également anciennes, qui ont été recueillies dans la suite d'épisodes de 1 S **17** à 2 S **1**, où les doublets sont fréquents.

L'analyse du second livre est plus aisée. Les récits sur la royauté de David à Hébron, sur la guerre philistine, la prise de Jérusalem et le transport de l'arche, 2 S **2-6**, s'apparentent à la couche primitive du premier livre. La prophétie de Natân, **7**, est ancienne mais a été plusieurs fois remaniée. Le ch. **8**, sommaire rédactionnel du règne, tranche avec les amples narrations qui l'entourent. A partir du ch. **9**, commence une longue histoire qui ne s'achèvera qu'au début du livre des Rois, 1 R **1-2**. On y raconte comment la dynastie davidique s'établit malgré les oppositions extérieures, malgré les drames qui déchirent la famille royale; c'est toute l'affaire de la succession au trône de David, à peu près encadrée par la naissance de Salomon, 2 S **12** 24, et sa conquête définitive du pouvoir, 1 R **2** 46. Ce récit a été écrit par un témoin oculaire, très tôt après les événements, dans la première partie du règne de Salomon. Son auteur appartenait à l'entourage de David, probablement aux milieux sacerdotaux de Jérusalem; on l'a identifié avec Ahimaaç, le fils de Sadoq, ou avec Ébyatar. Il n'y a aucune raison décisive en faveur de l'un ou de l'autre, mais le fait qu'on ait pu hésiter entre des membres de deux partis opposés prouve l'objectivité de cette histoire. Elle est interrompue par les ch. **21-24** de 2 S, qui complètent le tableau du règne de David en rassemblant des pièces d'origine diverse.

On voit que les livres de Samuel contiennent beaucoup d'éléments anciens, dont certains ont été très tôt mis par écrit, en particulier la grande histoire de la succession au trône, 2 S **9-20**. Il est possible que d'autres ensembles se soient constitués dans les premiers siècles de la monarchie : un premier cycle de Samuel, deux histoires de Saül et de David. Il n'est pas exclu que ces ensembles aient déjà été combinés aux environs de l'an 700, mais la composition définitive de l'ouvrage — quelques additions postérieures mises à part — date de l'époque où les livres historiques, de Josué aux Rois, reçurent leur forme dernière, influencée par les idées du Deutéronome, c'est-à-dire très peu avant l'Exil ou pendant celui-ci. Cependant, ce travail « deutéronomiste » est beaucoup moins apparent que dans les Juges ou dans les Rois. On le décèle dans les premiers chapitres de l'ouvrage, en particulier 1 S **7** et **12**, dans certaines notices chronologiques, 1 S **4** 18; 2 S **2** 10-11; **5** 4-5, peut-être dans un remaniement de la prophétie de Natân, 2 S **7**, mais le magnifique récit de 2 S **9-20** a été conservé à peu près sans retouche.

Cadre historique. Les livres de Samuel concernent la période qui va des origines de la monarchie israélite à la fin du règne de David. Mais ils ne donnent pas un tableau complet et organisé et, pour comprendre les faits qu'ils rapportent, quelques considérations d'histoire générale sont nécessaires.

Les tribus israélites, installées en Canaan, restaient autonomes. Chacune avait conquis son territoire, chacune l'administrait et le défendait contre ses ennemis. Devant un danger pressant, certaines pouvaient entreprendre une action commune; c'est ce qui arriva sous Débora et Baraq, Jg **4**, mais le Cantique de Débora se plaint que d'autres soient restées à l'écart, Jg **5** 15-17. L'essai de royauté, sous Gédéon et Abimélek, Jg **8-9**, ne concernait qu'une fraction du peuple. Celui-ci n'avait pas d'organisation politique et, en dehors d'un sentiment de parenté raciale, il n'était uni que par sa religion : la foi en un même Dieu, les grandes assemblées au sanctuaire de l'arche.

Cependant, à la fin de la période des Juges, un danger grave menace tout Israël. Il est provoqué par les Philistins. Ce ne sont pas des Sémites : originaires peut-être de la région illyrienne, ils étaient descendus vers le sud et avaient fait étape en Crète, la Kaphtor des Hébreux, d'où la Bible dit que les Philistins sont venus, Dt **2** 23; Am **9** 7; Jr **47** 4. Après avoir participé à l'assaut des « peuples de la mer » contre l'Égypte, ils s'étaient installés, au début du XII⁰ siècle avant notre ère, sur la côte de Palestine et y avaient fondé cinq principautés, Gat,

Éqrôn, Ashdod, Ashqelôn et Gaza. Ils entreprirent de s'étendre vers l'intérieur où les Israélites étaient établis de fraîche date. La victoire d'Apheq, 1 S **4**, leur ouvrit l'entrée du haut pays, l'arche de Yahvé, signe de ralliement pour Israël, fut prise, le sanctuaire de Silo, où se réunissaient les tribus, fut probablement détruit, une partie du pays tomba sous le contrôle ennemi.

Ce péril grandissant, qui mettait en jeu l'existence même d'Israël, ne pouvait être conjuré que par une action d'ensemble conduite par un chef unique. La conscience du danger éveilla l'esprit national et imposa la monarchie. En cela d'ailleurs Israël suivait l'évolution des peuples voisins, ses congénères. Les royaumes d'Édom, de Moab et d'Ammon venaient de se constituer lorsque les Israélites arrivèrent d'Égypte en Transjordanie et, pendant que ceux-ci s'établissaient en Palestine, les principautés araméennes s'organisaient en Syrie du Sud. En contraste avec l'éparpillement des cités royales de Canaan ou des « tyrannies » philistines, ces nouvelles entités politiques étaient des États nationaux et c'est la figure que va prendre la monarchie israélite.

Au vrai, l'évolution se fit graduellement : d'après la tradition la plus ancienne, Saül apparaît comme un continuateur des Juges : il est choisi par Yahvé et transformé par son Esprit, qui lui fait accomplir de grandes choses. Mais un élément nouveau et profane apparaît : après la victoire ammonite, la reconnaissance par les tribus de l'autorité permanente de Saül, 1 S **11**. Une nouvelle institution est née. La guerre de libération commence et les Philistins sont repoussés sur leur voie ordinaire d'invasion, jusqu'à la plaine, 1 S **14**. Bien qu'elle n'ait pas été exploitée à fond, cette victoire eut des conséquences importantes : la montagne est enlevée aux Philistins et les rencontres ultérieures se feront en bordure du territoire israélite, dans la vallée du Térébinthe, 1 S **17**, ou dans la plaine de Yizréel, 1 S **28** et **31**.

Ce dernier combat tourne au désastre : Saül y meurt, les Israélites s'enfuient ou se cachent, les Philistins s'avancent jusqu'à Bet-Shân, coupant en deux le territoire. L'heure n'a jamais été aussi grave et ce premier essai de la monarchie paraît aboutir à un échec total. Cependant, il n'y a pas d'autre solution et l'idée est aussitôt reprise, mais elle ne se réalisera pas d'un coup. David, dont la gloire montante avait inquiété Saül et qui s'était réfugié chez les Philistins, est sacré roi par les hommes de Juda, 2 S 2. Il reste nominalement le vassal des Philistins et les tribus du Nord lui opposent un pâle descendant de Saül, Ishbaal, autour duquel un semblant de pouvoir se reconstitue en Transjordanie. Il paraît que l'on tourne le dos à l'union nationale et, de fait, une lutte sanglante s'engage entre les deux fractions du peuple. Mais le meurtre d'Ishbaal permet enfin de réaliser l'unité qui restait nécessaire et qui était souhaitée par les gens raisonnables. La renommée de David l'imposait au choix et il est reconnu roi par Israël, 2 S 5.

La royauté de David garde, dans la tradition, le caractère religieux qu'avait celle de Saül : c'est une grâce conférée par Dieu; David est, dès son enfance, l'élu de Yahvé qui le destine à remplacer Saül. Cependant, cet aspect « charismatique » est moins en relief et l'on insiste sur les événements humains qui le portèrent au trône. David est servi par un grand sens politique. Il a compris que l'unité ne se ferait que si le roi échappait aux compétitions des tribus : il a établi sa capitale à Jérusalem qui était sa conquête personnelle et, en y transportant l'arche, il a concentré au même point la vie civile et religieuse de la nation; il s'est appuyé sur un corps permanent de troupes mercenaires.

Le second livre de Samuel, qui nous retrace d'une manière si vive et si attachante la personnalité de David et les épisodes souvent douloureux de sa carrière mouvementée, ne donne qu'en bref les résultats politiques de son règne. Ils furent cependant considérables. Les Philistins furent repoussés et, par un retournement complet de la situation qu'il avait trouvée à son avènement, David mit leurs villes sous sa tutelle et engagea des mercenaires philistins dans sa garde royale. L'unification du territoire s'acheva par l'absorption des îlots cananéens, non seulement Jérusalem, mais aussi la Tétrapole gabaonite et les villes de la plaine de Yizréel jusqu'à Bet-Shân. Quant à ses guerres extérieures, elles répondirent moins à une volonté d'expansion qu'à la provocation des nations voisines, inquiètes de cette puissance nouvelle qui grandissait auprès d'elles. Toute la Transjordanie lui fut soumise, Ammon, Moab et Édom, et il étendit son contrôle sur les Araméens de la Syrie méridionale. y compris la Damascène.

Ainsi le territoire des Douze Tribus, où fils d'Israël et Cananéens soumis vivaient sous la même autorité, était entouré d'une ceinture d'États vassaux et l'on tendait vers l'idée d'un empire. Achèvement glorieux mais fragile, car la croissance avait été trop rapide et le succès ne tenait qu'à la valeur d'un homme. Surtout, l'unité nationale, qui était le but essentiel, n'avait pas été vraiment réalisée. David est roi de Juda *et* d'Israël, 2 S **5** 5, et dans son armée les contingents de Juda restent distincts de ceux d'Israël, 2 S **11** 11; **24** 9. Le peuple demeurait coupé en deux fractions qui ne se rejoignaient que dans l'obéissance au même souverain : c'était un régime d'union personnelle.

L'opposition des deux groupes a déjà déchiré intérieurement le règne de David. La révolte d'Absalom a trouvé son appui chez les hommes d'Israël, 2 S **15** 6 et 13; au retour de David, Judéens et Israélites se sont disputé le roi, 2 S **19** 10-16, et 41-44; le Benjaminite Shéba a voulu soulever le peuple au cri de « A tes tentes, Israël ! », 2 S **20** 1.

Le même cri retentira, 1 R **12** 16, au moment du schisme qui consommera la séparation définitive d'Israël et de Juda. Entre les deux, le règne de Salomon préservera l'héritage de David et maintiendra la monarchie dualiste qu'il avait fondée, mais l'édifice s'écroulera au lendemain de la mort de Salomon et, dans la longue histoire du peuple élu, l'unité politique de la nation n'aura été qu'un accident heureux.

Pour toute cette histoire, on ne peut donner aucune date précise, faute de synchronismes avec des événements extérieurs dont le temps soit exactement connu. D'après les indications éparses dans le texte et les vraisemblances historiques, on peut seulement proposer les approximations suivantes :

vers 1050 av. J. C.	: Bataille d'Apheq. Mort d'Éli.
vers 1030	: Saül roi.
vers 1010	: Bataille de Gelboé. Mort de Saül. David roi.
vers 970	: Mort de David.

Message religieux. Mais ce n'est pas pour instruire les historiens que les livres de Samuel sont entrés au canon des Écritures. Ils portent un message religieux, destiné d'abord aux Israélistes puis à leurs héritiers spirituels, les chrétiens : ils énoncent les conditions et les difficultés d'un royaume de Dieu sur la terre. L'idéal n'a été atteint que sous David et cette réussite a été précédée par l'échec de Saül; elle sera suivie par toutes les infidélités de la monarchie qui amèneront la condamnation de Dieu et la ruine de la nation.

Au seuil de cette ère davidique, se dresse la figure de Samuel, comme Jean-Baptiste au seuil de l'ère messianique, comme lui accordé à la prière d'une mère stérile, comme lui prophète. Il est le représentant de Dieu auprès du peuple, le messager de ses ordres, le défenseur de ses droits, l'exécuteur de ses jugements. Fidèle à la foi des Pères, précurseur de celle des grands Prophètes, il est convaincu que Yahvé est le seul maître d'Israël et il proteste quand on lui demande de faire un roi. Mais Dieu lui-même condescend au désir du peuple et, de ce qui était une infidélité, il fait une épreuve et une grâce. Ainsi les deux traditions sur l'institution de la monarchie s'harmonisent dans une vérité supérieure. Israël a voulu avoir un roi « comme les autres nations », 1 S 8 20. Non, Israël ne peut pas être comme les autres nations et son roi ne sera pas un maître profane, il sera le représentant de Dieu et l'instrument de ses grandes œuvres. A condition qu'il soit fidèle.

Et pour le maintenir dans cette fidélité, le Roi aura auprès de lui le Prophète, porte-parole de Dieu.

C'est ainsi que Samuel donne l'onction à Saül. Tragique figure que celle de cet élu de Dieu, que Dieu bientôt rejette. Tout appel divin ou toute grâce met l'homme en face d'une option qui décide de son salut ou de sa perte. Malgré ses succès, à cause peut-être de ses succès, Saül a manqué à sa vocation parce qu'il a préféré entendre la voix du peuple qui l'avait acclamé plutôt que celle de Dieu qui l'avait choisi. Le pouvoir humain, qui est une délégation de Dieu avant d'être une délégation du peuple, reste soumis à ces deux volontés dont il émane mais, si elles s'opposent, il doit choisir d'obéir à Dieu. Saül ne l'a pas fait et Dieu se retire de lui. Il rejette Saül parce que Saül l'a rejeté, 1 S **15** 23. Celui-ci s'est fié à lui-même, il est maintenant abandonné à lui-même, en proie à un esprit mauvais parce que l'Esprit qui l'inspirait l'a quitté et s'est reposé sur un autre.

En face de Saül le Réprouvé, paraît David l'Élu fidèle. C'est vers lui que tendait tout le dessein de l'ouvrage : voilà enfin l'homme selon le cœur de Dieu, qui lui confie les destinées de son peuple. Il a tout l'attrait d'un héros de légende : il est beau, fidèle à ses amitiés, tendre jusqu'à la faiblesse pour ses enfants, juge équitable et adversaire chevaleresque, héros de guerre et politique avisé, poète et musicien. Mais sa vraie grandeur est religieuse. Lui qui a épargné Saül livré à sa merci parce que celui-ci était l'oint de Yahvé, il sait ce que signifie l'onction qu'il a reçue. Il a conscience de sa dignité mais aussi des devoirs qu'elle lui impose et des limites qu'elle lui trace. Il est le lieutenant de Dieu, il tient tout de lui et, dans l'adversité, il ne se fie qu'à lui. Il pèche, car il est homme, mais un prompt repentir lui vaut le pardon. Il appelle Dieu auprès de lui et, par le transfert de l'arche, dès avant la construction du Temple auquel il a pensé, Jérusalem, Cité de David, devient la Ville Sainte, et cette identité des capitales politique et religieuse exprime l'union des deux pouvoirs dans la monarchie idéale. Lui-même s'appuie sur les prêtres — il a recueilli le dernier survivant du

sacerdoce de l'arche — et sur les prophètes — il a été oint par
Samuel, il écoute les conseils et les remontrances de Natân.

Cette fidélité est récompensée. La prophétie de Natân,
2 S 7, marque le centre de l'ouvrage en sa forme achevée. C'est
la promesse inouïe d'une alliance sans retour entre Dieu et la
dynastie de David : non seulement le trône ne sortira pas de sa
descendance, mais ses successeurs seront adoptés comme des
fils par Yahvé qui, par eux, établira sa royauté sur la terre.
C'est l'éveil de l'attente messianique, l'origine d'un mouvement
qui doit atteindre aux limites de l'univers, car le Messie n'est
autre que le Davidide qui, à la fin des temps, concluant la série
des rois de sa race, établira définitivement le Royaume de Dieu.

Parmi les traditions recueillies dans les livres de Samuel,
celles surtout qui concernaient
David ont fait vibrer l'âme d'Israël. Le roi-poète, le « chantre
des cantiques d'Israël », 2 S 23 1, a donné son nom au recueil
des Psaumes. A partir de la prophétie de Natân, l'espérance
messianique s'est alimentée aux promesses faites à la maison
de David, Am 9 11; Os 3 5; Is 9 1-6; 11 1-9. A la veille de la
ruine de Jérusalem, Jérémie affirme que la dynastie sera res-
taurée, Jr 30 9; 23 5-6; 33 15-17. Pendant l'Exil, Ézéchiel
prédit la venue d'un nouveau David, Ez 34 23-24; 37 24-25.
Après le Retour, le livre de Zacharie annonce un roi semblable
à David, Za 12 8, et l'auteur du Ps 89, dans une longue plainte,
rappelle à Dieu son serment. Ben Sira se sert de ces livres pour
chanter la gloire de Samuel et de David, Si 46 13-47 11, et
l'éloge de celui-ci, qui vante ses prouesses guerrières, ses victoires, sa piété, ses dons de chantre sacré, s'achève sur une note
messianique.

Le Chroniste met David au centre de son histoire : tout ce
qui le précède, depuis Adam, est réduit à des listes généalo-
giques, et le récit de son règne occupe le tiers de tout l'ouvrage,
1 Ch 10-29. L'auteur connaît les livres de Samuel et les utilise.
Mais il y fait un choix qui correspond à son intention. Il omet

**Le livre
dans
l'Ancien Testament.**

tout ce qui pourrait amoindrir son héros : les démêlés avec
Saül, la faute avec Bethsabée, les drames de famille, les révoltes.
S'il mentionne le dénombrement du peuple, qui fut un péché,
1 Ch **21** 8, c'est parce que cet événement est lié à l'achat du site
du futur Temple. Or l'histoire du sanctuaire et de son culte
intéresse spécialement le Chroniste. D'après lui, David n'a pas
seulement songé à construire le Temple, comme à 2 S **7** 1 s,
il en a dressé le plan, a assemblé les matériaux pour sa construction et, sur l'ordre de Yahvé, il a confié à Salomon le soin de
la réaliser ; il a réglé jusque dans les détails les fonctions de son
clergé, 1 Ch **22-29**. Les récits des livres de Samuel étaient des
mémoires historiques, le tableau du Chroniste est la peinture
du roi idéal de l'État théocratique. Ce n'est pas de l'histoire telle
que nous l'entendons, c'est une « Politique tirée de l'Écriture
Sainte », mais le Chroniste ne fait que développer, en l'adaptant
à son point de vue, l'enseignement que nous avons reconnu
dans les livres de Samuel.

**Le livre
dans
l'Église chrétienne.**

Ainsi ces livres ont entretenu
chez les Juifs l'espoir que le
salut du peuple serait confié à
la race de David et le grand roi
a été considéré comme la figure,
comme le type du Messie à venir. Les auteurs du Nouveau
Testament affirment que la figure est réalisée en Jésus : il est
né à Bethléem, patrie des Davidides, Jn **7** 42, il est descendant
de David, Mt **1** 1 ; Lc **2** 4. Le nom de « fils de David » que lui
donne le peuple est une reconnaissance de ses titres messia-
niques, Mc **10** 47 ; Mt **21** 9 et 15. Saint Paul, Rm **1** 3 ; 2 Tm **2** 8,
et l'Apocalypse, **5** 5 ; **22** 16, soulignent également l'ascendance
davidique de Jésus. Cependant les références aux livres de
Samuel sont extrêmement rares : il n'y en a que trois, qui se
réfèrent à la prophétie de Natân, Ac **2** 30 ; 2 Co **6** 18 et He **1** 5.
Mais Jésus fait allusion à l'épisode de David chez les prêtres
de Nob, Mc **2** 25-26.

Dans l'antiquité chrétienne, les livres ont rarement été
commentés pour eux-mêmes. Des Pères grecs, on a quelques

notes d'Origène, des « Questions » de Théodoret, un commentaire plus étendu de Procope de Gaza. Parmi les Latins, on trouve un commentaire rangé parmi les œuvres de saint Grégoire le Grand, les « Questions hébraïques » attribuées à saint Jérôme, puis des exposés plus suivis de saint Isidore de Séville, de Bède le Vénérable, de Raban Maur. Il est probable que saint Éphrem avait écrit en syriaque tout un commentaire, dont il ne reste que des fragments.

On s'était attaché davantage à des questions particulières : saint Jean Chrysostome a fait des homélies sur Saül et David, et sur la mère de Samuel, saint Cyrille d'Alexandrie a commenté le cantique d'Anne. L'épisode de la sorcière d'Endor a spécialement préoccupé les Pères et l'on a, sur ce sujet, de petits traités d'Hippolyte, d'Origène, d'Eustathe et de saint Grégoire de Nysse.

Mais les livres de Samuel sont sous-jacents à tous les développements que l'antiquité chrétienne a donnés au thème de David figure du Messie. On a établi un parallèle entre sa vie et celle de Jésus, le Christ, nouveau David, élu pour le salut de tous, roi du peuple spirituel de Dieu et cependant persécuté par les siens.

Texte et versions. Le texte hébreu des livres de Samuel est l'un des plus mal conservés de tout l'Ancien Testament. Pour le corriger, la traduction grecque des Septante et ses diverses recensions ont longtemps été utilisées d'une manière assez large et parfois imprudente. Puis une réaction s'est dessinée en faveur de l'hébreu : on a attribué les variantes du grec à l'arbitraire des traducteurs et on a cherché à garder le texte massorétique, le plus possible et en faisant parfois violence à la grammaire et au sens. C'est, à des degrés divers, la tendance des commentaires parus depuis la première édition de ce fascicule (Rehm, 1954; Hertzberg, 1956; Van der Born, 1956; Dhorme, *Bible de la Pléiade,* 1956). Les nouveaux manuscrits découverts près de la Mer Morte invitent à une solution plus nuancée. La Grotte 4 de Qumrân a préservé les restes de

trois manuscrits de Samuel, dont l'un remonte au IIIᵉ siècle
av. J. C. Les quelques fragments qui ont déjà été édités
indiquent que leur texte est généralement d'accord avec les
Septante contre le texte massorétique. La version grecque est
donc fidèle à un prototype hébreu et ses variantes sont ainsi
revalorisées. Mais ce prototype est différent de celui qui est
à la base du texte massorétique. Il existait ainsi, antérieurement
à notre ère, plusieurs recensions hébraïques de Samuel. Il est
possible que celle que représentent les manuscrits de Qumrân
et la version grecque soit plus voisine de la forme primitive,
et l'on pourra chercher à se rapprocher davantage de celle-ci
lorsque tous les nouveaux fragments auront été édités. En
attendant, il a paru sage de conserver le texte massorétique
lorsqu'il paraissait suffisamment bon, de le corriger, lorsqu'il
était nécessaire, en utilisant le grec (la recension lucianique et
l'ancienne version latine qui lui est apparentée donnent souvent
de bonnes leçons) et les fragments de Qumrân déjà publiés
(sigles : 4Q Samᵃ et 4Q Samᵇ). Une autre aide pour la critique
textuelle est fournie par les parallèles de la Bible hébraïque elle-
même : 2 S 22 se retrouve dans le Psautier, Ps 18, mais dans
une recension assez différente; les Chroniques reprennent un
assez grand nombre de passages de Samuel, mais elles dépendent
davantage de la tradition représentée par la version grecque et,
parfois, elles ont disposé d'un texte déjà corrompu. Le pro-
blème textuel est donc fort complexe et il n'est pas étonnant
que, malgré tout le travail de la critique moderne, le texte reste
souvent incertain.

LES LIVRES DE SAMUEL

PREMIER LIVRE DE SAMUEL

I

SAMUEL

I. LES ENFANCES SAMUEL

Le pèlerinage de Silo.

1. [1] Il y avait un homme de Ramatayim[a], un Çuphite de la montagne d'Éphraïm, qui s'appelait Elqana, fils de Yeroham, fils d'Élihu, fils de Tohu, fils de Çuph, un Éphraïmite. [2] Il avait deux femmes[b] : l'une s'appelait Anne, l'autre Peninna; mais alors que Peninna avait des enfants, Anne n'en avait point. [3] Chaque année, cet homme montait de sa ville pour adorer

---

1 1. « *Çuphite* » ṣûpî *cf. la fin du v. et G ;* ṣôpîm *H intraduisible.*

---

a) Appelée aussi Rama, v. 19; **2** 11; **7** 17, etc., patrie de Joseph d'Arimathie dans l'Évangile, Mt **27** 57; Jn **19** 38, aujourd'hui Rentis, au nord-est de Lydda.

b) Seul cas de bigamie mentionné, pour un particulier, pendant toute la période monarchique. Le cas est parallèle à celui de Jacob, qui a épousé Léa et Rachel, et Rachel, d'abord stérile, est la bien-aimée, comme ici Anne, qui n'a pas d'enfants. La femme stérile est méprisée par sa compagne, vv. 6-7, cf. Sara et Agar, Gn **16** 4-5, elles sont des « rivales », v. 6, cf. Si **37** 11; il a fallu que la loi de Dt **21** 15-17, tout en autorisant la bigamie, protégeât les droits des enfants de la femme moins aimée.

et pour sacrifier à Yahvé Sabaot*a* à Silo*b* (là se trouvaient les deux fils d'Éli, Hophni et Pinhas, comme prêtres de Yahvé).

⁴ Un jour Elqana offrit un sacrifice. — Il avait coutume de donner des portions à sa femme Peninna et à tous ses fils et filles, ⁵ et il n'en donnait qu'une à Anne, bien qu'il préférât Anne, mais Yahvé l'avait rendue stérile. ⁶ Sa rivale lui faisait aussi des affronts pour la mettre en colère, parce que Yahvé avait rendu son sein stérile. ⁷ C'est ce qui arrivait annuellement, chaque fois qu'ils montaient au temple de Yahvé*c* : elle lui faisait des affronts*d*. — Or donc, Anne

---

5. « *bien qu'il* » 'èpès kî *G* ; « *(une part) de visage car il* » 'appâyim kî *H* = *une part d'honneur ? La traduction* « *la part de deux* » *n'est pas justifiable.*
7. « *C'est ce qui arrivait* » ta'ăśèh *conj.* ; « *C'est ce qu'il faisait* » ya'ăśèh *H*. — « *ils montaient* » *Vulg* ; « *elle montait* » *H*.

---

a) L'interprétation « Yahvé des armées » (qu'il s'agisse des armées d'Israël ou des armées célestes, astres, anges, ou de toutes les forces cosmiques) n'est pas assurée. Quel que soit le sens précis de Sabaot, l'épithète exprime une idée de puissance et la traduction ordinaire des Septante, *Kyrios Pantokratôr,* est fondamentalement juste. Le titre apparaît pour la première fois ici et il est lié au culte de Silo ; l'expression « Yahvé Sabaot, qui siège sur les chérubins » se rencontrera pour la première fois à **4** 4, à propos de l'arche amenée de Silo : c'est dans ce sanctuaire que le titre a été donné à Yahvé. Il est resté attaché au rituel de l'arche et est entré avec celle-ci à Jérusalem, 2 S **6** 2, 18 ; **7** 8, 26, 27. Il a été repris par les grands prophètes (sauf Ézéchiel), par les prophètes post-exiliques (surtout Zacharie) et dans les Psaumes.
b) Aujourd'hui Seilûn, une vingtaine de km. au sud de Naplouse. L'arche y fut installée au temps des Juges, dans un sanctuaire construit, Jg **18** 31, qui fut détruit, cf. Jr **7** 12 ; **26** 6, 9 ; Ps **78** 60, probablement par les Philistins après la défaite d'Apheq, 1 S **4**. Le pèlerinage est celui de la fête des Tentes, la plus fréquentée des fêtes annuelles, la « fête de Yahvé » par excellence, Lv **23** 39, la « fête » tout court, 1 R **8** 2, 65. On la célébrait à Silo dès le temps des Juges, Jg **21** 19.
c) A Silo, l'arche est déposée dans une « maison de Yahvé », un *hêkâl,* « palais » ou « temple », v. 9, qui a une porte, v. 9 ; **3** 15, et des dépendances, v. 9 ; **3** 2-3. C'est un bâtiment construit, ce n'est plus une tente comme au désert et les mentions de la Tente de Réunion à Silo, Jos **18** 1 ; **19** 51, se trouvent dans des passages de rédaction tardive (cf. la glose de **2** 22).
d) La longue incise rappelle ce qui se passait chaque année. La viande

pleura et resta sans manger. [8] Alors son mari Elqana lui dit : « Anne, Pourquoi pleures-tu et ne manges-tu pas ? Pourquoi es-tu malheureuse ? Est-ce que je ne vaux pas pour toi mieux que dix fils[a] ? »

La prière d'Anne. [9] Mais Anne se leva après qu'ils eurent mangé dans la chambre et elle se tint devant Yahvé — le prêtre Éli était assis sur son siège, contre le montant de la porte, au sanctuaire de Yahvé. [10] Dans l'amertume de son âme, elle pria Yahvé et elle pleura beaucoup. [11] Elle fit ce vœu : « O Yahvé Sabaot ! Si tu voulais considérer la misère de ta servante[b], te souvenir de moi, ne pas oublier ta servante et lui donner un petit d'homme, alors je le donnerai à Yahvé pour toute sa vie et le rasoir ne passera pas sur sa tête[c]. »

[12] Comme elle prolongeait sa prière devant Yahvé, Éli observait sa bouche. [13] Anne parlait tout bas : ses lèvres

---

9. « *après qu'ils eurent... devant Yahvé* » *d'après G ;* « *après qu'elle eut mangé à Silo et après qu'on eut bu* » *H.*

---

du sacrifice est mangée en commun, cf. **9** 23-24; Dt **12** 18; **15** 20. Elqana donnait plusieurs parts à Peninna pour elle et ses enfants, une seule part à Anne parce qu'elle n'avait pas d'enfant, et sa « rivale » y trouvait l'occasion de propos cruels. C'est seulement l'explication la plus probable d'un texte difficile, cf. la note textuelle sur le v. 5.

a) Cf. Rt **4** 15.

b) Comp. le *Magnificat*, Lc **1** 48, et voir la note au début du ch. **2**.

c) Samuel sera le fils accordé par Dieu à une mère stérile, comme Isaac, Samson, Jean-Baptiste. L'enfant à naître est voué par sa mère à Yahvé, comme serviteur du sanctuaire. Le port des cheveux longs sera le signe de cette consécration, encore comme Samson, Jg **16** 17. Mais il n'est pas expressément dit de Samuel, comme il est dit de Samson, Jg **13** 5; **16** 17, qu'il serait « nazir ». Il y manque d'ailleurs l'abstention des boissons fermentées, Nb **6** 3; cf. Jg **13** 4, que le grec a ajoutée ici. Cependant le mot « nazir » est introduit par un manuscrit de Qumrân (4Q Sam[a]) au v. 22 et Samuel sera appelé « nazir de Yahvé » dans Si hébr. **46** 13. La consécration de l'enfant résulte du vœu fait par sa mère et non pas d'un choix de Dieu, comme dans le cas de Samson, Jg **13** 3-5.

remuaient mais on n'entendait pas sa voix, et Éli pensa
qu'elle était ivre[a]. [14] Alors Éli lui dit : « Jusques à quand
seras-tu dans l'ivresse ? Fais passer ton vin ! » [15] Mais
Anne répondit ainsi : « Non, Monseigneur, je ne suis
qu'une femme affligée, je n'ai bu ni vin ni boisson fer-
mentée, j'épanche mon âme devant Yahvé. [16] Ne juge pas
ta servante comme une vaurienne : c'est par excès de peine
et de dépit que j'ai parlé jusqu'à maintenant. » [17] Alors Éli
lui répondit : « Va en paix et que le Dieu d'Israël t'accorde
ce que tu lui as demandé. » [18] Elle dit : « Puisse ta servante
trouver grâce à tes yeux », et la femme alla son chemin;
elle mangea et son visage ne fut plus le même.

**Naissance
et consécration
de Samuel.**

[19] Ils se levèrent de bon
matin et, après s'être pros-
ternés devant Yahvé, ils s'en
retournèrent et arrivèrent
chez eux, à Rama. Elqana
s'unit à sa femme Anne, et Yahvé se souvint d'elle. [20] Anne
conçut et, au temps révolu, elle mit au monde un fils,
qu'elle nomma Samuel, « car, dit-elle, je l'ai demandé
à Yahvé[b] ». [21] Le mari Elqana monta, avec toute sa famille,
pour offrir à Yahvé le sacrifice annuel et accomplir son

---

20. *On suit l'ordre de G ; H met « au temps révolu » en tête du v.*

---

a) On priait normalement à haute voix, et les fêtes religieuses étaient
aussi des fêtes profanes, où l'on abusait parfois de la boisson, Is **22** 13;
Am **2** 8. D'où la méprise d'Éli.
b) Cette explication et l'emploi répété de la racine *ša'al* « demander »,
vv. 27-28; **2** 20, devraient conduire au nom de *šâ'ûl* « Saül ». Cependant
on ne peut pas conclure sûrement qu'une tradition concernant la naissance
de Saül a été transférée à Samuel, car l'étymologie biblique se contente
souvent d'une vague assonance. La véritable explication du nom de
Samuel est incertaine : *šém-'él* « le Nom de Dieu » (prononcé sur l'enfant), ou bien : « le Nom (de Dieu) est El », comparer le nom babylonien
Shumu-il.

vœu[a]. [22] Mais Anne ne monta pas, car elle dit à son mari :
« Pas avant que l'enfant ne soit sevré[b] ! Alors je le condui-
rai ; il sera présenté devant Yahvé et il restera là pour
toujours. » [23] Elqana, son mari, lui répondit : « Fais comme
il te plaît et attends de l'avoir sevré. Que seulement Yahvé
réalise sa parole ! » La femme resta donc et allaita l'enfant
jusqu'à son sevrage.

[24] Lorsqu'elle l'eut sevré, elle l'emmena avec elle, en
même temps qu'un taureau de trois ans, une mesure de
farine et une outre de vin, et elle le fit entrer dans le temple
de Yahvé à Silo ; l'enfant était tout jeune. [25] On immola
le taureau et la mère de l'enfant vint chez Éli. [26] Elle dit :
« S'il te plaît, Monseigneur ! Aussi vrai que tu vis, Monseigneur, je suis la femme qui se tenait près de toi ici, priant
Yahvé. [27] C'est pour cet enfant que je priais et Yahvé m'a
accordé la demande que je lui ai faite. [28] A mon tour, je le
cède[c] à Yahvé tous les jours de sa vie : il est cédé à Yahvé. »
Et, là, il se prosterna devant Yahvé.

---

23. « *sa parole* » H ; « *ta parole* » G 4Q Sam[a].
24. « *un taureau de trois ans* » par m[e]šullâš G Syr cf. v. 25 ; « *trois taureaux* »
pârîm š[e]lošâh H. — *Pour la fin du v.,* G, *soutenu par* 4Q Sam[a], *a* : « *et elle
entra au temple de Yahvé à Silo ; l'enfant était avec eux* », *suivi d'une addition.
Le texte primitif doit être intermédiaire entre cette forme longue et la forme courte
de l'hébreu.*
25. G, *soutenu par* 4Q Sam[a], *a* : « *Il* (Elqana) *immola le taureau et Anne,
mère de l'enfant, le conduisit à Éli* ».

---

a) Il n'a pas été question de ce vœu d'Elqana ; il peut s'agir du vœu fait
par Anne, v. 11, qu'il a validé et dont il est devenu responsable, cf. la loi
de Lv **30** 11-16.
b) Les enfants étaient sevrés tard, à trois ans d'après 2 M **7** 27, de même
en Babylonie et en Égypte. Il arrive encore aujourd'hui que les femmes
arabes allaitent leurs garçons jusqu'à deux ans et plus.
c) La forme *hiphil* du verbe *šâ'al* « demander », employé au v. précédent, signifie « prêter, céder », c'est la réponse à une demande de l'emprun-
teur : l'enfant, demandé par la mère, est demandé, encore *šâ'ûl*, par Yahvé,
cf. la note *b*, p. 26.

Cantique d'Anne[a].

2.   [1] Alors Anne fit cette prière :

> « Mon cœur exulte en Yahvé,
>   ma corne[b] s'élève en mon Dieu,
> ma bouche est large ouverte contre mes ennemis,
>   car je me réjouis en ton secours.
> [2] Point de Saint comme Yahvé,
>   (car il n'y a personne excepté toi)[c]
>   point de Rocher comme notre Dieu[d].

> [3] Ne multipliez pas les paroles hautaines,
>   que l'arrogance ne sorte pas de votre bouche.
> Un Dieu plein de savoir, voilà Yahvé,
>   à lui de peser les actions.

---

2 1. « *en mon Dieu* » G ; « *en Yahvé* » H 4Q Sam[a].

3. « *hautaines* » G ; H *répète le mot.* — « *à lui* » lô *Qer Vulg* ; « *ne... pas* » lo' *Ket.*

---

a) Ce cantique a été appelé « le prototype du *Magnificat* » et il est bien vrai que Marie s'en est inspirée (comp. Lc **1** 47, 49, 52-53, à nos vv. 1, 2 et 7) en même temps que d'autres passages de l'A. T. Mais l'accent du *Magnificat* est beaucoup plus personnel. Le cantique d'Anne est un hymne qui, après la louange initiale, vv. 1-2, célèbre le Dieu sage et puissant qui donne à ses fidèles, les faibles, les pauvres, l'avantage sur les grands et les riches de la terre, vv. 3-8, et ce poème se termine par un cri de confiance en Yahvé qui fortifie son roi, son oint. Ce psaume de l'époque monarchique, cf. v. 10, apparenté aux Ps **2** et **18**, a été mis dans la bouche d'Anne à cause de l'allusion du v. 5[b] à la « femme stérile », et aussi parce que cet hymne à Dieu maître des destinées, à Yahvé « qui abaisse et qui élève » donnait le sens théologique de l'histoire de Samuel et de Saül, qui va suivre.

b) Symbole de force, comme souvent dans les Psaumes. L'expression revient au dernier vers, v. 10, encadrant ainsi le cantique.

c) Glose qui rompt le rythme et que le grec transpose à la fin du v.

d) Cf. 2 S **22** 2; **23** 3; Ps **18** 3, 32; Is **30** 29; Dt **32** plusieurs fois, et cf. Gn **49** 24.

⁴ L'arc des puissants est brisé,
   mais les défaillants sont ceinturés de force.
⁵ Les rassasiés s'embauchent pour du pain,
   mais les affamés cessent de travailler.
La femme stérile enfante sept fois *ᵃ*,
   mais la mère de nombreux enfants se flétrit.

⁶ C'est Yahvé qui fait mourir et vivre,
   qui fait descendre au shéol et en remonter.
⁷ C'est Yahvé qui appauvrit et qui enrichit,
   qui abaisse et aussi qui élève.

⁸ Il retire de la poussière le faible,
   du fumier il relève le pauvre,
pour les faire asseoir avec les nobles
   et leur assigner un siège d'honneur *ᵇ*;
car à Yahvé sont les piliers de la terre,
   sur eux il a posé le monde *ᶜ*.

⁹ Il garde les pas de ses fidèles,
   mais les méchants disparaissent dans les ténèbres
   (car ce n'est pas par la force que l'homme triomphe).
¹⁰ Yahvé, ses ennemis sont brisés,
   le Très Haut tonne dans les cieux.

Yahvé juge les confins de la terre,
il donne la force à son Roi,
   il exalte la corne de son Oint. »

---

5. « *de travailler* » 'ăbod *conj.*; « *jusqu'à* » 'ad, *lié à la suite*, H.
10. « *le Très Haut* » 'èlyôn *conj.*; « *contre lui* » 'âlâw H.

a) Cf. Ps **113** 9.
b) Cf. Ps **113** 7-8.
c) On se représentait la terre comme reposant sur des colonnes, Ps **75** 4;
Jb **9** 6; **38** 6.

¹¹ Elle partit pour Rama, mais l'enfant restait à servir Yahvé, en présence du prêtre Éli.

¹² Or les fils d'Éli étaient

Les fils d'Éli. des vauriens, qui ne se sou-
ciaient pas de Yahvé ¹³ ni
du droit des prêtres vis-à-vis du peuple[a] : si quelqu'un offrait un sacrifice, le serviteur du prêtre venait pendant qu'on cuisait la viande, tenant une fourchette à trois dents, ¹⁴ il piquait dans le chaudron ou dans la marmite ou dans la terrine ou dans le pot, et le prêtre s'attribuait tout ce que ramenait la fourchette; on agissait ainsi avec tous les Israélites qui venaient là, à Silo. ¹⁵ Et même, on n'avait pas encore fait fumer la graisse que le serviteur du prêtre venait et disait à celui qui sacrifiait : « Donne de la viande à rôtir pour le prêtre, il n'acceptera pas de toi de la viande bouillie, seulement de la viande crue. » ¹⁶ Et si cet homme lui disait : « Qu'on fasse d'abord fumer la graisse, puis prends pour toi à ta guise », il répondait : « Non, tu vas me donner tout de suite, sinon je prends de force. » ¹⁷ Le péché des jeunes gens était très grand devant Yahvé, car ils traitaient avec mépris l'offrande faite à Yahvé.

¹⁸ Samuel était au service

Samuel à Silo. de Yahvé, un enfant vêtu du
pagne[b] de lin. ¹⁹ Sa mère lui

---

11. « *Elle partit pour R.* » *G* ; « *Elqana partit pour R. chez lui* » *H.*

16. « *il répondait : Non* » lo' *plusieurs Mss Qer* 4*Q Sam*ᵃ *G* ; « *il répondait à lui* » lô *Ket.*

17. « *ils* » *G* ; « *les hommes* » *H.*

---

a) Les prêtres avaient un droit sur les victimes sacrifiées et la loi, qui a d'ailleurs varié, leur attribuait des parts déterminées, Dt **18** 3 ; Lv **7** 29-36. Les fils d'Éli ne tiennent pas compte de ces règles, vv. 13-14. Davantage, vv. 15-16, ils se servent avant même qu'on n'ait offert sur l'autel la part de Yahvé, en faisant « fumer la graisse », Lv **3** 3 s, etc.

b) En hébr. *ephod*, vêtement sacerdotal porté aussi par David dansant

faisait une petite robe qu'elle lui apportait chaque année, lorsqu'elle montait avec son mari pour offrir le sacrifice annuel. [20] Éli bénissait Elqana et sa femme et disait : « Que Yahvé te rende une progéniture de cette femme, en échange du prêt qu'elle a cédé à Yahvé », et ils s'en allaient chez eux. [21] Yahvé visita Anne, elle conçut et elle mit au monde trois fils et deux filles; le jeune Samuel grandissait auprès de Yahvé.

Encore les fils d'Éli.

[22] Bien qu'Éli fût très âgé, il était informé de tout ce que ses fils faisaient à tout Israël. [23] Il leur dit : « Pourquoi agissez-vous de la manière que j'entends dire par tout le peuple ? [24] Non, mes fils, elle n'est pas belle la rumeur que j'entends le peuple de Yahvé colporter[a]. [25] Si un homme pèche contre un autre homme, Dieu sera l'arbitre, mais si c'est contre Yahvé que pèche un homme, qui intercédera pour lui[b] ? » Cependant ils n'écoutèrent pas la voix de leur père. C'est qu'il avait plu à Yahvé de les conduire à la mort[c].

20. « rende » yᵉšallém 4Q Samᵃ G ; « place » yâsém H. — « elle a cédé » hišʼilah 4Q Samᵃ G Syr Vulg ; « il a demandé » šáʼal H.

21. « Yahvé visita » 4Q Samᵃ Vers.; « C'est que Yahvé visita » H.

22ᵇ. H ajoute : « et qu'ils couchaient avec les femmes qui faisaient le service à l'entrée de la Tente de Réunion », glose inspirée d'Ex **38** 8; omis par 4Q Samᵃ Gᴮ.

23. Après « j'entends dire », H ajoute « ces vilaines choses »; omis par Gᴮ.

devant l'arche, 2 S **6** 14, et par les prêtres de Nob, 1 S **22** 18; il est différent de l'instrument divinatoire, qui s'appelle aussi *ephod* et qui sera expliqué au v. 28. La petite robe du v. suivant est un autre vêtement.

a) Sens incertain; d'autres comprennent : « ... que j'entends : vous faites transgresser le peuple de Yahvé ».

b) Un litige entre deux hommes peut être porté devant Dieu (ou le juge qui parle en son nom), mais si Yahvé est l'offensé, il n'y a aucun recours à un arbitrage supérieur et le coupable est abandonné à la vengeance divine.

c) Comme ailleurs dans la Bible, Ex **4** 21; Jos **11** 20; Is **6** 9-10, etc., l'endurcissement du pécheur est reporté à Yahvé comme à la cause première. Mais cette manière de parler ne prétend nullement nier la liberté humaine.

²⁶ Quant au jeune Samuel, il continuait de croître en taille et en grâce tant auprès de Yahvé qu'auprès des hommes[a].

²⁷ Un homme de Dieu vint

Annonce du châtiment[b].   chez Éli et lui dit : « Ainsi parle Yahvé. Voilà donc que je me suis révélé à la maison de ton père[c] quand ils étaient en Égypte, esclaves de la maison de Pharaon. ²⁸ Je l'ai distinguée de toutes les tribus d'Israël pour exercer mon sacerdoce, pour monter à mon autel, pour faire fumer l'offrande, pour porter l'éphod[d], et j'ai concédé à la maison de ton père toutes les viandes offertes par les Israélites. ²⁹ Pourquoi piétinez-vous l'offrande et le sacrifice que j'ai

---

27. « *esclaves* » G ; *omis par* H.

---

a) Comp. Lc **2** 52.

b) Cet épisode paraît être une insertion postérieure; car l'intervention d'un « homme de Dieu », un prophète, s'oppose à la rareté des oracles à cette époque, **3** 1, et rend inutile la révélation plus brève qui sera faite à Samuel, **3** 11-14. La mort d'Hophni et de Pinhas, **4** 11, ne sera que le « présage », v. 34, des malheurs futurs qui sont annoncés au v. 33 : massacre des prêtres de Nob, descendants d'Éli, **22** 18-19, sauf Ébyatar, **22** 20-23, destitué par Salomon, 1 R **2** 27; au v. 35 : substitution de la famille de Sadoq qui, à partir de Salomon, gardera la faveur du roi, « l'oint » du Seigneur; au v. 36 : situation humiliante des prêtres de province après la réforme de Josias, 2 R **23** 9. Ce dernier trait date la composition.

c) La maison d'Éli est ainsi rattachée à la tribu de Lévi et les noms égyptiens de ses deux fils, Hophni et Pinhas, confirment cette origine; Pinhas est aussi le nom d'un petit-fils d'Aaron, Ex **6** 25; Nb **25** 7, etc.

d) Ce n'est pas un vêtement que l'on ceint, comme l'éphod du v. 18, c'est un objet qu'on « porte » ou qu'on « apporte », cf. **14** 2; **23** 6, 9; **30** 7. C'est le réceptacle des sorts sacrés par lesquels on consulte Yahvé, **14** 18 s, 41 (cf. la note); **21** 10; **23** 9 s; **30** 8, peut-être, primitivement et dans un culte étranger, le revêtement d'une image divine avec une poche contenant les sorts sacrés, comp. l'éphod et le pectoral du grand prêtre, Ex **28** 6-30. Le culte sans image d'Israël aurait adopté l'éphod, sans la statue qu'il ornait, et s'en serait servi un certain temps comme instrument divinatoire. Il apparaît à l'époque des Juges, Jg **8** 26 s (condamné comme symbole idolâtrique); **17** 5; **18** 14 s, et il n'est plus mentionné dans les récits postérieurs à David (une allusion en Os **3** 4).

ordonnés pour ma Demeure[a], et honores-tu tes fils plus
que moi, en vous engraissant du meilleur de toutes les
offrandes d'Israël, mon peuple ? [30] C'est pourquoi — oracle
de Yahvé, Dieu d'Israël — j'avais bien dit que ta maison et
la maison de ton père marcheraient en ma présence pour
toujours [b], mais maintenant — oracle de Yahvé — je m'en
garderai ! Car j'honore ceux qui m'honorent et ceux qui
me méprisent sont traités comme rien. [31] Voici que des
jours viennent où j'abattrai ton bras et le bras de la maison
de ton père, en sorte qu'il n'y ait pas de vieillard dans
ta maison. [32] Tu regarderas, à côté de la Demeure, tout
le bien que je ferai à Israël, et il n'y aura pas de vieillard
dans ta maison, à jamais. [33] Je maintiendrai quelqu'un des
tiens près de mon autel, pour que ses yeux se consument
et que son âme s'étiole, mais tout l'ensemble de ta maison
périra par l'épée des hommes. [34] Le présage sera pour toi
ce qui va arriver à tes deux fils, Hophni et Pinhas : le
même jour, ils mourront tous deux. [35] Je me susciterai
un prêtre fidèle [c], qui agira selon mon cœur et mon désir,
je lui assurerai une maison qui dure et il marchera toujours

---

29. « *pour ma Demeure* » lime^eônî *conj.*; « *Demeure* » mâ'ôn H. — « *mon
peuple* » 'ammî *conj.*; « *pour mon peuple* » le'ammî H, *dittographie du* lamed
précédent.

32. « *à côté de la Demeure* » ṣad mâ'ôn *conj.*; « *ennemi de la Demeure* » ?
ṣar mâ'ôn H. — « *je ferai* » *conj.*; « *il fera* » H.

33. « *ses yeux... son âme* » G ; « *tes yeux... ton âme* » H. — « *par l'épée* »
G ; *omis par* H.

a) Le texte et le sens de la phrase sont incertains; de même au début du
v. 32.

b) « Marcher en présence de Dieu », c'est le servir fidèlement et consé-
quemment jouir de sa faveur, comme à Gn **17** 1; **48** 15 et comp. le v. **35**
où l'expression concerne le service et la faveur du roi.

c) Il s'agit non pas de Samuel mais de Sadoq, dont la famille supplantera
celle d'Ébyatar, descendant d'Éli, sous Salomon, 1 R **2** 27, et gardera le
service exclusif du Temple jusqu'à l'Exil. Tout le passage est d'inspiration
sadocide.

en présence de mon oint. [36] Quiconque subsistera de ta famille viendra se prosterner devant lui pour avoir une piécette d'argent et une galette de pain, et dira : ' Je t'en prie, attache-moi à n'importe quelle fonction sacerdotale, pour que j'aie un morceau de pain à manger '. »

L'appel de Dieu à Samuel[a].

3. [1] Le jeune Samuel servait donc Yahvé en présence d'Éli; en ce temps-là, il était rare que Yahvé parlât, les visions n'étaient pas fréquentes[b]. [2] Or, un jour, Éli était couché dans sa chambre, — ses yeux commençaient de faiblir et il ne pouvait plus voir, — [3] la lampe de Dieu n'était pas encore éteinte[c] et Samuel était couché dans le sanctuaire de Yahvé, là où se trouvait l'arche de Dieu[d]. [4] Yahvé appela : « Samuel, Samuel[e] ! » Il répondit : « Me voici ! » [5] et il courut près d'Éli et dit : « Me voici, puisque tu m'as appelé. » — « Je ne t'ai pas appelé, dit Éli; retourne

---

3 4. « *appela : Samuel, Samuel !* » G cf. v. 10; « *appela Samuel* » H.

---

a) Première révélation, qui consacre Samuel comme prophète. Bien que la scène se passe pendant la nuit, ce n'est pas un songe : la voix réveille Samuel, qui se lève trois fois et va auprès d'Éli. Ce n'est une « vision » qu'au sens large, car Samuel ne voit pas Yahvé, il l'entend seulement, même lorsque Yahvé « se tient présent », v. 10.

b) Peut-être à cause de l'infidélité de la maison d'Éli : Yahvé se fait distant. Le récit a deux objets : la vocation de Samuel, la condamnation de la maison d'Éli.

c) Une lampe brûle toute la nuit dans le sanctuaire, comp. Ex 27 20-21; Lv 24 3. Il y aura dix lampes dans le Temple de Salomon, 1 R 7 49, un chandelier à sept branches dans le Second Temple (et dans la Tente du désert d'après Ex 25 31 s).

d) Première mention dans les livres de Samuel. Elle prépare immédiatement la révélation qui va être faite : au-dessus de l'arche, Yahvé se rend présent et communique ses ordres, cf. Ex 25 22 et la vision inaugurale d'Isaïe, Is 6.

e) Le texte grec, qui redouble le nom, est préférable ici et au v. 6, à cause du v. 10, où Yahvé appelle « comme les autres fois » et à cause du parallèle de la vision de Jacob, Gn 46 2.

te coucher. » Il alla se coucher. ⁶ Yahvé recommença
d'appeler : « Samuel, Samuel ! » Il se leva et alla près
d'Éli et dit : « Me voici, puisque tu m'as appelé. » — « Je
ne t'ai pas appelé, mon fils, dit Éli; retourne te coucher. »
⁷ Samuel ne connaissait pas encore Yahvé et la parole
de Yahvé ne lui avait pas encore été révélée. ⁸ Yahvé
recommença d'appeler Samuel pour la troisième fois. Il se
leva et alla près d'Éli et dit : « Me voici, puisque tu m'as
appelé. » Alors Éli comprit que c'était Yahvé qui appelait
l'enfant ⁹ et il dit à Samuel : « Va te coucher et, si on
t'appelle, tu diras : Parle, Yahvé, car ton serviteur écoute »,
et Samuel alla se coucher à sa place.

¹⁰ Yahvé vint et se tint présent. Il appela comme les
autres fois : « Samuel, Samuel ! » et Samuel répondit :
« Parle, car ton serviteur écoute. » ¹¹ Yahvé dit à Samuel :
« Je m'en vais faire en Israël une chose telle que les deux
oreilles en tinteront à quiconque l'apprendra. ¹² En ce
jour-là, j'accomplirai contre Éli tout ce que j'ai dit sur
sa maison, du commencement à la fin. ¹³ Tu lui annonceras[a] que je condamne sa maison pour toujours; parce
qu'il a su que ses fils maudissaient Dieu[b] et qu'il ne les a
pas corrigés. ¹⁴ C'est pourquoi — je le jure à la maison
d'Éli — ni sacrifice ni offrande n'effaceront jamais la faute
de la maison d'Éli. »

¹⁵ Samuel reposa jusqu'au matin, puis il ouvrit les portes

---

6. « *Samuel, Samuel* » *G cf. v.* 10; « *Samuel, et Samuel se leva* » *H.*
13. « *Tu lui annonceras* » wᵉhiggadtâ *conj.*; « *je lui ai annoncé* » wᵉhiggadtî
(*avec* waw *de coordination*) *H.* — « *Dieu* » 'ĕlohîm *G* ; « *à eux* » lâhèm *H.*

---

a) Le texte hébreu se réfère à **2** 27-36, mais le récit n'a plus de sens si
Éli connaît déjà ce premier oracle. Le texte a été retouché ici et au v. 12,
après l'insertion de **2** 27-36.
b) C'est le texte ancien, conservé par le grec. L'hébreu est une correction
des scribes, pour éviter d'écrire une malédiction contre Dieu. Ailleurs, ils
ont remplacé « maudire » par « bénir », 1 R **21** 10, 13; Jb **1** 5, 11; **2** 5, 9.

du temple de Yahvé. Samuel craignait de raconter la vision à Éli, [16] mais Éli l'appela en disant : « Samuel, mon fils ! » et il répondit : « Me voici ! » [17] Il demanda : « Quelle est la parole qu'il[a] t'a dite ? Ne me cache rien ! Que Dieu te fasse ce mal et qu'il ajoute encore cet autre[b] si tu me caches un mot de ce qu'il t'a dit. » [18] Alors Samuel lui rapporta tout, il ne lui cacha rien. Éli dit : « Il est Yahvé ; qu'il fasse ce qui lui semble bon ! »

[19] Samuel grandit. Yahvé était avec lui et ne laissa rien tomber à terre[c] de tout ce qu'il lui avait dit. [20] Tout Israël sut, depuis Dan jusqu'à Bersabée[d], que Samuel était accrédité comme prophète de Yahvé. [21] Yahvé continua de se manifester à Silo, car il se révélait à Samuel, **4.** [1] et la parole de Samuel s'adressa à tout Israël. Éli était très âgé et ses fils persévéraient dans leur mauvaise conduite à l'égard de Yahvé.

---

21. *Après « Samuel », H a « à Silo dans la parole de Yahvé »; omis par G.* **4** 1. *« Éli... Yahvé » G VetLat (à la fin de* **3** 21*); omis par H. — « Il advint... combattre Israël » G ; omis par H.*

---

a) Éli tait le nom de Yahvé par respect et aussi par crainte devant l'intervention divine, cf. Am **6** 10. Ou bien, il veut laisser ignorer à Samuel qui est son interlocuteur, auquel cas il faudrait supprimer « Yahvé » dans le v. 9, avec une partie de la tradition grecque (ce qu'appuierait la réponse de Samuel, v. 10).

b) Même formule à **14** 44; **20** 13; **25** 22; 2 S **3** 9 et 35; **19** 14 et Rt **1** 17; 1 R **2** 23; 2 R **6** 31. En prononçant cette imprécation, on précisait les maux qu'on appelait sur la personne visée, mais, l'efficacité des malédictions étant redoutable, le rédacteur les remplace par une formule vague.

c) C'est-à-dire qu'il accomplit tout, cf. Jos **23** 14; 2 R **10** 10, etc. Cet accomplissement est le signe que Samuel est un vrai prophète, cf. le v. suivant et Dt **18** 22.

d) Marquant les limites nord et sud du territoire d'Israël, comme à 2 S **3** 10; **17** 11 et Jg **20** 1.

II. L'ARCHE CHEZ LES PHILISTINS[a]

Défaite des Israélites et capture de l'arche. Il advint en ce temps-là que les Philistins se rassemblèrent pour combattre Israël, et les Israélites sortirent à leur rencontre pour le combat. Ils campèrent près d'Ében-ha-Ézèr, tandis que les Philistins étaient campés à Apheq[b]. [2] Les Philistins s'étant mis en ligne contre Israël, il y eut un rude combat et Israël fut battu devant les Philistins : environ quatre mille hommes furent tués dans les rangs, en rase campagne. [3] L'armée revint au camp et les anciens d'Israël dirent : « Pourquoi Yahvé nous a-t-il fait battre aujourd'hui par les Philistins ? Allons chercher à Silo l'arche de notre Dieu, qu'elle vienne au milieu de nous et qu'elle nous sauve de l'emprise de nos ennemis[c]. »

---

2. « *il y eut un rude combat* » wattiqèš *conj.*; « *et le combat s'étendit* » ? wattiṭṭoš *H*. — « *furent tués* » *Vers.*; « (*les Philistins*) *tuèrent* » *H*.
3. « *l'arche de notre Dieu* » *G* ; « *l'arche de l'alliance de Yahvé* » *H*.

a) Cette histoire n'a, avec la précédente, que des liens accessoires, les mentions de Silo, d'Éli et de ses fils. Mais Samuel, qui était le personnage central de **1-3**, n'y paraît plus (sur le ch. **7**, voir la note p. 46) et l'arche, qui est maintenant le sujet principal, était seulement mentionnée à **3** 3. Par son contenu, son cadre géographique et son humour, cet épisode de l'oppression philistine s'apparente à l'histoire de Samson, Jg **13-16**. Le récit d'abord indépendant a servi de préface à l'histoire monarchiste de l'institution de la royauté dans les ch. **9-11**, avec la reprise des guerres philistines aux ch. **13-14**. Pour avoir la suite de l'histoire de l'arche, il faut passer à 2 S **6**, puis à 1 R **8** 3-11.
b) Apheq est aujourd'hui Râs el-'Aïn, à la source du Fleuve de Jaffa, hors de la zone montagneuse et au nord du territoire des Philistins. C'est là que ceux-ci se réuniront encore, **29** 1, avant d'attaquer Israël. Ében-ha-Ézèr, cf. **5** 1, doit être cherché aux environs, peut-être à Medjdel Yaba. Cette localité est différente de Ében-ha-Ézèr de **7** 12.
c) L'arche est le signe de la présence de Yahvé, cf. v. 7. Son rôle dans les guerres saintes d'Israël est attesté par Nb **10** 35-36; Jos **6** 6 s et encore 2 S **11** 11. Cependant, la rareté de ces références et la formulation du v. 7 indiquent qu'elle n'accompagnait qu'exceptionnellement l'armée.

⁴ L'armée envoya à Silo et on enleva de là l'arche de Yahvé Sabaot, qui siège sur les chérubins*ᵃ*; les deux fils d'Éli, Hophni et Pinhas, accompagnaient l'arche. ⁵ Quand l'arche de Yahvé arriva au camp, tous les Israélites poussèrent une grande acclamation*ᵇ*, qui fit résonner la terre. ⁶ Les Philistins entendirent le bruit de l'acclamation et dirent : « Que signifie cette grande acclamation au camp des Hébreux ? » et ils connurent que l'arche de Yahvé était arrivée au camp. ⁷ Alors les Philistins eurent peur, car ils se disaient : « Dieu est venu au camp ! » Ils dirent : « Malheur à nous ! Car il n'en était pas ainsi auparavant. ⁸ Malheur à nous ! Qui nous délivrera de la main de ce Dieu puissant ? C'est lui qui a frappé l'Égypte de toutes sortes de plaies au désert*ᶜ*. ⁹ Prenez courage et soyez virils, Philistins, pour n'être pas asservis aux Hébreux

---

4. « *l'arche de Yahvé Sabaot* » *d'après* G *VetLat ;* « *l'arche de l'alliance de Yahvé Sabaot* » H. — « *l'arche* » (2°) G ; « *l'arche de l'alliance de Dieu* » H. — « *et les deux fils* » *ûšᵉnê* G ; « *et, là, les deux fils* » *wᵉšâm šᵉnê* H, *dittographie.*

5. « *l'arche de Yahvé* » G ; « *l'arche de l'alliance de Yahvé* » H.

---

a) Ce titre apparaît ici pour la première fois, en relation avec le sanctuaire de Silo, cf. la note sur **1** 3. Dans le Temple de Salomon, l'arche reposera sous les ailes des chérubins, 1 R **8** 6; d'après la description sacerdotale de l'arche au désert, des chérubins étaient fixés aux extrémités du propitiatoire qui couvrait l'arche, Ex **37** 7-9. L'arche et les chérubins sont le trône de Dieu, le « siège » de sa présence invisible. On peut en rapprocher certains trônes divins retrouvés en Syrie, qui sont flanqués de sphinx ailés.

b) L'hébreu emploie le terme *tᵉrû'âh*, désignant un cri guerrier et religieux qui, à cause du rôle de l'arche dans la guerre sainte, a passé dans le rituel de l'arche, 2 S **6** 15, et finalement dans la liturgie du Temple, Lv **23** 24; Nb **29** 1. Les Philistins ne se trompent pas sur le sens de cette acclamation, v. 6.

c) Les plaies n'ont pas été infligées à l'Égypte « au désert ». La correction faite par le grec « et au désert » n'arrange pas le sens mais prouve que le mot appartient au texte primitif. L'expression peut désigner vaguement toute la période de l'Exode, ou bien le récit veut représenter les Philistins comme mal informés et l'on pourrait expliquer de la même façon, dans ce verset, l'emploi, attesté mais rare, d'Élohim, Dieu, avec des adjectifs et des pronoms pluriels; il faudrait alors traduire : « Qui nous délivrera de la main de ces dieux puissants ? c'est eux qui ont frappé l'Égypte... »

comme ils vous ont été asservis; soyez virils et combat-
tez ! » [10] Les Philistins livrèrent bataille, les Israélites
furent battus et chacun s'enfuit à ses tentes; ce fut un
très grand massacre et trente mille hommes de pied tombèrent du côté d'Israël. [11] L'arche de Dieu fut prise et
les deux fils d'Éli moururent, Hophni et Pinhas.

Mort d'Éli.

[12] Un homme de Benjamin courut hors des rangs et atteignit Silo le même jour,
les vêtements déchirés et la tête couverte de poussière.
[13] Lorsqu'il arriva, Éli était assis sur son siège, à côté de
la porte, surveillant la route[a], car son cœur tremblait pour
l'arche de Dieu. Cet homme donc vint apporter la nouvelle
à la ville, et ce furent des cris dans toute la ville. [14] Éli
entendit les cris et demanda : « Quelle est cette grande
rumeur ? » L'homme se hâta et vint avertir Éli. —
[15] Celui-ci avait quatre-vingt-dix-huit ans, il avait le regard
fixe et ne pouvait plus voir. — [16] L'homme dit à Éli :
« J'arrive du camp, je me suis enfui des rangs aujour-
d'hui », et celui-ci demanda : « Que s'est-il passé, mon
fils ? » [17] Le messager répondit : « Israël a fui devant les
Philistins, ce fut même une grande défaite pour l'armée,
et encore tes deux fils sont morts, et l'arche de Dieu a été
prise ! » [18] A cette mention de l'arche de Dieu, Éli tomba
de son siège à la renverse, en travers de la porte, sa nuque

---

13. « *à côté de la porte, surveillant la route* » *G* ; *H corrompu.*
16. « *du camp* » min-hammaḥănèh *G;* « *des rangs* » min-hammaʻărâkâh *H,*
influencé par la suite du v.
17. « *tes deux fils* » *G* ; *H ajoute* « *Hophni et Pinhas* ».
18. *H donne le choix entre les deux traductions* « *en travers de la porte* » *et*
« *à côté de la porte* ».

---

a) La porte est celle du sanctuaire, cf. **1** 9, et non de la ville, car le
messager traverse celle-ci avant d'atteindre Éli. Le vieillard est aveugle,
v. 15, mais il « guette » les bruits qui viennent de la route.

se brisa et il mourut, car l'homme était âgé et pesant. Il avait jugé[a] Israël pendant quarante ans.

Mort de la femme de Pinhas[b].

[19] Or sa bru, la femme de Pinhas, était enceinte et sur le point d'accoucher. Dès qu'elle eut appris la nouvelle relative à la prise de l'arche et à la mort de son beau-père et de son mari, elle s'accroupit et elle accoucha, car ses douleurs l'avaient assaillie. [20] Comme elle était à la mort, celles qui l'assistaient lui dirent : « Aie confiance, c'est un fils que tu as enfanté ! » mais elle ne répondit pas et n'y fit pas attention. [21] Elle appela l'enfant Ikabod, disant : « La gloire a été bannie d'Israël »[c], par allusion à la prise de l'arche de Dieu, et à son beau-père et son mari. [22] Elle dit : « La gloire a été bannie d'Israël, parce que l'arche de Dieu a été prise. »

Déboires des Philistins avec l'arche.

5. [1] Lorsque les Philistins se furent emparés de l'arche de Dieu, ils la conduisirent d'Ében-ha-Ézèr à Ashdod[d]. [2] Les Philistins prirent l'arche de Dieu, l'introdui-

---

a) Ainsi Éli est improprement assimilé aux Juges d'Israël. « Quarante ans » est un chiffre rond exprimant la durée d'une génération.

b) Comp. le récit de la mort de Rachel, Gn **35** 16-18.

c) Le nom d'Ikabod reçoit une étymologie populaire : 'Éy kâbôd « Où est la gloire ? » (il n'y a plus de gloire); en fait, le premier élément, comme dans les noms Izèbèl (Jézabel), I'èzèr, est probablement une abréviation de 'Aḥi- « frère » ou 'Abi- « père ». Cette gloire est celle de Yahvé qui trône sur l'arche, cf. encore le v. 22; c'est l'arche seule qui compte, comme pour Éli, v. 18, et l'allusion au beau-père et au mari, à la fin du v., est une addition. La perte de l'arche est ressentie plus douloureusement que la mort des proches et que le massacre de l'armée, c'est une catastrophe incompréhensible : il semble que Dieu abandonne son peuple. C'est le point culminant du récit. Les ch. **5** et **6** donneront la contre-partie : le Dieu de l'arche se venge de ses ennemis et revient chez les siens.

d) L'une des cinq villes philistines, qui seront énumérées toutes à **6** 17, aujourd'hui Esdoud.

sirent dans le temple de Dagôn et la déposèrent à côté de Dagôn[a]. [3] Le lendemain matin, des Ashdodites vinrent au temple de Dagôn et voilà que Dagôn était tombé sur sa face, par terre, devant l'arche de Yahvé. Ils relevèrent Dagôn et le remirent à sa place. [4] Mais, le lendemain de bon matin, voilà que Dagôn était tombé sur sa face, par terre, devant l'arche de Yahvé, et la tête de Dagôn et ses deux mains gisaient coupées sur le seuil : il ne restait à sa place que le tronc de Dagôn. [5] C'est pourquoi les prêtres de Dagôn et tous ceux qui entrent dans le temple de Dagôn ne foulent pas du pied le seuil de Dagôn à Ashdod, encore aujourd'hui[b].

[6] La main de Yahvé s'appesantit sur les Ashdodites : il les ravagea et les affligea de tumeurs[c], Ashdod et son territoire. [7] Quand les gens d'Ashdod virent ce qui arrivait ils dirent : « Que l'arche du Dieu d'Israël ne reste pas chez nous, car sa main s'est raidie contre nous et contre notre dieu Dagôn. » [8] Ils firent donc convoquer tous les princes[d] des Philistins auprès d'eux et dirent : « Que

---

5 3. « *vinrent au temple de Dagôn* » *G* ; *omis par H.* — « *ils relevèrent* » wayyâqîmû *G* ; « *ils prirent* » wayyiqᵉhû *H.*
4. « *le tronc de Dagôn* » *Vers.* ; « *Dagôn* » *H.*

---

a) L'arche est portée au temple de Dagôn, comme le trophée du dieu vaincu. Dagôn, adopté par les Philistins, cf. encore Jg **16** 23 s, était une vieille divinité sémitique de la fertilité, spécialement vénérée dans la région du Moyen-Euphrate. Ce n'est pas un dieu-poisson, comme on l'avait conclu de l'hébreu *dâg*, et son idole est anthropomorphe, v. 4.

b) En réalité, c'était une coutume assez répandue dans l'antiquité de sauter le seuil, considéré comme l'habitation des esprits. Elle s'introduisit même à Jérusalem, d'après So **1** 9.

c) C'est le sens du Ketib *'ŏpâlîm* ; le Qerê suppose la lecture *ţᵉhorîm*, qui est aussi celle de **6** 11, 17 : il s'agirait d'hémorroïdes et le sens conviendrait bien à l'humour un peu dru de tout ce récit.

d) Pour désigner les cinq princes des villes philistines, et eux seuls, la Bible emploie le terme philistin *sᵉrânîm* (toujours au pluriel), un mot préhellène, qui a passé en grec, τύραννοι.

devons-nous faire de l'arche du Dieu d'Israël ? » Ils déci-
dèrent : « C'est à Gat[a] que s'en ira l'arche du Dieu d'Israël », et on emmena l'arche du Dieu d'Israël. [9] Mais après
qu'ils l'eurent amenée, la main de Yahvé fut sur la ville
et il y eut une très grande panique : les gens de la ville
furent frappés, du plus petit au plus grand, et il leur sortit
des tumeurs. [10] Ils envoyèrent alors l'arche de Dieu à
Éqrôn[b], mais lorsque l'arche de Dieu arriva à Éqrôn, les
Éqrônites s'écrièrent : « Ils m'ont amené l'arche du Dieu
d'Israël pour me faire périr avec tout mon peuple ! » [11] Ils
firent convoquer tous les princes des Philistins et dirent :
« Renvoyez l'arche du Dieu d'Israël, et qu'elle retourne à
son lieu et ne me fasse pas mourir, moi et mon peuple. »
Il y avait en effet une panique mortelle dans toute la ville,
tant s'y était appesantie la main de Dieu. [12] Les gens qui
ne mouraient pas étaient affligés de tumeurs et le cri de
détresse de la ville montait jusqu'au ciel.

6. [1] L'arche de Yahvé fut
Renvoi de l'arche.   sept mois dans le territoire
                            des Philistins. [2] Les Philis-
tins en appelèrent aux prêtres et aux devins et demandèrent : « Que devons-nous faire de l'arche de Yahvé ?
Indiquez-nous comment nous la renverrons en son lieu. »
[3] Ils répondirent : « Si vous voulez renvoyer l'arche du
Dieu d'Israël, ne la renvoyez pas sans rien, mais payez-lui
une réparation. Alors vous guérirez et vous saurez pourquoi sa main ne s'était pas détournée de vous. » [4] Ils
demandèrent : « Quelle doit être la réparation que nous
lui paierons ? » Ils répondirent : « D'après le nombre des

_____

a) Probablement Tell esh-Sheikh Ahmed el-'Areini, au sud-ouest
d'Ashdod.

b) La plus septentrionale des principautés philistines. Le nom est
conservé par le village de 'Aqir, mais le site ancien est probablement
quelques km. au sud-ouest, à Qatra.

princes des Philistins, cinq tumeurs d'or et cinq rats d'or[a], car ce fut la même plaie pour vous et pour vos princes. [5] Faites des images de vos tumeurs et des images de vos rats, qui ravagent le pays, et rendez gloire au Dieu d'Israël[b]. Peut-être sa main se fera-t-elle plus légère sur vous, vos dieux et votre pays. [6] Pourquoi endurciriez-vous votre cœur comme l'ont endurci les Égyptiens et Pharaon ? Lorsque Dieu les eut malmenés, ne les ont-ils pas laissés partir ? [7] Maintenant, prenez et préparez un chariot neuf et deux vaches qui allaitent et n'ont pas porté le joug[c] : vous attellerez les vaches au chariot et vous ramènerez leurs petits en arrière à l'étable[d]. [8] Vous prendrez l'arche de Yahvé et vous la placerez sur le chariot. Quant aux objets d'or que vous lui payez comme réparation, vous les mettrez dans un coffre[e], à côté d'elle, et vous la laisserez partir. [9] Puis regardez : s'il prend le chemin de son territoire, vers Bet-Shémesh[f], c'est lui qui nous a causé ce grand mal, sinon nous saurons que ce n'est pas

---

a) Ces rats n'ont pas encore été mentionnés. S'il s'agissait de bubons de la peste, les rats seraient les propagateurs de la maladie (à supposer que les Hébreux connussent leur rôle comme porteurs de germes). Mais il n'est pas impossible que ce ch. **6** réunisse deux traditions : le fléau aurait consisté d'après l'une en tumeurs honteuses, d'après l'autre, en une invasion de rats « qui ravagent le pays », v. 5.

b) C'est-à-dire « reconnaissez votre faute envers lui », comp. Jos **7** 19. Ces prêtres et devins des Philistins parlent le langage de pieux Israélites, comme aux vv. suivants.

c) Un chariot neuf, des bêtes qui n'ont pas travaillé, à cause de l'usage sacré qu'on va en faire, cf. 2 R **2** 20; Nb **19** 2; Dt **21** 3.

d) Les vaches, séparées de leurs veaux, partiront cependant, v. 12, témoignage éclatant qu'elles sont menées par Dieu, v. 9. Comp. le sacrifice d'Élie au Carmel, où l'on accumule les obstacles au miracle, 1 R **18**.

e) Le sens précis du mot *'argaz,* qui ne se rencontre qu'ici et aux vv. 11 et 15, est incertain : coffre ou sac, en tout cas un réceptacle, d'après le contexte. On a voulu, sans preuve suffisante, en faire un mot philistin, désignant le caisson même du char.

f) Au sud-est d'Éqrôn et sur une voie naturelle de pénétration dans la région montagneuse, Bet-Shémesh avait un territoire limitrophe de celui des Philistins, v. 12.

sa main qui nous a frappés et que cela nous est arrivé par accident. »

¹⁰ Ainsi firent les gens : ils prirent deux vaches qui allaitaient et ils les attelèrent au chariot, mais ils retinrent les petits à l'étable. ¹¹ Ils placèrent l'arche de Yahvé sur le chariot, ainsi que le coffre avec les rats d'or et les images de leurs tumeurs.

¹² Les vaches prirent tout droit la route de Bet-Shémesh et gardèrent le même chemin, elles meuglaient en marchant, sans dévier ni à droite ni à gauche. Les princes des Philistins les suivirent jusqu'aux confins de Bet-Shémesh.

L'arche à Bet-Shémesh.

¹³ Les gens de Bet-Shémesh faisaient la moisson des blés dans la plaine. Levant les yeux, ils virent l'arche et ils allèrent avec joie à sa rencontre. ¹⁴ Lorsque le chariot fut arrivé au champ de Josué de Bet-Shémesh, il s'y arrêta. Il y avait là une grande pierre[a]. On fendit le bois du chariot et on offrit les vaches en holocauste à Yahvé. ¹⁵ Les lévites avaient descendu[b] l'arche de Yahvé et le coffre qui était près d'elle et qui contenait les objets d'or, et ils avaient déposé le tout sur la grande pierre. Les gens de Bet-Shémesh offrirent ce jour-là des holocaustes et firent des sacrifices à Yahvé. ¹⁶ Quand les cinq princes des Philistins eurent vu cela, ils revinrent à Éqrôn, le même jour. ¹⁷ Voici les tumeurs d'or que les Philistins payèrent en

---

6 13. « *à sa rencontre* » liqrâ'tô *G* ; « *à voir* » lir'ôt *H*.

a) Toute grande pierre peut servir d'autel, **14** 33. Que les vaches s'arrêtent devant celle-ci est le signe que Yahvé veut là un sacrifice.

b) Litt. « descendirent ». D'où viennent ces lévites et comment descendre l'arche du chariot qui a déjà été fendu pour le sacrifice ? Le v. 15, qui interrompt le récit, est dû au scrupule d'un rédacteur, scandalisé que des mains profanes aient touché à l'arche.

réparation à Yahvé : pour Ashdod une, pour Gaza une, pour Ashqelôn une, pour Gat une, pour Éqrôn une. [18] Et des rats d'or, autant que toutes les villes des Philistins, celles des cinq princes, depuis les villes fortes jusqu'aux villages ouverts. Témoin la grande pierre sur laquelle on déposa l'arche de Yahvé, et qui est encore aujourd'hui dans le champ de Josué de Bet-Shémesh[a]. [19] Les fils de Yekonya, parmi les gens de Bet-Shémesh, ne s'étaient pas réjouis lorsqu'ils avaient vu l'arche de Yahvé, et Yahvé frappa soixante-dix hommes d'entre eux[b]. Et le peuple fut en deuil, parce que Yahvé l'avait durement frappé.

L'arche à Qiryat-Yéarim.

[20] Alors les gens de Bet-Shémesh dirent : « Qui pourrait tenir en face de Yahvé, le Dieu Saint[c] ? Chez qui montera-t-il loin de nous ? » [21] Ils envoyèrent des messagers aux habitants de Qiryat-Yéarim[d], avec ces mots :

18. « *Témoin la (grande) pierre* » we‘éd hâ'èbèn *d'ap. Targ.*; « *et jusqu'à la (grande) prairie* » we‘ad 'âbél *H*.
19. « *Les fils de Yekonya, parmi les gens de Bet-Shémesh, ne s'étaient pas réjouis* » *G* ; « *Il frappa parmi les gens de Bet-Shémesh* » *H*. — « *d'entre eux* » *G* ; « *d'entre le peuple* » *H*. — *Après* « *soixante-dix hommes* » *G et H ajoutent* « *cinquante mille hommes* », *interpolation absente de quelques Mss et ignorée de l'historien Josèphe.*

a) Les vv. 17-18 sont, comme le v. 15, une addition au récit primitif : ils récapitulent les offrandes, en augmentant considérablement le nombre des rats d'or, cf. v. 4.
b) Après les Philistins, les Israélites éprouvent combien l'arche est redoutable à qui ne la respecte pas, comp. 2 S 6 6-11. Le texte hébreu signifierait que Dieu a frappé ces gens simplement parce qu'ils ont vu l'arche, cf. Nb 4 20.
c) La sainteté essentielle de Dieu le sépare absolument de l'homme et on ne l'approche pas sans danger si l'on n'est pas soi-même sanctifié par lui, comp. Is 6 1-6.
d) Qiryat-Yéarim, sur une hauteur voisine de l'actuel village de Qaryet el-Énab, au nord-est de Bet-Shémesh, était une des villes de la tétrapole gabaonite, Jos 9 17, et donc israélite seulement d'adoption. L'arche y sera comme en un terrain neutre entre les Philistins et les Israélites, qui viennent

« Les Philistins ont rendu l'arche de Yahvé. Descendez et faites-la monter chez vous. »

7. ¹ Les gens de Qiryat-Yéarim vinrent et firent monter l'arche de Yahvé. Ils la conduisirent dans la maison d'Abinadab, sur la hauteur, et ils consacrèrent[a] son fils Éléazar pour garder l'arche de Yahvé.

Samuel juge et libérateur[b]. ² Depuis l'installation de l'arche à Qiryat-Yéarim un long temps s'écoula — vingt ans — et toute la maison d'Israël soupira après Yahvé[c]. ³ Alors Samuel parla ainsi

les uns et les autres d'éprouver sa redoutable puissance. Elle y restera jusqu'à ce que David l'introduise à Jérusalem, 2 S 6, après ses premières victoires contre les Philistins, 2 S 5 15-25. Si l'on n'a pas ramené l'arche à Silo, c'est sans doute parce que le sanctuaire y avait été détruit par les Philistins après leur victoire du ch. 4, et si on ne l'a pas conduite dans un autre sanctuaire, c'est peut-être parce que les Philistins ont exigé de l'avoir, hors de chez eux, mais encore sous leur contrôle.

a) Bien qu'il ne soit pas lévite, Éléazar est institué gardien du sanctuaire, comme le fils de Mika, Jg 17 5.

b) Bien qu'il traite encore des Philistins, ce ch. ne peut pas être la suite du récit précédent. Samuel, qui n'y paraissait pas, joue ici le premier rôle et il est présenté comme un libérateur à la manière des héros du livre des Juges. L'écrasement des Philistins ne peut pas être historiquement attribué à Samuel, car ceux-ci domineront encore Israël, 9 16; 10 5; 13, et la guerre de libération sera engagée par Saül, 14, et gagnée par David, 2 S 5 17-25. Ce ch., à sa place et sous sa forme actuelles, apparaît comme une préface à la version antimonarchiste de l'institution de la royauté des ch. 8; 10 17-24; 12 : il montre qu'un roi n'était pas nécessaire au salut du peuple et qu'il y suffisait de chefs suscités par Dieu, comme les Juges, comme Samuel. Mais le ch. contient aussi autre chose et préserve une tradition indépendante et ancienne : Samuel est juge, à la manière des « petits » Juges de la période précédente qui remplissaient une fonction stable en Israël, il juge le peuple dans les sanctuaires et en même temps il y officie, il intercède pour le peuple et aussi il ramène celui-ci au service de Yahvé et lui annonce que la délivrance récompensera sa fidélité. Il n'y a pas lieu de douter que, pendant la crise philistine, Samuel ait réellement tenu cette grande place et l'on comprend mieux ainsi qu'une tradition défavorable à la royauté lui ait attribué des victoires qu'il avait préparées en maintenant la foi et l'espérance en Yahvé.

c) Le récit commence comme l'histoire d'un des Juges, cf. Jg 6 6-10 et surtout 10 10-16; pour les vingt ans d'oppression, cf. Jg 4 3.

à toute la maison d'Israël : « Si c'est de tout votre cœur
que vous revenez à Yahvé, écartez les dieux étrangers du
milieu de vous, et les Astartés, fixez votre cœur en Yahvé
et ne servez que lui : alors il vous délivrera de la main des
Philistins. » ⁴ Les Israélites écartèrent donc les Baals et
les Astartés et ne servirent que Yahvé.

⁵ Samuel dit : « Rassemblez tout Israël à Miçpa ᵃ et je
supplierai Yahvé pour vous. » ⁶ Ils se rassemblèrent donc
à Miçpa, ils puisèrent de l'eau qu'ils répandirent devant
Yahvé ᵇ, ils jeûnèrent ce jour-là et ils dirent : « Nous avons
péché contre Yahvé. » Et Samuel jugea les Israélites à
Miçpa.

⁷ Lorsque les Philistins surent que les Israélites s'étaient
rassemblés à Miçpa, les princes des Philistins montèrent
à l'attaque d'Israël. Les Israélites l'apprirent et ils eurent
peur des Philistins. ⁸ Ils dirent à Samuel : « Ne cesse pas
d'invoquer Yahvé notre Dieu, pour qu'il nous délivre
de la main des Philistins ᶜ. » ⁹ Samuel prit un agneau de

---

7 6. *Après* « *ils dirent* », H *ajoute* « *là* »; *omis par G.*

---

a) Il faut probablement distinguer cette Miçpa de la Miçpa de 1 R **15**
22 et Jr **40-41**, qu'on localise à Tell en-Naṣbeh, sur la route de Jérusalem
vers le nord : d'après les fouilles, l'occupation israélite n'y a été sérieuse
qu'après Salomon. Comme Miçpa est un nom commun, la « Guette », on
est tenté d'identifier Miçpa de Jg **20** 1, 3; **21** 1, 5, 8; 1 S **7** 5 s; **10** 17-24
avec le haut lieu de Gabaôn, qui était, sous Salomon, « le plus grand haut
lieu », 1 R **3** 4, ce qui semble indiquer qu'il fut le sanctuaire central des tribus
entre la ruine de Silo et la construction du Temple, et il serait étrange qu'on
n'en parlât jamais. Si ce haut lieu de Gabaôn est bien localisé à l'actuel
Néby Samwil, le souvenir de Samuel en cet endroit répondrait à la tradition
de 1 S **7** et **10**. Si l'on ne va pas au nouveau sanctuaire de l'arche à Qiryat-
Yéarim, c'est parce que celui-ci n'était pas en pays purement israélite et
que l'arche y était sous le contrôle des Philistins, cf. la note sur **6** 21.
b) La libation d'eau n'est pas attestée autrement dans le culte israélite.
Elle paraît être un rite de pénitence, à expliquer peut-être par Lm **2** 19 :
« Épanche ton cœur comme de l'eau face à Yahvé ».
c) Samuel est invité à jouer le même rôle que Moïse dans la bataille
contre les Amalécites, Ex **17** 8-13. Samuel est nommé à côté de Moïse
comme un puissant intercesseur dans Jr **15** 1; Ps **99** 6.

lait et l'offrit en holocauste à Yahvé, il invoqua Yahvé
pour Israël et Yahvé l'exauça. ¹⁰ Pendant que Samuel
offrait l'holocauste, les Philistins engagèrent le combat
contre Israël, mais Yahvé ce jour-là tonna à grand fracas
sur les Philistins, il les frappa de panique et ils furent
battus devant Israël. ¹¹ Les gens d'Israël sortirent de Miçpa
et poursuivirent les Philistins, et ils les battirent jusqu'en
dessous de Bet-Kar^{*a*}. ¹² Alors Samuel prit une pierre et
la dressa entre Miçpa et La Dent^{*b*}, et il lui donna le nom
d'Ében-ha-Ézèr, en disant : « C'est jusqu'ici que Yahvé
nous a secourus^{*c*}. »

¹³ Les Philistins furent abaissés. Ils ne revinrent plus
sur le territoire d'Israël et la main de Yahvé pesa sur les
Philistins pendant toute la vie de Samuel^{*d*}. ¹⁴ Les villes que
les Philistins avaient prises à Israël lui firent retour depuis
Éqrôn jusqu'à Gat, et Israël délivra leur territoire de la
main des Philistins^{*e*}. Il y eut paix entre Israël et les Amorites.

a) Ce nom ne paraît pas ailleurs et la localisation est inconnue mais les
Philistins sont évidemment repoussés sur la route ordinaire d'invasion,
la route de Bet-Horôn, cf. **14** 23; Jos **10** 10-11. Aussi certains ont-ils
proposé de corriger ici Bet-Kar en Bet-Horôn.

b) En hébreu *haššén*, un lieu-dit, dont le nom pourrait être conservé
à Beit Shenna, au-dessous de Bet-Horôn, dans la vallée d'Ayyalôn. Le
texte est incertain : le grec a « l'ancienne », ce qui suppose un hébreu
ha-ye šânâh, mais la seule Yeshana connue, 2 Ch **13** 19, est à l'est de Miçpa,
ce qui est une situation impossible dans ce contexte.

c) Ében-ha-Ézèr signifie « pierre du secours ». Le lieu est différent de
Ében-ha-Ézèr de **4** 1 et sa localisation est incertaine; la similitude des noms
est intentionnelle : cette victoire efface le souvenir du désastre.

d) C'est le style des conclusions des histoires des Juges, Jg **3** 30; **8** 28;
11 33. Mais cela s'accorde mal avec **9** 16; **10** 5 et les ch. **13** et **14**.

e) Israël n'avait jamais possédé le territoire philistin, Jg **1** 18 (à corriger
d'après le grec); **1** 19; **3** 3; Jos **13** 3. C'est David qui en fit la conquête,
d'ailleurs partielle et éphémère, 2 S **8** 1. Sur cette présentation tendancieuse
de l'histoire, voir la note *b*, p. 46. Il est cependant possible que Gat ne soit
pas ici la ville philistine de ce nom mais Gat-Gittayim de 2 S **4** 3 (cf. la
note). La victoire est ainsi réduite à des proportions raisonnables : les
Philistins sont repoussés jusqu'à leur frontière nord, à Éqrôn, et le territoire
libéré est une région où les Israélites étaient installés à côté des Cananéens,
appelés Amorites à la fin du v.

[15] Samuel jugea Israël pendant toute sa vie[a]. [16] Il allait chaque année faire une tournée par Béthel, Gilgal, Miçpa, et il jugeait Israël en tous ces endroits. [17] Puis il revenait à Rama, car c'est là qu'il avait sa maison et qu'il jugeait Israël. Il y construisit un autel à Yahvé.

II

SAMUEL ET SAÜL

I. INSTITUTION DE LA ROYAUTÉ[b]

Le peuple demande un roi[c].

8. [1] Lorsque Samuel fut devenu vieux, il établit ses fils comme juges en Israël. [2] Son fils aîné s'appelait Yoël

---

a) Les vv. 15-17 ne présentent plus Samuel comme un libérateur, à l'image des « grands » Juges, mais comme l'arbitre des conflits entre individus et entre clans dans tout Israël et comme l'interprète du droit de Dieu, ainsi que furent, pense-t-on, les « petits » Juges de Jg 10 1-5; 12 8-15, et ainsi que seront ses fils après lui, 8 1-3. Cette juridiction s'exerce dans des sanctuaires fréquentés, Béthel, Gilgal, Miçpa, et à Rama, où Samuel éleva un autel, cf. 9 12 s; son action débordait sur le domaine religieux, cf. le v. 6 et sa conclusion.

b) C'est un tournant important dans l'histoire politique et religieuse d'Israël. Le sanctuaire de l'arche à Silo, où le peuple assemblé prenait conscience de son unité, a été détruit, et cependant l'unité est plus que jamais nécessaire en face du péril philistin qui grandit. Renouvelant l'offre faite à Gédéon, Jg 8 22 s, et la tentative d'Abimélek, Jg 9 1 s, une partie du peuple demande un roi « comme les autres nations », mais un autre courant d'opinion s'y oppose, laissant à Yahvé, seul maître d'Israël, le soin de susciter les chefs que les circonstances exigent, comme il faisait au temps des Juges. Le premier courant l'emportera et Israël aura un roi, mais celui-ci au début ne différera guère des précédents Juges : Saül sera directement choisi par Yahvé, 9 16; 10 24, et possédé par son esprit, 10 10; il s'imposera au peuple par une action d'éclat, 11 5-11. L'institution

Voir note *c* à la page suivante.

et son cadet Abiyya; ils étaient juges à Bersabée[a]. [3] Mais ses fils ne suivirent pas son exemple : ils furent attirés par le lucre, acceptèrent des présents et firent fléchir le droit. [4] Tous les anciens d'Israël se réunirent et vinrent trouver Samuel à Rama. [5] Ils lui dirent : « Tu es devenu vieux et tes fils ne suivent pas ton exemple. Eh bien ! établis-nous un roi pour qu'il nous juge, comme les autres nations[b]. » [6] Cela déplut à Samuel qu'ils aient dit : « Donne-nous un roi, pour qu'il nous juge » et il invoqua Yahvé. [7] Mais Yahvé dit à Samuel : « Satisfais à tout ce que te dit le peuple, car ce n'est pas toi qu'ils ont rejeté, c'est moi qu'ils ont rejeté, ne voulant plus que je règne sur eux[c]. [8] Tout ce qu'ils m'ont fait depuis le jour où je les ai tirés d'Égypte

---

8 8. « *m'ont fait* » G ; « *ont fait* » H.

---

monarchique ne prendra vraiment corps qu'avec David; sa grande personnalité conciliera l'aspect religieux et l'aspect profane de la monarchie en Israël et, en lui, le chef politique ne manquera pas aux devoirs de l'Oint de Yahvé. Mais cet idéal ne sera plus atteint par ses successeurs, et David restera la figure du Roi de l'avenir, par qui Dieu opérera le salut de son peuple, l'Oint du Seigneur, le Messie.

c) Ce récit continue le ch. **7**. Les fils de Samuel ne valent pas leur père et le peuple demande un roi. Cela n'est pas du goût de Samuel et est injurieux pour Yahvé. Par permission divine, les Israélites auront un roi, mais ils s'en repentiront. Cette version antimonarchiste de l'institution de la royauté se poursuit à **10** 17-24 et au ch. **12**.

a) À l'extrême sud du territoire israélite. Il y a bien des choses étranges dans cette courte notice : la transmission héréditaire de la fonction de juge en Israël, la division de cet office entre les deux fils de Samuel, leur résidence ensemble et dans un lieu si écarté. Cependant, il est difficile que cela soit inventé. C'est la fin d'une institution, qui se dégrade : Samuel est le dernier juge et il fera le premier roi.

b) Ce roi « jugera » Israël : ainsi est maintenue la continuité avec une ancienne fonction de la fédération des Tribus, qui avait été tenue dignement jusqu'à Samuel. Mais la nouveauté, considérée comme coupable par cette tradition, est qu'on imite les nations étrangères, cf. Dt **17** 14 : Israël oublie qu'il n'est pas un peuple comme les autres et qu'il ne doit pas avoir d'autre roi que Dieu, v. 7.

c) D'après la conception théocratique, Israël n'a pas d'autre maître que Yahvé, comp. **12** 12; Jg **8** 22-23 (histoire de Gédéon).

jusqu'à maintenant, — ils m'ont abandonné et ont servi des dieux étrangers[a], — ils te le font aussi. [9] Eh bien, satisfais à leur demande[b]. Seulement, tu les avertiras solennellement et tu leur apprendras le droit du roi qui va régner sur eux. »

Les inconvénients de la royauté.

[10] Samuel répéta toutes les paroles de Yahvé au peuple qui lui demandait un roi. [11] Il dit : « Voici le droit du roi qui va régner sur vous[c]. Il prendra vos fils et les affectera à sa charrerie et à ses chevaux et ils courront devant son char[d]. [12] Il les emploiera comme chefs de mille et comme chefs de cinquante; il leur fera labourer son labour, moissonner sa moisson, fabriquer ses armes de guerre et les harnais de ses chars. [13] Il prendra vos filles comme parfumeuses, cuisinières et boulangères. [14] Il prendra vos champs, vos vignes et vos oliveraies les meilleures et les donnera à ses officiers. [15] Sur vos cultures et vos vignes, il prélèvera la dîme et la donnera à ses eunuques et à ses officiers. [16] Les meilleurs de vos serviteurs, de vos servantes et de vos bœufs, et vos ânes, il les prendra

---

16. « *vos bœufs* » b^eqarkèm *G* ; « *vos adolescents* » baḥûrêkèm *H*.

a) Cf. Jg **10** 13; 1 R **9** 9.

b) Cf. encore au v. 22. La tradition antimonarchiste elle-même reconnaît que l'institution de la royauté — malgré les dangers qu'elle comportait pour la religion — n'était pas contraire à la volonté de Dieu, qui transforme la faute en grâce, cf. aussi **10** 24; **12** 13.

c) Ce « droit du roi » souligne l'arbitraire du pouvoir royal et l'on a généralement pensé qu'il correspondait à une situation qui ne fut réalisée que sous Salomon et ses successeurs (cf. aussi Dt **17** 16-17) et que la rédaction supposait une désaffection du régime, résultat d'une longue expérience. Mais des textes récemment découverts, à Ugarit et à Alalakh, assurent que ce « droit du roi » était appliqué dans les petits États semiféodaux de Canaan; ce jugement défavorable à une royauté « comme les autres nations » peut donc avoir été exprimé dès le moment de son institution.

d) Comp. 2 S **15** 1 et 1 R **1** 5.

et les fera travailler pour lui. ¹⁷ Il prélèvera la dîme sur vos troupeaux et vous-mêmes deviendrez ses esclaves. ¹⁸ Ce jour-là, vous pousserez des cris à cause du roi que vous vous serez choisi, mais Yahvé ne vous répondra pas, ce jour-là ! »

¹⁹ Le peuple refusa d'écouter Samuel et dit : « Non ! Nous aurons un roi ²⁰ et nous serons, nous aussi, comme toutes les nations : notre roi nous jugera, il sortira à notre tête et combattra nos combats. » ²¹ Samuel entendit toutes les paroles du peuple et les redit à l'oreille de Yahvé. ²² Mais Yahvé lui dit : « Satisfais à leur demande et intronise-leur un roi. » Alors Samuel dit aux hommes d'Israël : « Retournez chacun dans votre ville[a]. »

9. ¹ Il y avait, parmi les Benjaminites, un homme qui s'appelait Qish, fils d'Abiel, fils de Çeror, fils de Bekorat, fils d'Aphiah; c'était un Benjaminite, homme de condition.

Saül et les ânesses de son père[b].

² Il avait un fils nommé Saül, qui était dans la fleur de l'âge et beau. Nul parmi les Israélites n'était plus beau que lui : de l'épaule et au-dessus, il dépassait tout le monde[c].

_____

9 1. « _parmi les Benjaminites_ » G ; « _de Benjamin_ » H. — « _un Benjaminite_ » _conj._; « _le fils d'un Benjaminite_ » H.

_a)_ La fin du v. est rédactionnelle : elle permet l'insertion de la scène de l'onction de Saül (**9** 1 à **10** 16 : version monarchiste) dans le récit anti-monarchiste qui, du ch. **8**, se continuait primitivement par **10** 17-24.

_b)_ Ici commence un nouveau récit sans lien avec ce qui précède : Samuel y est présenté non comme un juge mais comme un prophète, que Saül ne connaissait pas et qu'il rencontre par hasard. L'histoire est centrée sur Saül et prend son héros à la veille de son onction comme roi. Ici la royauté apparaît comme voulue par Yahvé, le premier roi est son élu. Ce conte du beau jeune homme qui cherche des ânesses et trouve une couronne est devenu le début de la version monarchiste de l'institution de la royauté, qui se poursuivra aux ch. **10** 1-16 et **11**.

_c)_ Comp. **10** 23, où les mots sont mieux en situation. Saül est beau, comme David, un autre élu de Dieu, **16** 12.

³ Les ânesses appartenant à Qish, père de Saül, s'étant
égarées, Qish dit à son fils Saül : « Prends avec toi l'un des
serviteurs et va, pars à la recherche des ânesses. » ⁴ Ils
traversèrent la montagne d'Éphraïm, ils traversèrent le
pays de Shalisha*ᵃ* sans rien trouver; ils traversèrent le
pays de Shaalim*ᵇ* : elles n'y étaient pas; ils traversèrent le
pays de Benjamin sans rien trouver. ⁵ Lorsqu'ils furent
arrivés au pays de Çuph*ᶜ*, Saül dit au serviteur qui l'accompagnait : « Allons ! Retournons, de peur que mon père
ne laisse les ânesses pour s'inquiéter de nous. » ⁶ Mais
celui-ci lui répondit : « Voici qu'un homme de Dieu
habite cette ville-là*ᵈ*. C'est un homme réputé : tout ce qu'il
dit arrive sûrement. Allons-y donc, peut-être nous éclai-
rera-t-il sur le voyage que nous avons entrepris. » ⁷ Saül
dit à son serviteur : « A supposer que nous y allions,
qu'offrirons-nous à l'homme ? Le pain a disparu de nos
sacs et nous n'avons pas de rétribution à offrir à l'homme
de Dieu. Que pouvons-nous lui donner*ᵉ* ? » ⁸ Le serviteur
reprit la parole et dit à Saül : « Il se trouve que j'ai en
main un quart de sicle d'argent, je le donnerai à l'homme
de Dieu et il nous éclairera sur notre voyage. » ¹⁰ Saül dit
à son serviteur : « Tu as bien parlé, allons donc ! » Et ils
allèrent à la ville où se trouvait l'homme de Dieu.

---

4. « *Ils traversèrent* » (1°, 2°, 4°) *G ;* « *Il traversa* » *H.*
9. *Le v., qui explique le mot* « *voyant* », *doit être lu après le v.* 11.

---

a) Où se trouve Baal-Shalisha, 2 R **4** 42, aujourd'hui Kefr Tilt, 25 km.
au nord de Lydda.
b) Incertain; on a proposé de lire Shaalbim, Jg **1** 35, etc., peut-être
l'actuelle Selbit, au nord-ouest d'Ayyalon.
c) Pays de Samuel d'après **1** 1, en Éphraïm, qu'on avait cependant
traversé, v. 4, avant Benjamin, d'où on est cependant parti. Cet itinéraire
est étrange, et trois jours, v. 20, n'y suffiraient pas.
d) Elle n'est pas nommée, mais c'est Rama, la ville de Samuel, **7** 17, etc.
e) On ne consultait pas un prophète sans lui offrir un présent, pauvre
ou somptueux, cf. Nb **22** 7; 1 R **14** 3; 2 R **4** 42; **5** 15. Mais cf. Mi **3** 11.

Saül rencontre Samuel. ¹¹ Comme ils gravissaient la montée de la ville, ils rencontrèrent des jeunes filles qui sortaient pour puiser l'eau et ils leur demandèrent : « Le voyant*^a* est-il là ? » — ⁹ Autrefois en Israël, voici ce qu'on disait en allant consulter Dieu : « Allons donc chez le voyant », car au lieu de « prophète » comme aujourd'hui on disait autrefois « voyant ». — ¹² Elles leur répondirent en ces termes : « Il est là, il t'a juste précédé. Hâte-toi maintenant : il est venu aujourd'hui en ville, car il y a aujourd'hui un sacrifice pour le peuple sur le haut lieu*^b*. ¹³ Dès que vous entrerez en ville, vous le trouverez avant qu'il ne monte au haut lieu pour le repas. Le peuple ne mangera pas avant son arrivée, car c'est lui qui doit bénir le sacrifice; après quoi, les invités mangeront*^c*. Maintenant, montez : vous le trouverez sur l'heure. »

¹⁴ Ils montèrent donc à la ville. Comme ils entraient dans la porte, Samuel sortait à leur rencontre pour monter au haut lieu. ¹⁵ Or, un jour avant que Saül ne vînt, Yahvé

---

14. « *la porte* » haššaʻar *conj. cf. v.* 18; « *la ville* » hâʻîr *H.*

---

a) Terme rare pour désigner un prophète (dans les récits anciens en prose). D'où la glose du v. 9, qui a été insérée en mauvaise place.

b) La suite montre clairement que le haut lieu, où se trouvait un sanctuaire et où se célébrait le culte, était une hauteur distincte de la ville. Ainsi à Gabaon et même à Jérusalem. Le culte légitime toléra longtemps les hauts lieux, cf. 1 R **3** 4, les Israélites les fréquentèrent jusqu'à la fin de la monarchie, 2 R **23** 5, 8-9. Mais ces sanctuaires continuaient une tradition cananéenne et la tentation était grande d'y pratiquer un culte syncrétiste; d'où les condamnations des prophètes, Os **10** 8; Am **7** 9; Jr **7** 31, etc.

c) Le repas sacré, où l'on mangeait les viandes qui n'avaient pas été offertes sur l'autel, était essentiel au sacrifice de communion, le plus fréquemment offert. Noter que Samuel doit seulement « bénir » le sacrifice et que, lorsqu'il arrive au haut lieu, la victime a déjà été immolée et cuite, vv. 22-23; le sacrifice a donc été offert. Le rédacteur a-t-il eu un scrupule d'attribuer à Samuel une action sacerdotale ? Mais le v. 23 indique que Samuel a été actif depuis le début du rite.

avait fait cette révélation à Samuel : [16] « Demain à pareille heure, avait-il dit, je t'enverrai un homme du pays de Benjamin, tu lui donneras l'onction comme chef[a] de mon peuple Israël, et il délivrera mon peuple de la main des Philistins, car j'ai vu la misère de mon peuple et son cri est venu jusqu'à moi[b]. » [17] Et quand Samuel aperçut Saül, Yahvé lui signifia : « Voilà l'homme dont je t'ai dit : C'est lui qui jugera mon peuple. » [18] Saül aborda Samuel au milieu de la porte et dit : « Indique-moi, je te prie, où est la maison du voyant. » [19] Samuel répondit à Saül : « Je suis le voyant. Monte devant moi au haut lieu. Vous mangerez aujourd'hui avec moi. Je te dirai adieu demain matin et je t'expliquerai tout ce qui occupe ton cœur. [20] Quant aux ânesses que tu as perdues il y a trois jours, ne t'en inquiète pas : elles sont retrouvées. D'ailleurs, à qui revient toute la richesse d'Israël ? N'est-ce pas à toi et à toute la maison de ton père[c] ? » [21] Saül répondit ainsi : « Ne suis-je pas un Benjaminite, la plus petite des tribus d'Israël, et ma famille n'est-elle pas la moindre de toutes celles de la tribu de Benjamin ? Pourquoi me dire de telles paroles ? »

---

16. « *la misère* » G *Targ ; omis par* H.
21. « *la plus petite* » *Syr Vulg ;* « *une des plus petites* » H. — « *de la tribu* » *Targ Vulg ;* « *des tribus* » H.

---

a) En hébreu *nâgîd*, comme à **10** 1. Le mot, dans son emploi ancien, a une valeur religieuse : le *nâgîd* est le chef désigné par Dieu. Le terme souligne l'aspect charismatique de la royauté israélite en ses débuts, en continuité avec la période des Juges ; de même que se prolonge l'aspect sauveur, exprimé dans la suite du v.

b) Comparer le choix de Moïse, Ex **3** 7-10. C'est ainsi Yahvé qui décide de donner un roi à son peuple. Le contraste avec **8** 6 s est évident ; cependant, même dans cette version antimonarchiste, la désignation de Saül est réservée à Yahvé, **10** 17-24.

c) Première annonce de l'élévation de Saül, qui jette celui-ci dans la confusion, v. 21.

²² Samuel emmena Saül et son serviteur. Il les introduisit dans la salle*ᵃ* et leur donna une place en tête des invités,
qui étaient une trentaine. ²³ Puis Samuel dit au cuisinier :
« Sers la part que je t'ai donnée en te disant de la mettre
de côté. » ²⁴ Le cuisinier préleva le gigot et la queue*ᵇ*,
qu'il mit devant Saül, et il dit : « Voilà posé devant toi
ce qui a été gardé. Mange !... » Ce jour-là, Saül mangea
avec Samuel.

²⁵ Ils descendirent du haut lieu à la ville. On étendit
une couverture sur la terrasse pour Saül ²⁶ et il se coucha.

Dès que parut l'aurore,
Le sacre de Saül*ᶜ*.   Samuel appela Saül sur la
terrasse : « Lève-toi, dit-il,
je vais te dire adieu. » Saül se leva, et Samuel et lui sortirent tous deux au dehors. ²⁷ Ils étaient descendus à la
limite de la ville quand Samuel dit à Saül : « Ordonne
au serviteur qu'il passe devant nous, mais toi, reste maintenant, que je te fasse entendre la parole de Dieu. »

---

24. « *et la queue* » wᵉhâ'alyâh *conj.*; « *et ce qui est dessus* » wᵉhè'âlêhâ *H.*
— « *ce qui a été gardé* » hanništmâr *conj.*; « *ce qui est resté* » hanniš'âr *H.* —
Après « *Mange !* » *H est corrompu, litt.* « *car pour le temps fixé gardé pour toi
en disant j'ai invité le peuple* ». *Aucune des corrections proposées n'est satisfaisante.*

25. « *On étendit une couverture pour Saül* » wayyirbᵉdû lᵉšâ'ûl *G;* « *Il parla
avec Saül* » wayᵉdabbér 'im šâ'ûl *H.*

26. « *et il se coucha* » wayyiškâb *G VetLat ;* « *et ils se levèrent* » wayyaškimû
H.

27. *Après* « *devant nous* », *H ajoute* « *et il passa* »; *omis par G et Syr.*

---

a) Il y avait donc, sur le haut lieu, une construction, même si le culte
s'y célébrait en plein air.

b) Le gigot est une part noble, qui sera plus tard attribuée au prêtre,
Lv **7** 32; si l'on accepte la correction textuelle, la queue grasse des moutons
de Palestine y ajoute un autre morceau de choix, encore estimé dans les
repas de fête. Saül est traité comme un roi. Mais, d'après Lv **3** 9, la queue
était brûlée sur l'autel pour Yahvé, ce qui expliquerait qu'on ait changé
le texte.

c) Les rois d'Israël étaient oints par un homme de Dieu (prêtre ou prophète), cf. **16** 13; 1 R **1** 39; 2 R **9** 6; **11** 12. Ce rite donnait au roi un
caractère sacré : il était « l'oint de Yahvé ».

10. ¹ Samuel prit la fiole d'huile et la répandit sur la tête de Saül, puis il l'embrassa et dit : « N'est-ce pas Yahvé qui t'a oint comme chef de son peuple Israël ? C'est toi qui jugeras le peuple de Yahvé et le délivreras de la main de ses ennemis d'alentour*a*. Et voici pour toi le signe que Yahvé t'a oint comme chef sur son héritage. ² En me quittant tout à l'heure, tu rencontreras deux hommes près du tombeau de Rachel, sur la frontière de Benjamin...*b* et ils te diront : ' Les ânesses que tu étais parti chercher sont retrouvées. Voici que ton père a oublié l'affaire des ânesses et s'inquiète de vous, se disant : Que faut-il faire pour mon fils ? ' ³ Passant outre et arrivant au Chêne de Tabor*c*, tu y rencontreras trois hommes montant vers Dieu à Béthel, l'un portant trois chevreaux, l'autre portant trois miches de pain, le dernier portant une outre de vin. ⁴ Ils te salueront et te donneront deux pains, que tu accepteras de leur main. ⁵ Ensuite, tu arriveras à Gibéa de Dieu*d* (où se trouve le préfet*e* des Philistins) et, à l'entrée de la ville, tu te heurteras à une bande de prophètes descendant du

---

10 1. « *Yahvé qui t'a oint... Et voici pour toi le signe* » G Vulg ; *omis par H, qui a sauté de* « *t'a oint* » (1°) *à* « *t'a oint* » (2°).

2. *Après* « *Benjamin* », *H a* beṣèlṣaḥ, *inexplicable*.

5. « *le gouverneur* » *Vers.* ; « *les gouverneurs* » *H*.

---

a) Reprise des paroles de Yahvé, **9** 16 et 17.

b) La frontière entre Benjamin et Éphraïm, d'où vient Saül. C'est, comme Jr **31** 15, la tradition ancienne sur le tombeau de Rachel, qui a été ensuite placé près de Bethléem, où on le montre encore, cf. la glose de Gn **35** 19. L'hébreu ṣèlṣaḥ, cf. la note textuelle, est gardé par certains comme un nom de lieu, inconnu par ailleurs et inutile ici après les précisions qui viennent d'être données. D'autres interprètent beṣél ṣaḥ « dans l'ombre de la grosse chaleur ? » (cf. Vulg. *in meridie*) ou beṣél ṣâḥîaḥ « à l'ombre d'un rocher ? » Le cas semble désespéré.

c) On est tenté de lire « Débora » et de songer au Chêne-des-Pleurs, qui marquait le tombeau de la nourrice de Rébecca, Gn **35** 8.

d) Autre nom de Gibéa, la patrie de Saül, vv. 10 s.

e) Le mot hébreu peut aussi signifier « poste » ou « stèle » ; la parenthèse est une glose inspirée de **13** 3.

haut lieu, précédés de la harpe, du tambourin, de la flûte et de la cithare, et ils seront en délire[a]. [6] Alors l'esprit de Yahvé fondra sur toi, tu entreras en délire avec eux et tu seras changé en un autre homme. [7] Lorsque ces signes se seront réalisés pour toi, agis comme l'occasion se présentera, car Dieu est avec toi. [8] Tu descendras avant moi à Gilgal[b] et je t'y rejoindrai pour offrir des holocaustes et immoler des sacrifices de communion. Tu attendras sept jours que je vienne vers toi et je t'apprendrai ce que tu dois faire. »

Retour de Saül.

[9] Dès qu'il eut tourné le dos pour quitter Samuel, Dieu lui changea le cœur et tous ces signes s'accomplirent le jour même. [10] De là[c] ils arrivèrent à Gibéa[d] et voici qu'une bande de prophètes venait à sa rencontre; l'esprit de Dieu fondit sur lui et il entra en délire au milieu d'eux. [11] Lorsque ceux qui le connaissaient de longue date virent qu'il prophétisait avec les prophètes, les gens se dirent l'un à l'autre : « Qu'est-il arrivé au fils de Qish ? Saül est-il aussi parmi

---

10. « *De là* » G ; « *Là* » H.

---

a) Ces « prophètes », vivant en groupes, demandaient à la musique et à la gesticulation un extase qui devenait contagieuse, **19** 20-24; 1 R **22** 10 s. On leur a comparé les confréries de derviches modernes. Les voisins d'Israël connaissaient (ainsi les prophètes de Baal sur le Carmel, 1 R **18** 25-29) cette forme inférieure de vie religieuse, que le culte de Yahvé toléra longtemps. On les retrouve, assagis, dans l'entourage d'Élisée, 2 R **2** 3; **4** 38, etc.

b) Près de Jéricho. La seconde partie du v. est une insertion préparant **13** 8-15, qui vient d'une source différente : Saül et Samuel se rencontreront à Gilgal dès le ch. **11**, qui est la suite de notre récit.

c) Il est vraisemblable que le récit original racontait l'accomplissement des deux premiers signes, vv. 2-4.

d) C'est Gibéa de Dieu du v. 5, appelée aussi Gibéa de Saül, car celui-ci en est originaire et y réside, **11** 4; **15** 34. Aujourd'hui Tell el-Foul, au nord de Jérusalem.

les prophètes ? » ¹² Un homme du groupe reprit : « Et qui est leur père*ᵃ* ? » C'est pourquoi il est passé en proverbe de dire : « Saül est-il aussi parmi les prophètes*ᵇ* ? »

¹³ Lorsqu'il fut sorti de transe, Saül rentra à la maison. ¹⁴ Son oncle lui demanda ainsi qu'à son serviteur : « Où êtes-vous allés ? » — « A la recherche des ânesses, répondit-il. Nous n'avons rien vu et nous sommes allés chez Samuel. » ¹⁵ L'oncle de Saül lui dit : « Raconte-moi donc ce que Samuel vous a dit. » ¹⁶ Saül répondit à son oncle : « Il nous a seulement annoncé que les ânesses étaient retrouvées », mais il ne lui raconta pas l'affaire de la royauté, que Samuel avait dite.

Saül est désigné comme roi par le sort*ᶜ*.

¹⁷ Samuel convoqua le peuple auprès de Yahvé à Miçpa*ᵈ* ¹⁸ et il dit aux Israélites : « Ainsi parle Yahvé, le Dieu d'Israël : Moi, j'ai fait monter Israël d'Égypte et vous ai délivrés de l'emprise de l'Égypte et de tous les royaumes qui vous opprimaient. ¹⁹ Mais vous, aujourd'hui, vous avez rejeté votre Dieu, celui qui vous sauvait de tous vos maux et de toutes vos angoisses, et vous avez dit : ' Non, mais établis sur nous un roi ! ' Maintenant, comparaissez devant Yahvé par tribus et par clans*ᵉ*. »

---

13. « *à la maison* » habbây*ᵉ*tâh *conj.*; « *au haut lieu* » habbâmâh *H* ; « *à Gibéa* » G.

19. « *vous avez dit : Non* » lo' *certains Mss Vers.*; « *vous lui avez dit* » lô *H*.

---

a) Ils s'étonnent qu'un homme de la condition de Saül se mêle à ces illuminés, qui devaient être de basse extraction.

b) Le même proverbe sera aussi rattaché au récit parallèle de **19** 20-24.

c) Nous revenons à la version antimonarchiste du ch. **8**, que ce récit prolonge.

d) Cf. **7** 5 et la note.

e) A ce tirage au sort, comp. **14** 42 et Jos **7** 16-18.

[20] Samuel fit approcher toutes les tribus d'Israël et la tribu de Benjamin fut désignée par le sort. [21] Il fit approcher la tribu de Benjamin par clans, et le clan de Matri[a] fut désigné. Il fit approcher le clan de Matri homme par homme; et Saül, fils de Qish, fut désigné; on le chercha, mais on ne le trouva pas.

[22] On consulta encore Yahvé : « L'homme est-il venu ici ? » Et Yahvé répondit : « Le voilà caché parmi les bagages. » [23] On courut l'y prendre et il se présenta au milieu du peuple : de l'épaule et au-dessus, il dépassait tout le monde[b]. [24] Samuel dit à tout le peuple : « Avez-vous vu celui qu'a choisi Yahvé ? Il n'a pas son pareil dans tout le peuple. » Et tous poussèrent des acclamations et crièrent : « Vive le roi[c] ! »

[25] Samuel exposa au peuple la coutume royale[d] et il l'écrivit dans un livre qu'il déposa devant Yahvé. Puis Samuel renvoya le peuple chacun chez soi. [26] Saül aussi rentra chez lui à Gibéa, et partirent avec lui les vaillants dont Dieu avait touché le cœur. [27] Mais des vauriens

---

21. « *Il fit approcher le clan de Matri homme par homme* » G ; omis par H.
22. « *L'homme est-il venu ici* » hăbâ' 'ad hălom hâ'îš *d'après* G ; « *Est-il encore venu ici un homme* » hăbâ' 'ôd hălom 'îš H.
26. « *les vaillants* » benê haḥayl G ; H *omet* benê.

---

a) Ce nom ne figure pas dans la généalogie de Saül, **9** 1, ni nulle part ailleurs.

b) Cf. **9** 2.

c) Comp. 1 R **1** 39; 2 R **11** 12. C'est un des rites du couronnement : le peuple accepte le choix fait par Yahvé.

d) Si ce v. appartient encore à la version monarchiste, cette coutume royale est la charte qui fixe les droits réciproques du roi et du peuple, cf. 2 R **11** 17, et qui est déposée dans un sanctuaire, comme la Loi, qui est la charte d'alliance entre Dieu et le peuple, Jos 8 35 ; **24** 26-27, de même que les anciens traités orientaux étaient déposés devant les dieux. Mais il est vraisemblable que le v. est rédactionnel et qu'il se réfère à **8** 11-18, de la version antimonarchiste.

dirent : « Comment celui-là nous sauverait-il ? » Ils le
méprisèrent et ne lui offrirent pas de présent[a].

	Environ un mois après,
Victoire	**11.** [1] Nahash l'Ammonite[c]
contre les Ammonites [b].	vint dresser son camp contre

Yabesh de Galaad[d]. Tous les
gens de Yabesh dirent à Nahash : « Fais un traité avec
nous et nous te servirons. » [2] Mais Nahash l'Ammonite
leur répondit : « Voici à quel prix je traiterai avec vous :
je vous crèverai à tous l'œil droit, j'en ferai un défi[e] à tout
Israël. » [3] Les anciens de Yabesh lui dirent : « Accorde-
nous une trêve de sept jours. Nous enverrons des messagers dans tout le territoire d'Israël et, si personne ne vient à
notre secours, nous nous rendrons à toi. » [4] Les messagers
arrivèrent à Gibéa de Saül[f] et exposèrent les choses aux
oreilles du peuple, et tout le peuple se mit à crier et à pleurer.

[5] Or, voici que Saül revenait des champs derrière ses
bœufs et il demanda : « Qu'a donc le peuple à pleurer
ainsi ? » On lui raconta les propos des hommes de Yabesh,
[6] et quand Saül entendit ces choses l'esprit de Yahvé

---

27. « *Environ un mois après* » (*à rattacher à* **11** 1) wayᵉhî kᵉméhodèš
G Vulg VetLat ; « Et il fut comme silencieux » wayᵉhî kᵉmaḥărîš H.
11 6. « *Yahvé* » *quelques Mss Vers.* ; « *Dieu* » H.

---

a) Les vv. 26-27 sont encore rédactionnels et préparent le « renouvellement » de la royauté à Gilgal, **11** 12-15.

b) Ce récit reprend la version monarchiste où nous l'avions laissée à
10 16 : l'onction de Saül est restée secrète mais l'occasion annoncée à **10** 7
va manifester à tous que Yahvé l'a choisi pour chef. On retrouve ici
l'atmosphère du Livre des Juges.

c) Il régnera sur les Ammonites jusqu'au temps de David, 2 S **10** 1-2.

d) Probablement Tell el-Meqbereh, en Transjordanie, au débouché du
Wady Yâbis dans la vallée du Jourdain.

e) En hébreu *ḥèrpâh,* ordinairement traduit par « opprobre, honte »,
mais la racine verbale signifie « lancer un défi » dans **17** 10, etc.

f) Des liens spéciaux unissaient les habitants de Yabesh et les Benjaminites, cf. Jg **21** 8-14.

fondit sur lui[a] et il entra dans une grande colère. [7] Il prit une paire de bœufs et la dépeça en morceaux qu'il envoya par messagers dans tout le territoire d'Israël[b], avec ces mots : « Quiconque ne marchera pas à la suite de Saül, ainsi sera-t-il fait de ses bœufs. » Une terreur de Yahvé[c] s'abattit sur les gens et ils marchèrent comme un seul homme. [8] Il les passa en revue à Bézeq[d] : il y avait trois cent mille Israélites et trente mille hommes de Juda[e]. [9] Il dit aux messagers qui étaient venus : « Dites aux hommes de Yabesh de Galaad : Demain, quand le soleil sera ardent, le secours vous arrivera. » Une fois rentrés, les messagers donnèrent la nouvelle aux hommes de Yabesh, qui se réjouirent. [10] Ceux-ci dirent à Nahash : « Demain, nous sortirons vers vous[f] et vous nous ferez tout ce qu'il vous plaira. »

[11] Le lendemain, Saül disposa l'armée en trois corps[g], qui envahirent le camp à la veille du matin[h], et ils battirent les Ammonites jusqu'au plus chaud du jour. Les survivants se dispersèrent, il n'en resta pas deux ensemble.

---

7. *Après « de Saül », le texte ajoute « et de Samuel », glose probable dans l'esprit du ch.* **7.**

9. « *Il dit* » G ; « *Ils dirent* » H.

10. « *à Nahash* » *ajouté au texte pour le sens.*

---

a) Comme à **10** 6 et 10, mais aussi comme les Juges, Jg **14** 6, 19; **15** 14; et, avec d'autres mots, Jg **3** 10; **6** 34; **11** 29.

b) Comp. Jg **19** 29, mais le sens du message est différent.

c) Comp. **14** 15 et Gn **35** 5.

d) Aujourd'hui le Khirbet Ibziq, entre Naplouse et Beisân, à la même latitude que Yabesh.

e) L'énormité des chiffres et la distinction entre Israël et Juda trahissent une main tardive, mais le fond du récit est certainement ancien et historique.

f) Les gens de Yabesh jouent sur le mot, qui peut signifier « attaquer » ou « se rendre » (comme au v. 3).

g) C'était une tactique courante, **13** 17; 2 S **18** 2; Jg **7** 16; **9** 43.

h) Cf. Ex **14** 24. C'est la dernière des trois veilles nocturnes, Jg **7** 19 Lm **2** 19. Plus tard, on adoptera l'usage romain des quatre veilles, Mt **14** 25; Mc **13** 35.

Saül est proclamé roi[a]

¹² Alors le peuple dit à Samuel : « Qui donc disait : ‘ Saül régnera-t-il sur nous ? ’ Livrez ces gens, que nous les mettions à mort. » ¹³ Mais Saül dit : « On ne mettra personne à mort en ce jour, car aujourd'hui Yahvé a opéré une victoire en Israël. » ¹⁴ Puis Samuel dit au peuple : « Venez et allons à Gilgal et nous y renouvellerons la royauté. »

¹⁵ Tout le peuple se rendit à Gilgal[b] et Saül y fut proclamé roi devant Yahvé, à Gilgal. Là, on immola devant Yahvé des sacrifices de communion et Saül et tous les hommes d'Israël se livrèrent à de grandes réjouissances.

Samuel se retire devant Saül[c]

12. ¹ Samuel dit à tout Israël : « J'ai satisfait à tout ce que vous m'avez demandé et j'ai fait régner un roi sur

---

a) La suite originelle du v. 11 est au v. 15 ; au lendemain de la victoire le peuple acclame Saül comme roi. On remarquera que Samuel ne paraît pas dans ce récit (son nom au v. 7 est ajouté). Mais il fallait accorder cela avec le récit parallèle d'après lequel Saül a déjà été proclamé roi à Miçpa, **10** 24. C'est à quoi s'emploient les vv. 12-14 : Saül n'a pas été reconnu par tous, cf. **10** 27, il faut « renouveler » son intronisation.

b) Gilgal, près de Jéricho, était, depuis la conquête, Jos **4-5**, le grand lieu saint de Benjamin et l'un des principaux sanctuaires d'Israël, **7** 16. Il garda son importance politique et religieuse sous Saül, **10** 8 ; **13** 7-15 ; **15** 12-33. Osée, hostile à la royauté, Os **8** 4, semble condamner cette proclamation de Saül à Gilgal comme une « méchanceté », Os **9** 15.

c) Continuation immédiate de **10** 17-24 dans la version antimonarchiste : Saül ayant été proclamé roi, Samuel n'a plus qu'à abdiquer la judicature. On comparera le dernier discours de Moïse, Dt **29-31**, le dernier discours de Josué, Jos **24**. Au début de chaque nouvelle étape de l'histoire du peuple, la conquête, les Juges, la monarchie, le grand personnage de l'époque qui s'achève, Moïse, Josué, Samuel, rappelle les grandes actions de Dieu dans le passé et promet son assistance pour l'avenir, à condition que le peuple lui reste fidèle. Explicitement dans Dt **29-31** et Jos **24**, implicitement dans 1 S **12**, ces discours accompagnent un renouvellement de l'alliance du peuple avec Dieu, qui a eu pour médiateurs Moïse, Josué, Samuel ; les mêmes éléments se retrouvent effectivement dans la conclusion de la première alliance au Sinaï, Ex **19** 3-8.

vous. ² Désormais, c'est le roi qui marchera devant vous.
Pour moi, je suis devenu vieux, j'ai blanchi et mes fils
sont parmi vous *a*. J'ai marché devant vous depuis ma
jeunesse jusqu'à ce jour. ³ Me voici ! Témoignez contre
moi devant Yahvé et devant son oint : de qui ai-je pris
le bœuf et de qui ai-je pris l'âne *b* ? Qui ai-je frustré et qui
ai-je opprimé ? De qui ai-je reçu une compensation pour
que je ferme les yeux *c* ? Je vous restituerai *d*. » ⁴ Ils répondirent : « Tu ne nous as ni frustrés ni opprimés, tu n'as
rien reçu de personne. » ⁵ Il leur dit : « Yahvé est témoin
contre vous, et son oint est témoin aujourd'hui, que vous
n'avez rien trouvé entre mes mains. » Et ils répondirent :
« Il est témoin. »

⁶ Alors Samuel dit au peuple *e* : « Il est témoin, Yahvé
qui a suscité Moïse et Aaron et qui a fait monter vos pères
du pays d'Égypte. ⁷ Comparaissez maintenant; que je
plaide avec vous devant Yahvé et que je vous rappelle

---

12 5. « *Et ils répondirent* » *Vers.*; « *Et il répondit* » *H.*
    6. « *Il est témoin* » *G ; omis par H.*
    7. « *et que je vous rappelle* » *G ; omis par H.*

---

a) C'est-à-dire qu'ils ont l'âge d'hommes et que Samuel est vraiment
vieux. Cette tradition ne connaît pas **8** 1-3; autrement elle ne rappellerait
pas le souvenir des fils de Samuel au moment où celui-ci va protester de
son intégrité.

b) Comp. la protestation de Moïse, Nb **16** 15.

c) En hébreu *wᵉᵃ'lîm ʿênay bô,* mais le grec a : « ou une paire de sandales ?
Répondez-moi », qui suppose un texte hébreu très semblable : *wᵉnaʿălayim
ʿănû bî,* qui est soutenue par Si **46** 19 (grec et hébreu). Cette leçon est
également probable, cf. Am 2 6; 8 6 : ailleurs, dans l'Ancien Orient, la ces-
sion d'une paire de chaussures apparaît comme un paiement fictif pour
couvrir certaines transactions irrégulières.

d) Ces fautes contre la justice sociale sont celles que le peuple pouvait
craindre de ses chefs, les rois, cf. **8** 11-17, ou les juges, cf. **8** 3; Dt **16** 19.
Samuel ne les a pas commises dans ses fonctions de juge d'Israël; cf. la note
sur **7** 2.

e) Ce petit discours est dans le style du Deutéronome et du rédacteur
deutéronomiste du Livre des Juges.

toutes les hautes œuvres que Yahvé a accomplies à votre égard et à l'égard de vos pères : [8] quand Jacob fut venu en Égypte, les Égyptiens les opprimèrent et vos pères crièrent vers Yahvé. Celui-ci envoya Moïse et Aaron qui firent sortir vos pères d'Égypte, et il les installa en ce lieu. [9] Mais ils oublièrent Yahvé leur Dieu et celui-ci les livra aux mains de Sisera, chef de l'armée de Haçor, aux mains des Philistins et du roi de Moab[a] qui leur firent la guerre. [10] Ils crièrent vers Yahvé : ' Nous avons péché, dirent-ils, car nous avons abandonné Yahvé et servi les Baals et les Astartés. Maintenant, délivre-nous de la main de nos ennemis et nous te servirons ! ' [11] Alors Yahvé envoya Yerubbaal, Baraq, Jephté, Samuel[b], il vous a délivrés de vos ennemis d'alentour et vous êtes demeurés en sécurité.

[12] « Cependant, lorsque vous avez vu Nahash, le roi des Ammonites, marcher contre vous[c], vous m'avez dit : ' Non ! Il faut qu'un roi règne sur nous. ' Pourtant, Yahvé votre Dieu, c'est lui votre roi[d] ! [13] Voici maintenant le roi que vous avez choisi, Yahvé a établi sur vous un roi.

---

8. « *les Égyptiens les opprimèrent* » G ; *omis par* H. — « *et il les installa* » G ; « *et ils les installèrent* » H.

11. « *Baraq* » G ; « *Bedân* » H, *inconnu comme nom d'un Juge.*

13. *Après* « *choisi* », H *ajoute* « *que vous avez demandé* », *omis par* G.

---

a) Ces allusions ne suivent pas l'ordre du Livre des Juges : Jg **4-5**; **13-16**; 3 12-30. De même les libérateurs du v. 11 ne correspondent pas aux oppresseurs du v. 9.

b) Le rédacteur oublie qu'il fait parler Samuel lui-même et il tient à le nommer parmi les Juges, selon la doctrine du ch. **7.**

c) L'attaque de Nahash n'a été présentée comme le motif de l'institution de la royauté ni dans la version antimonarchiste, qui ignore l'épisode, ni dans la version monarchiste du ch. **11**, qui la donne comme l'occasion et non comme la cause de la proclamation de Saül comme roi. Mais le rédacteur, défavorable à la monarchie, connaît cette histoire et l'utilise à ses fins.

d) Comp. **8** 7.

[14] Si vous craignez Yahvé et le servez, si vous lui obéissez et ne vous révoltez pas contre ses ordres, si vous-mêmes et le roi qui règne sur vous, vous suivez Yahvé votre Dieu, c'est bien[a] ! [15] Mais si vous n'obéissez pas à Yahvé, si vous vous révoltez contre ses ordres, alors la main de Yahvé pèsera sur vous et sur votre roi.

[16] « Encore une fois comparaissez et voyez le grand prodige que Yahvé accomplit sous vos yeux. [17] N'est-ce pas maintenant la moisson des blés[b] ? Eh bien, je vais invoquer Yahvé et il fera tonner et pleuvoir. Reconnaissez clairement combien grave est le mal que vous avez commis au regard de Yahvé en demandant pour vous un roi. » [18] Samuel invoqua Yahvé et celui-ci fit tonner et pleuvoir le jour même, et tout le peuple eut une grande crainte de Yahvé et de Samuel. [19] Tous dirent à Samuel : « Prie Yahvé ton Dieu en faveur de tes serviteurs, afin que nous ne mourions pas ; nous avons mis le comble à tous nos péchés en demandant pour nous un roi. »

[20] Mais Samuel dit au peuple[c] : « Ne craignez pas. Oui, vous avez commis tout ce mal. Seulement, ne vous écartez pas de Yahvé et servez-le de tout votre cœur. [21] Ne vous écartez pas à la suite des idoles de néant qui ne servent de rien, qui ne sont d'aucun secours, car elles ne sont que néant. [22] En effet, Yahvé ne réprouvera pas son peuple, pour l'honneur de son grand nom, car Yahvé a daigné

---

15. « *et sur votre roi* » G ; « *et sur vos pères* » H.

---

a) Comme dans les formules de serment, la proposition principale est sous-entendue ; il faut suppléer le contraire (« c'est bien ») de ce qui est exprimé dans l'autre branche de l'alternative, au v. 15.

b) Une époque où il ne pleut jamais en Palestine.

c) Les dernières paroles de Samuel résument la doctrine de la version antimonarchiste : l'institution de la royauté a été une faute grave, mais Dieu ne rejette pas pour autant le peuple qu'il a élu, à condition que celui-ci soit désormais fidèle. Les prophètes intercéderont pour lui et le guideront.

faire de vous son peuple. ²³ Pour ma part, que je me garde de pécher contre Yahvé en cessant de prier pour vous et de vous enseigner le bon et droit chemin. ²⁴ Craignez seulement Yahvé et servez-le sincèrement de tout votre cœur, car voyez le grand prodige qu'il a accompli parmi vous*a*. ²⁵ Mais si vous commettez le mal, vous périrez, vous et votre roi. »

II. Débuts du règne de Saül

Soulèvement contre les Philistinsb.   **13.** ¹ Saül était âgé de ... ans lorsqu'ils devint roi, et il régna ... ans sur Israël*c*.
² Saül se choisit trois mille hommes d'Israël : il y en eut deux mille avec Saül à Mikmas

---

13 1. *Cf. note explicative.*
     2. « *Géba* » conj. cf. v. 16; « *Gibéa* » H.

---

a) Le miracle du v. 18.

b) Le ch. **13** est composite. Les vv. 16-18 et 23 appartiennent au récit le plus ancien, qui se continue au ch. **14**. Les vv. 2 et 19-22 sont des blocs erratiques. Les vv. 3-15 sont une composition plus récente. Aucune allusion ne sera faite ensuite à ce premier rejet de Saül. La piété héroïque et la victoire de celui-ci au ch. **14** le présentent comme le contraire d'un pécheur et d'un réprouvé. Ce récit, préparé par **10** 8 qui est déjà une addition, est un parallèle anticipé de la rupture entre Samuel et Saül au ch. **15**, de même l'action de Jonathan au v. 3 semble un doublet de **14** 1-15.

c) L'hébreu se traduit littéralement : « Saül avait un an lorsqu'il devint roi, et il régna deux ans sur Israël », l'expression employée pour « deux ans » est peu correcte et toute la phrase est impossible. La formule est celle qui introduit les règnes des rois de Juda dans la rédaction deutéronomiste des livres des Rois, et déjà pour Ishbaal, 2 S **2** 10, et pour David, 2 S **5** 4. Pour une raison inconnue, l'âge de Saül à son avènement est tombé du texte. La durée de son règne a peut-être été réduite à deux ans par une considération dogmatique, cf. aussi les deux ans du règne d'Ishbaal, un autre mauvais roi, 2 S **2** 10; ou bien le chiffre « deux » était précédé d'un chiffre de dizaines qui a disparu. Le v. manque dans les grands témoins de la traduction grecque. Une tradition attribuait à Saül un règne de quarante ans, cf. Josèphe et Ac **13** 21.

et dans la montagne de Béthel, il y en eut mille avec Jonathan[a] à Géba de Benjamin, et Saül renvoya le reste du peuple chacun à sa tente[b].

³ Jonathan tua le préfet des Philistins qui se trouvait à Gibéa[c] et les Philistins apprirent que les Hébreux[d] s'étaient révoltés. Saül fit sonner du cor dans tout le pays ⁴ et tout Israël reçut la nouvelle : « Saül a tué le préfet des Philistins, Israël s'est même rendu odieux[e] aux Philistins ! » et le peuple se groupa derrière Saül à Gilgal[f]. ⁵ Les Philistins se rassemblèrent pour combattre Israël, trois mille chars, six mille chevaux et une troupe aussi nombreuse que le sable du bord de la mer, et ils vinrent camper à Mikmas, à l'orient de Bet-Avèn[g]. ⁶ Lorsque les Israélites se virent en détresse, car on les serrait de près, les gens

---

3. « *Gibéa* » G cf. **10** 5 ; « *Géba* » H. — « *que les Hébreux s'étaient révoltés* » paš'û G ; « *que les Hébreux entendent* » yišm'û H, *qui met la phrase à la fin du v.*

5. « *trois mille* » Luc Syr ; « *six mille* » H.

6. « *les trous* » ḥôrîm *conj.*; « *les buissons* » ḥăwâḥîm H.

---

a) Le fils de Saül, v. 16 et toute la suite.

b) Débris d'une tradition indépendante. D'après les vv. 5 et 16, les Philistins occupent Mikmas, aujourd'hui Mukhmas, 12 km. au nord-est de Jérusalem.

c) Selon le grec et **10** 5, il faut lire « Gibéa » (Tell el-Fûl, 6 km. au nord de Jérusalem). On est ainsi conduit à corriger, dans les vv. 2-4, « Gibéa » en « Géba », où l'on retrouve Jonathan au v. 16 ; le texte hébreu aurait interverti les deux noms. L'une des difficultés de ce ch. et du suivant est l'alternance de Gibéa-Géba dans l'hébreu et dans les versions, et les choix faits ici ne sont pas tous assurés. Géba est aujourd'hui Djéba', 3 km. au sud de Mikmas.

d) En règle générale, ce nom n'est donné aux Israélites que par des étrangers ou par des Israélites parlant à des étrangers, cf. déjà **4** 6 et ici, v. 19 ; **14** 11, etc. (mais cf. la note sur **14** 21). Cela soutient la leçon du grec contre celle de l'hébreu ici et au v. 7.

e) Cf. la note sur 2 S **10** 6.

f) Cet abandon des places fortes de la montagne est peu vraisemblable, mais il fallait amener Saül à Gilgal, pour le récit des vv. 8-15.

g) Bet-Avèn, « maison de vanité », est un sobriquet de Béthel dans Os **4** 15 ; **5** 8 ; **10** 5 ; l'emploi de ce sobriquet ici s'explique par l'âge récent des vv. 3-15, cf. note *b*, p. 67.

se cachèrent dans les grottes, les trous, les failles de rocher, les souterrains et les citernes*a*. ⁷ Ils passèrent aussi par les gués du Jourdain, au pays de Gad et de Galaad.

Rupture entre Samuel et Saül*b*.

Saül était encore à Gilgal et le peuple tremblait derrière lui. ⁸ Il attendit sept jours, selon le terme que Samuel avait fixé*c*, mais Samuel ne vint pas à Gilgal et l'armée, quittant Saül, se débanda. ⁹ Alors celui-ci dit : « Amenez-moi l'holocauste et les sacrifices de communion » et il offrit l'holocauste. ¹⁰ Or il achevait d'offrir l'holocauste lorsque Samuel arriva, et Saül sortit à se rencontre pour le saluer. ¹¹ Samuel dit : « Qu'as-tu fait ? » et Saül répondit : « J'ai vu que l'armée me quittait et se débandait, que d'autre part tu n'étais pas venu au jour fixé et que les Philistins étaient rassemblés à Mikmas. ¹² Je me suis dit : Maintenant les Philistins vont descendre sur moi à Gilgal et je n'aurai pas apaisé Yahvé ! Alors je me suis contraint et j'ai offert l'holocauste. » ¹³ Samuel dit à Saül : « Tu a agi en insensé ! Si tu avais observé l'ordre que Yahvé ton Dieu t'a donné, Yahvé aurait affermi pour toujours ta

---

7. « *Ils passèrent... du Jourdain* » G ; « *Des Hébreux passèrent le Jourdain* » H.
8. « *fixé* » *quelques Mss Vers.*; *omis par* H.
13. « *Si tu avais* » lu *conj.*; « *Tu n'as pas* » lo' H.

---

a) Développement inspiré de **14** 11.
b) Ce récit double celui du ch. **15** et il exprime déjà le drame du règne de Saül : il a été choisi par Yahvé pour sauver son peuple et il a sauvé celui-ci, ch. **11** et **14**; cependant, il est rejeté par Yahvé, ch. **13** et **15**. Depuis la préférence accordée à Jacob sur Ésaü, Gn **25** 23; cf. Rm **9** 13, et l'élection d'Israël, Dt **7** 6; Am **3** 2, jusqu'à la vocation des Apôtres, celle de saint Paul, celle de tout chrétien, toute l'Histoire Sainte proclame la gratuité des choix divins. Mais elle proclame aussi que le maintien de la grâce dépend de la fidélité de l'élu; Saül a été infidèle à sa vocation, comme Judas l'Apôtre déchu, comme le chrétien apostat.
c) Cf. **10** 8, qui est secondaire.

royauté sur Israël[a]. ¹⁴ Mais maintenant, ta royauté ne
tiendra pas : Yahvé s'est cherché un homme selon son
cœur et il l'a désigné comme chef sur son peuple[b], parce
que tu n'as pas observé ce que Yahvé t'avait commandé. »
¹⁵ Samuel se leva et partit de Gilgal pour suivre son chemin.

Ce qui restait du peuple monta derrière Saül à la rencontre des hommes de guerre et vint de Gilgal à Géba
de Benjamin. Saül passa en revue la troupe qui se trouvait
avec lui : il y avait environ six cents hommes.

Préparatifs de guerre. ¹⁶ Saül et son fils Jonathan
et la troupe qui était avec
eux résidaient à Géba de
Benjamin[c] et les Philistins campaient à Mikmas. ¹⁷ Le
corps de destruction sortit du camp philistin en trois
bandes : une bande prit la direction d'Ophra au pays de
Shual, ¹⁸ une bande prit la direction de Bet-Horôn et une
bande prit la direction de la hauteur qui surplombe la
Vallée des Hyènes, vers le désert[d].

¹⁹ Il n'y avait pas de forgeron dans tout le pays d'Israël,

---

15. « *pour suivre son chemin... et vint de Gilgal* » G ; *omis par* H, *qui a sauté
de Gilgal* (1°) *à Gilgal* (2°). — « *Géba* » G *cf. v.* 16 ; « *Gibéa* » H.
18. « *la hauteur* » *d'après* G ; « *la frontière* » H.

---

a) On voit mal quelle fut la faute de Saül : il a attendu sept jours, selon
l'ordre donné. Serait-ce qu'il a lui-même offert un sacrifice ? Mais cela ne
choquait pas la conception ancienne, cf. **14** 32-35. La tradition d'où
provient ce passage est incomplètement préservée.

b) Il s'agit de David.

c) Entre Géba et Mikmas se creuse le profond Wady Suweinit, qui est
la « passe » de Mikmas, v. 23, que Jonathan traversera, **14** 4 s.

d) Les Philistins envoient des commandos pour ravager le pays ennemi :
au nord (Ophra est l'actuelle el-Tayibeh ; le pays de Shual, qui n'apparaît
qu'ici et dont le nom a disparu, doit désigner la région avoisinante) ; à l'ouest
vers Bet-Horôn ; à l'est vers le désert. Le nom de la Vallée des Hyènes se
conserve dans le Wady abu Daba' (c'est la traduction arabe), tributaire
du Wady el-Qelt, lequel fait suite au Wady Suweinit. Ces razzias ne ren-
contrent pas d'opposition : les Philistins contrôlent vraiment le cœur
du pays israélite.

car les Philistins s'étaient dit : « Il faut éviter que les
Hébreux ne fabriquent des épées ou des lances[a]. » [20] Aussi
tous les Israélites descendaient chez les Philistins pour
reforger chacun son soc, sa hache, son herminette ou son
aiguillon. [21] Le prix était de deux tiers de sicle pour les
socs et les haches, d'un tiers de sicle pour aiguiser les her-
minettes et redresser les aiguillons. [22] Aussi arriva-t-il,
le jour de la bataille de Mikmas, que personne dans
l'armée qui était avec Saül et Jonathan n'avait en main
ni épée ni lance. Il y en avait cependant pour Saül et pour
son fils Jonathan.

[23] Un poste de Philistins partit pour la passe de Mikmas[b].

14. [1] Un jour le fils de
Jonathan Saül, Jonathan, dit à son
attaque le poste. écuyer : « Viens, traversons
jusqu'au poste des Philistins
qui sont à cette passe », mais il n'avertit pas son père.
[2] Saül était assis à la limite de Géba, sous le grenadier qui
est près de l'aire[c], et la troupe qui était avec lui était d'envi-

20. « *son aiguillon* » G *cf. v.* 21; H *répète* « *son soc* ».
21. *Texte incertain. Le mot* pym, *à lire* pâyîm, *est inscrit sur des poids
de deux tiers de sicle. Lire ensuite, d'après* G : ûšᵉlîš šèqèl lâšôn haqqardum-
mîm.
22. « *de Mikmas* » G ; *omis par* H.
14 1. « *à cette passe* » bammaʿâbâr hallâz G *cf.* **13** 23; « *de cet autre côté* »
méʿébèr hallâz H.
2. « *Géba* » *d'après v.* 5 *et* **13** 16; « *Gibéa* » H. — « *près de l'aire* » bammi-
grân *conj.*; « *à Migrôn* » H.

a) Les vv. 19-22 sont une parenthèse, qui souligne le poids de l'occupation philistine et rend plus admirable la victoire du ch. **14**. A cette politique
de désarmement, on peut comparer Porsena ne permettant l'usage du fer
aux Romains que pour l'agriculture, Cyrus interdisant les armes aux
Lydiens... et les parallèles modernes.
b) Suite du v. 18 : un avant-poste est détaché au Wady Suweinit, en
face de Géba.
c) Il faut certainement lire « Géba », parce que c'est l'endroit où sont
Saül, Jonathan et l'armée d'après **13** 16 et que « Gibéa » de l'hébreu est

ron six cents hommes. ³ Ahiyya, fils d'Ahitub, frère d'Ikabod, fils de Pinhas, fils d'Éli, le prêtre de Yahvé à Silo,
portait l'éphod ᵃ. La troupe ne remarqua pas que Jonathan
était parti.

⁴ Dans le défilé que Jonathan cherchait à franchir pour
atteindre le poste philistin, il y a une dent de rocher d'un
côté et une dent de rocher de l'autre côté. L'une est appelée
Boçèç, et l'autre Senné; ⁵ la première dent est au nord,
face à Mikmas, la seconde est au sud, face à Géba ᵇ. ⁶ Jonathan dit à son écuyer : « Viens, traversons jusqu'au poste
de ces incirconcis. Peut-être Yahvé fera-t-il quelque chose
pour nous, car rien n'empêche Yahvé de donner la victoire,
qu'on soit nombreux ou non ᶜ. » ⁷ Son écuyer lui répondit :
« Fais tout ce vers quoi penche ton cœur. Pour moi, mon
cœur est comme ton cœur. » ⁸ Jonathan dit : « Voici que
nous allons passer vers ces gens et nous découvrir à eux.
⁹ S'ils nous disent : ' Ne bougez pas jusqu'à ce que nous
vous rejoignions ', nous resterons sur place et nous ne
monterons pas vers eux. ¹⁰ Mais s'ils nous disent : ' Montez vers nous ', nous monterons, car Yahvé les aura

---

5. *Avant* « *au nord* » H *ajoute* « *un pilier* »; *omis par* G.

7. « *penche ton cœur* » lebâbᵉkâ noṭéh lô *G ;* « *dans ton cœur incline pour
toi* » bilᵉbâbèkâ nᵉṭéh lâk *H.* — « *mon cœur est* » *G ;* « *avec toi* » *H.*

---

trop loin du champ d'opération pour justifier **14** 16. Il est bien difficile
de garder le nom géographique de l'hébreu, « Migrôn » (qui n'est mentionné ailleurs que dans Is **10** 28 et qui est au nord de Mikmas) : Saül est
à la limite de Géba, cf. la même expression à **9** 27, et non dans une autre
ville, il est tout près de Géba, cf. encore **14** 16. En lisant *migrân,* forme
secondaire de *gorèn* « aire », on s'accorde à ces données; cf. aussi 1 R **22** 10
(hébreu).

a) Voir **2** 28. La notice prépare le v. 18. Cet Ahiyya (Ahi + Yahvé)
est identique à Ahimélek (Ahi + *mèlèk* = roi, épithète divine) de **21** 2;
22 9.

b) Localisations incertaines dans la gorge étroite du Wady Suweinit,
un peu en aval de Géba.

c) Cf. la note sur **17** 47 et 1 M **3** 18.

livrés entre nos mains : cela nous servira de signe[a]. »

[11] Lorsqu'ils se découvrirent tous les deux au poste des Philistins, ceux-ci dirent : « Voilà des Hébreux qui sortent des trous où ils se cachaient[b] » [12] et les gens du poste, s'adressant à Jonathan et à son écuyer, dirent : « Montez vers nous, que nous vous apprenions quelque chose. » Alors Jonathan dit à son écuyer : « Monte derrière moi, car Yahvé les a livrés aux mains d'Israël. » [13] Jonathan monta en s'aidant des mains et des pieds, et son écuyer le suivit. Les Philistins tombaient devant Jonathan et son écuyer les achevait derrière lui. [14] Ce premier massacre que firent Jonathan et son écuyer fut d'une vingtaine d'hommes...[c].

Bataille générale. [15] La terreur se répandit dans le camp, dans la campagne et dans tout le peuple; tous les gens du poste et le corps de destruction[d] furent saisis d'effroi eux aussi, la terre trembla et ce fut une panique de Dieu. [16] Les guetteurs de Saül, qui étaient à Géba de Benjamin, virent que le camp s'agitait en tous

---

14. *Fin du v. corrompue.*
16. *« Géba » conj. cf. v. 2; « Gibéa » H. — « le camp s'agitait en tous sens » G ; « le tumulte s'agitait çà et là » H, par contamination du v. 19.*

a) C'est l'événement, proche ou lointain, qui manifestera la volonté divine. Il est annoncé par Dieu, Ex **3** 12, ou par un homme de Dieu, 1 S **2** 34; **10** 7-9; 2 R **19** 29, ou enfin, comme ici et Gn **24** 12 s; Jg **6** 17-18 et 36-40; 2 R **20** 8-10, il est proposé par le sujet même, pour solliciter la réponse de Dieu.

b) Cf. **13** 6.

c) L'hébreu se traduirait au mieux, avec des difficultés de sens et de grammaire : « comme dans une moitié de sillon (?) arpent de champ », que la Vulgate paraphrase. Les autres versions vont à l'aventure et les modernes ont accumulé les conjectures. Le texte corrompu semble avoir délimité le champ de bataille.

d) Toutes les unités philistines sont touchées : le camp, **13** 16; l'avant-poste, **13** 23; les commandos, **13** 17.

sens, [17] et Saül dit à la troupe qui était avec lui : « Faites l'appel et voyez qui d'entre nous est parti. » On fit l'appel et voilà que Jonathan et son écuyer étaient absents !

[18] Alors Saül dit à Ahiyya : « Apporte l'éphod », car c'était lui qui portait l'éphod en présence d'Israël[a]. [19] Mais pendant que Saül parlait au prêtre, le tumulte au camp philistin allait croissant et Saül dit au prêtre : « Retire ta main[b]. » [20] Saül et toute la troupe qui était avec lui se réunirent et arrivèrent au lieu du combat : voilà qu'ils tiraient l'épée les uns contre les autres, une énorme panique ! [21] Les Hébreux[c] qui s'étaient mis auparavant au service des Philistins et qui étaient montés avec eux au camp firent défection eux aussi, pour se joindre aux

---

18. « *l'éphod, car c'était lui... Israël* » *G* ; « *l'arche de Dieu, car l'arche de Dieu était alors chez les fils d'Israël* » *H*, corrigé d'après *Aq Sym VetLat*, cf. la note.

21. « *qui s'étaient* » conj.; « *s'étaient* » *H*. — « *firent défection* » sâbᵉbû *G* ; « *autour et* » sâbîb û *H*.

---

a) Sur l'éphod divinatoire, cf. **2** 28. Saül veut consulter Yahvé avant d'engager le combat, cf. ici v. 37 et **30** 7 s. D'après l'hébreu (corrigé selon Aquila et Symmaque) « Saül dit à Ahiyya : ' Approche l'arche de Dieu ', car l'arche de Dieu était alors *chez les* fils d'Israël ». Certains conservent ce texte, qui représenterait une tradition ancienne, parallèle à celle du grec, et serait un nouveau témoignage du rôle de l'arche dans la guerre sainte, cf. la note sur **4** 3. Mais le rapport entre Ahiyya et l'éphod a été affirmé par le v. 3, où le verbe employé assure qu'il s'agit de l'éphod divinatoire et non de l'éphod vêtement, et le v. 20 montre qu'il est question d'une consultation de Yahvé : celle-ci se faisait par l'éphod et non par l'arche, cf. **23** 9 s; **30** 7. Il est donc vraisemblable que le grec est plus fidèle et que le texte hébreu a été corrigé par un scribe, qui pensait à Jg **8** 27, où l'éphod est condamné comme un objet du culte païen. D'ailleurs, l'arche, retenue à Qiryat-Yéarim, **7** 1, n'était pas alors à la libre disposition des Israélites.

b) Le prêtre allait tirer les sorts, voir la note sur le v. 41. Saül l'arrête et, sans plus consulter, marche au combat.

c) Des Israélites qui s'étaient vendus aux Philistins comme esclaves, comp. l'emploi du mot « hébreu » dans Ex **21** 2; Dt **15** 12 s. Ou bien des alliés incertains que les Philistins recrutaient dans le pays vaincu, comp. David au service du roi de Gat, ch. **27** et suiv.

Israélites qui étaient avec Saül et Jonathan. ²² Tous les
Israélites qui s'étaient cachés dans la montagne d'Éphraïm,
apprenant que les Philistins étaient en fuite, les talon-
nèrent aussi, en combattant. ²³ Ce jour-là Yahvé donna la
victoire à Israël et le combat s'étendit au delà de Bet-
Horôn[a].

**Une interdiction de Saül
violée par Jonathan.**

²⁴ Saül avait imposé ce
jour-là une grande abstinence
et il avait prononcé sur le
peuple cette imprécation :
« Maudit soit l'homme qui mangera quelque chose avant
le soir, avant que j'aie tiré vengeance de mes ennemis ! »
Et personne du peuple ne goûta d'aucune nourriture[b].

²⁵ Or il y avait un rayon de miel à la surface du sol.
²⁶ Le peuple arriva au rayon de miel et le miel coulait,
mais personne ne porta la main à sa bouche, car le peuple
redoutait le serment juré. ²⁷ Cependant Jonathan n'avait
pas entendu son père imposer le serment au peuple. Il
avança le bout du bâton qu'il avait à la main et le plongea
dans le rayon de miel, puis il ramena la main à sa bouche ;

---

23. « *Bet-Horôn* » Luc VetLat ; « *Bet-Avèn* » H.
24. « *Saül... abstinence* » d'après G en lisant ἤγνισεν ἄγνειαν *au lieu de* ἠγνόησεν ἄγνοιαν; « *l'homme d'Israël fut repoussé ce jour-là* » H.
25. *Le texte corrompu dans H est restitué par conjecture.*
26. « *porta* » mèšîb G Targ ; « *atteignit* » maśśîg H.

---

a) Bet-Avèn de l'hébreu indiquerait un point proche de Mikmas, cf. la
note sur **13** 5, ce qui s'accorde mal avec le reste des vv. 22-23 et est contredit
par le v. 31. Tout est en ordre si on lit Bet-Horôn : les Philistins sont
rejetés sur leur route d'invasion. Vraiment une grande victoire. Sans doute,
les combats continueront, v. 52, mais la montagne au moins, cœur du
royaume, sera délivrée et les prochaines rencontres se feront à la périphérie.
A la fin du v. 23, la Septante ajoute : « Tout le peuple avec Saül était
environ dix mille hommes et le combat s'étendait à toute ville (?) dans la
montagne d'Éphraïm ».
b) Ce jeûne volontaire est un moyen d'obtenir la victoire, qui est donnée
par Dieu.

alors ses yeux s'éclaircirent[a]. [28] Mais quelqu'un de la
troupe prit la parole et dit : « Ton père a imposé ce
serment au peuple : ʻ Maudit soit l'homme, a-t-il dit, qui
mangera quelque chose aujourd'hui ʼ. » [29] Jonathan répondit : « Mon père a fait le malheur du pays ! Voyez donc
comme j'ai les yeux plus clairs pour avoir goûté ce peu de
miel. [30] A plus forte raison, si le peuple avait mangé
aujourd'hui du butin qu'il a trouvé chez l'ennemi, est-ce
qu'alors la défaite des Philistins n'aurait pas été plus
grande ? »

[31] Ce jour-là, on battit les

Faute rituelle du peuple. Philistins depuis Mikmas jusqu'à Ayyalôn[b] et le peuple
était à bout de force. [32] Alors le peuple se rua sur le butin,
il prit du petit bétail, des bœufs, des veaux, les immola à
même la terre et il se mit à manger avec le sang[c]. [33] On
avertit ainsi Saül : « Le peuple est en train de pécher
contre Yahvé en mangeant avec le sang ! » Alors il dit :
« Vous avez été infidèles ! Roulez-moi ici une grande
pierre ! » [34] Puis Saül dit : « Répandez-vous dans le peuple
et dites : « Que chacun m'amène son bœuf ou son mouton;

---

28. *Après* « aujourd'hui », *le texte ajoute* « et le peuple était à bout de forces »,
glose inspirée du v. 31.

32. « *se rua* » wayya'aṭ *Qer Vers.*; « *fit* » wayya'aś *Ket.*

33. « *ici* » hălom *G ;* « *aujourd'hui* » hayyôm *H.*

34. « *ce qu'il avait* », *litt.* « ce qui était dans sa main » 'ăšèr beyâdô *G ;*
« *son bœuf dans sa main* » šôrô beyâdô *H.*

---

a) Signe qu'il a retrouvé sa force.

b) Ayyalôn, aujourd'hui Yâlo, est à plus de 25 km. de Mikmas sur
une route qui passe par Bet-Horôn, v. 23; comp. la poursuite des rois
cananéens par Josué, Jos **10** 10-12.

c) Le sang, principe vital, appartient à Dieu, maître de la vie. Sa mandu-
cation a toujours été interdite et on doit l'offrir à Dieu, Gn **9** 4; Lv **17**
10-14; **19** 26; Dt **12** 16 et 23. Ainsi tout abattage devient un sacrifice,
qui exige un autel, la pierre du v. suivant, comp. **6** 14; Jg **6** 20; **13** 19.

vous les immolerez ici et vous mangerez, sans pécher
contre Yahvé en mangeant avec le sang. » Les hommes
amenèrent chacun ce qu'il avait cette nuit-là[a] et ils firent
l'immolation en cet endroit. [35] Saül construisit un autel
à Yahvé[b]; ce fut le premier autel qu'il lui construisit.

**Jonathan
reconnu coupable
est sauvé par le peuple.**

[36] Saül dit : « Descendons
de nuit à la poursuite des
Philistins et pillons-les jusqu'au lever du jour; nous
ne leur laisserons pas un
homme. » On lui répondit : « Fais tout ce qui te semble
bon. » Mais le prêtre dit : « Approchons-nous ici de
Dieu[c]. » [37] Saül consulta Dieu : « Descendrai-je à la poursuite des Philistins ? Les livreras-tu entre les mains
d'Israël ? » Mais il ne lui répondit pas ce jour-là[d]. [38] Alors,
Saül dit : « Approchez ici, vous tous, chefs[e] du peuple !
Examinez bien en quoi a consisté la faute d'aujourd'hui.
[39] Aussi vrai que vit Yahvé qui donne la victoire à Israël,
même s'il s'agit de mon fils Jonathan, il mourra sûrement ! » Personne dans tout le peuple n'osa lui répondre.
[40] Il dit à tout Israël : « Mettez-vous d'un côté et moi avec
mon fils Jonathan nous nous mettrons de l'autre », et le
peuple répondit à Saül : « Fais ce qui te semble bon. »

a) En accord avec les vv. 24 et 36. Cependant d'autres corrigent en
« à Yahvé ».
b) Addition qui, tout en précisant le caractère de la grande pierre du
v. 33, se conforme à la règle générale, d'après laquelle les autels étaient
construits, cf. le parallèle de Jg **6** 24, consécutif à **6** 20, les autels « construits » par les Patriarches, celui de Josué, Jos **22** 10, celui de David, 2 S
24 25, et la loi de Ex **20** 24-26.
c) Dieu doit être consulté sur l'opportunité de l'opération, cf. **30** 8 et,
comme dans ce dernier passage, la consultation se fait au moyen de l'éphod,
que porte le prêtre, cf. vv. 3 et 18.
d) Cf. **28** 6. Ce silence est la punition d'un péché, v. 41.
e) Litt. « pierres angulaires », titre des chefs dans Jg **20** 2 ; Is **19** 13.

⁴¹ Saül dit alors : « Yahvé, Dieu d'Israël, pourquoi n'as-tu
pas répondu aujourd'hui à ton serviteur ? Si la faute est
sur moi ou sur mon fils Jonathan, Yahvé, Dieu d'Israël,
donne *urim ;* si la faute est sur ton peuple Israël, donne
*tummim*ᵃ. » Saül et Jonathan furent désignés et le peuple
échappa. ⁴² Saül dit : « Jetez le sort entre moi et mon fils
Jonathan », et Jonathan fut désigné.

⁴³ Alors Saül dit à Jonathan : « Avoue-moi ce que tu as
fait. » Jonathan répondit : « J'ai seulement goûté un peu
de miel avec le bout du bâton que j'avais à la main. Je
suis prêt à mourir. » ⁴⁴ Saül reprit : « Que Dieu me fasse
ce mal et qu'il ajoute cet autreᵇ si tu ne meurs pas, Jonathan ! » ⁴⁵ Mais le peuple dit à Saül : « Est-ce que Jonathan va mourir, lui qui a opéré cette grande victoire en
Israël ? Gardons-nous en ! Aussi vrai que Yahvé est
vivant, il ne tombera pas à terre un cheveu de sa tête, car
c'est avec Dieu qu'il a agi aujourd'hui ! » Ainsi le peuple
rachetaᶜ Jonathan et il ne mourut pas.

---

41. « *dit alors : Yahvé* » *Vers.*; « *dit à Yahvé* » *H.* — « *pourquoi... sur ton
peuple Israël* » *G VetLat Vulg ; omis par H, qui a sauté de « Dieu d'Israël »
à « ton peuple Israël ».* — « *tummim* » *G Vulg ; « vérité » tâmîm H.*

42. *Après* « *mon fils Jonathan* », *G et VetLat ajoutent :* « *Celui que Yahvé
désignera mourra. Le peuple dit à Saül : Il n'en sera pas ainsi. Mais Saül l'emporta et on jeta le sort entre lui et son fils Jonathan* ».

a) Ce v., restitué d'après les versions, montre comment on consultait
par l'éphod : il contenait deux sorts (bâtonnets ou dés ?) qu'on appelait
urim et *tummim* (la valeur des mots est incertaine) et auxquels on donnait
une signification conventionnelle. Celui qui était tiré apportait la réponse
divine. C'était donc une réponse par *oui* ou *non,* cf. 23 10-12, et la consultation était parfois longue, cf. v. 19. Il arrivait que l'oracle ne répondît pas,
v. 37 et 28 6, sans doute quand rien ne sortait de la poche ou que les deux
sorts sortaient ensemble.
b) Voir la note sur 3 17.
c) Comme on rachetait une victime due à Yahvé, Ex 13 13-15 ; 34 20 ;
Lv 27 27. Cependant le texte ne précise pas qu'il y eut substitution ou
payement, et cela est peu vraisemblable. Mais l'emploi de ce verbe n'est
pas indifférent : après le serment de Saül, v. 39, cf. v. 44, et la consultation

⁴⁶ Saül renonça à poursuivre les Philistins et les Philistins gagnèrent leur pays.

⁴⁷ Saül s'assura la royauté

Résumé
du règne de Saülᵃ.

sur Israël et fit la guerre de tous côtés contre tous ses ennemis, contre Moab, les Ammonites, Édom, le roi de Çoba et les Philistins ᵇ; où qu'il se tournât, il était victorieux. ⁴⁸ Il fit des prouesses de vaillance, battit les Amalécites ᶜ et délivra Israël des mains de ceux qui le pillaient.

⁴⁹ Saül eut pour fils Jonathan, Ishyo ᵈ et Malki-Shua. Les noms de ses deux filles étaient Mérab pour l'aînée et Mikal pour la cadette ᵉ. ⁵⁰ La femme de Saül se nommait Ahinoam, fille d'Ahimaaç. Le chef de son armée se nommait

---

47. « *il était victorieux* » yiwwâšéaʿ *Vers.*; « *il faisait le mal* » yaršiaʿ H.
49. « *Ishyo* » *cf. G* ; « *Ishwi* » H.

---

par les sorts sacrés, vv. 40-42, Jonathan est vraiment une victime due à Yahvé, et l'étonnant dans ce récit est que la voix du peuple l'emporte sur celle de Saül et paraît l'emporter sur celle de Dieu : toujours cette destinée paradoxale de Saül, choisi par Yahvé et rejeté par lui, cf. la note *b*, p. 69.

a) Ce sommaire est analogue à ceux qui concernent Samuel, **7** 13-15, et David, 2 S **8**. Comp. aussi les notices sur la famille et les officiers de David, 2 S **3** 2-5 ; **5** 13-16 ; **20** 23-26. Il contient, sur la personne et le règne de Saül, des renseignements qui paraissent dignes de créance. Ce genre de notices est plus ancien que les notices chronologiques du livre des Rois, qui ont à leur tour inspiré **13** 1 et 2 S **5** 4-5.

b) Sauf les Philistins, curieusement cités les derniers, ces ennemis ne paraissent pas dans les récits concernant Saül. Mais on les retrouvera tous sous David, 2 S **8** 2, 3 s, 14 ; **10** 6 s. Ici, au lieu d'Édom, lire peut-être Aram, après quoi la recension lucianique ajoute Bet-Rehob, une principauté araméenne comme Çoba.

c) Cf. le ch. **15**, mais ils étaient absents de la liste du v. précédent.

d) C'est-à-dire « l'homme de Yahvé ». C'est le même personnage qui est appelé Ishbaal « l'homme du Maître » (épithète de Yahvé), dans 1 Ch **8** 33 et Ishboshet « l'homme de honte » (Baal ayant été pris pour le nom du dieu cananéen), dans l'hébreu de 2 S **2** 8 et la suite.

e) Elles seront mêlées à l'histoire de David, **18** 17 s, 20 s.

Abner, fils de Ner; il était l'oncle de Saül : [51] Qish, le père de Saül, et Ner, le père d'Abner, étaient les fils d'Abiel[a].

[52] Il y eut une guerre acharnée contre les Philistins tant que vécut Saül. Tous les braves et tous les vaillants que voyait Saül, il se les attachait[b].

15. [1] Samuel dit à Saül :
Guerre sainte « C'est moi que Yahvé a
contre les Amalécites[c]. envoyé pour te sacrer roi
sur son peuple Israël. Écoute donc les paroles de Yahvé : [2] Ainsi dit Yahvé Sabaot : J'ai résolu de punir ce qu'Amaleq a fait à Israël, en lui coupant la route quand il montait d'Égypte[d]. [3] Maintenant, va, frappe Amaleq, voue-le à l'anathème avec tout ce qu'il possède, sois sans pitié pour lui, tue hommes et femmes, enfants et nourrissons, bœufs et brebis, chameaux et ânes[e]. »

---

51. « *les fils* » *conj.*; « *le fils* » H.
15 3. « *voue-le... avec tout* » G *Targ ;* « *voue-le... tout* » H.

---

a) Cf. **9** 1.
b) Début d'une armée de métier, différente de la levée en masse du peuple.
c) Le ch. **15** est sans lien avec ce qui précède : il ignore le premier rejet de Saül, **13** 8-15, et il ne connaît pas la version antimonarchiste du ch. **12**, car il condamne seulement Saül et non pas l'institution royale. Par contre, le rejet de Saül y prépare directement, v. **16**, l'onction de David au ch. **16**, mais les vv. 24-29 ne paraissent pas appartenir au récit primitif. Celui-ci a dû exister d'abord à part, comme un tableau de l'opposition, inhérente à la monarchie israélite, entre la politique profane et les exigences de Yahvé à qui reste la victoire. Cette opposition se traduit par la lutte du Roi et du Prophète, ici Saül et Samuel, plus tard Achab et Élie, Ézéchias et Isaïe, Sédécias et Jérémie. On remarquera combien le récit de la guerre elle-même reste imprécis : c'est seulement le préambule de la scène entre Samuel et Saül.
d) Allusion à Ex **17** 8 s; cf. Dt **25** 17-19, qui a un rapport certain avec notre passage. Les Amalécites nomadisaient dans le sud de la Palestine.
e) L'anathème, en hébreu *ḥérèm,* est une prescription de la guerre sainte, Dt **7** 2; **20** 17. C'est la consécration à Yahvé de tout le butin pris sur l'ennemi : les objets précieux entrent au sanctuaire, les êtres vivants sont mis à mort, Jos **6** 17-21.

⁴ Saül convoqua le peuple et le passa en revue à Télam*ᵃ* :
deux cent mille fantassins (et dix mille hommes de Juda).
⁵ Saül s'avança jusqu'à la ville d'Amaleq*ᵇ* et se mit en
embuscade dans le ravin. ⁶ Saül dit aux Qénites*ᶜ* : « Par-
tez, séparez-vous des Amalécites, de peur que je ne vous
fasse disparaître avec eux, car vous avez été bienveillants
à tous les Israélites quand ils montaient d'Égypte. » Et
les Qénites se séparèrent des Amalécites.

⁷ Saül battit les Amalécites à partir de Havila en direction de Shur, qui est à l'orient de l'Égypte*ᵈ*. ⁸ Il prit vivant
Agag, roi des Amalécites, et il passa tout le peuple au fil
de l'épée, en exécution de l'anathème. ⁹ Mais Saül et
l'armée épargnèrent Agag et le meilleur du petit et du gros
bétail, les bêtes grasses et les agneaux, bref tout ce qu'il
y avait de bon. Ils ne voulurent pas le vouer à l'anathème;
mais tout le troupeau vil et sans valeur, ils le vouèrent
à l'anathème*ᵉ*.

---

6. *Après* « *séparez-vous* », *H ajoute* « *descendez* »; *omis par G.*
9. « *vil et sans valeur* » nibzâh wᵉnim'èsèt *Vers.*; *H corrompu :* nᵉmibzâh
wᵉnâmés.

---

a) Télam ou Télem, Jos **15** 24, ville du Négeb, peut-être Tilmah près
de Qurnub, cf. encore **27** 8. Les chiffres qui suivent sont fantastiques et
la mention des « hommes de Juda » est anachronique.

b) Comme ensuite le ravin, cette ville reste anonyme et l'on se demande
en effet ce que pouvait bien être cette « ville » de nomades.

c) Groupe semi-nomade, apparenté aux Madianites et allié des Israélites
au désert et dans la conquête de Canaan, cf. Nb **10** 29 et Jg **1** 16, mêlé aux
Amalécites, Nb **24** 20-21 ; Jg **1** 16, mais ayant des éléments jusque dans le
nord de la Palestine, Jg **4** 11; cf. encore 1 S **27** 10; **30** 29.

d) Havila et Shur sont des points imprécis, qui fixent ici le territoire des
Amalécites, comme ils déterminaient, dans Gn **25** 18, celui des Ismaélites.
L'auteur n'a évidemment qu'une idée vague de la marche de l'expédition.

e) Manquement à l'anathème, qui devait frapper *tous* les êtres vivants.
Le motif de cette transgression n'est peut-être pas aussi bas qu'on le dit
souvent : Saül et le peuple auraient dérobé à Yahvé le meilleur butin. Mais
Saül dira que les bêtes devaient être sacrifiées, v. 15, et Samuel ne mettra
pas en doute sa parole. Saül a agi en bonne conscience, et c'est là qu'est le
drame : la faute du Roi est d'avoir choisi, pour complaire au peuple, une

**Saül est rejeté
par Yahvé.**

¹⁰ La parole de Yahvé fut adressée à Samuel en ces termes : ¹¹ « Je me repens d'avoir donné la royauté à Saül, car il s'est détourné de moi et n'a pas exécuté mes ordres. » Samuel fut ému et cria vers Yahvé pendant toute la nuit[a].

¹² Le matin, Samuel partit à la rencontre de Saül. On lui donna cette information : « Saül est allé à Karmel[b] pour s'y dresser un trophée, puis il est reparti plus loin et il est descendu à Gilgal. » ¹³ Samuel arriva auprès de Saül[c] et celui-ci lui dit : « Béni sois-tu de Yahvé ! J'ai exécuté l'ordre de Yahvé. » ¹⁴ Mais Samuel demanda : « Et qu'est-ce que c'est que ces bêlements qui viennent à mes oreilles et ces meuglements que j'entends ? » — ¹⁵ « On les a amenés d'Amaleq, répondit Saül, car le peuple a épargné le meilleur du petit et du gros bétail en vue de l'offrir en sacrifice à Yahvé ton Dieu. Quant au reste, nous l'avons voué à l'anathème. »

¹⁶ Mais Samuel dit à Saül : « Cesse donc, et laisse-moi t'annoncer ce que Yahvé m'a révélé cette nuit. » Il dit : « Parle. » ¹⁷ Alors Samuel dit : « Si petit que tu sois à tes

---

manière d'honorer Dieu qui n'était pas celle qui lui avait été intimée par le Prophète. Entre obéir à Yahvé qui l'a élu et satisfaire le peuple qui l'a acclamé et reconnu, Saül a cherché un compromis, il ne s'est pas décidé exclusivement pour Yahvé.

a) Samuel aimait Saül, cf. v. 35, et il intercède pour lui, comme Abraham pour Sodome, Gn **18** 22 s, comme Moïse pour le peuple, Ex **32** 11 s et ailleurs, comme Jérémie pour Jérusalem, 2 M **15** 14. Sur Samuel comme intercesseur, cf. déjà **12** 23. Mais Dieu ne se laisse pas fléchir (cf. Abraham) et Samuel devra lui-même annoncer à Saül sa condamnation.

b) Ville au sud d'Hébron, cf. **25** 2 s, aujourd'hui Kermel. Le site se trouve sur la route de Saül, du Négeb vers Gilgal qui est près de Jéricho. Pour Gilgal, cf. **11** 14-15 ; **13** 8-15.

c) L'entrevue de Samuel et de Saül est secrète et le peuple n'en saura rien, vv. 30-31.

propres yeux, n'es-tu pas le chef des tribus d'Israël[a] ?
Yahvé t'a sacré roi sur Israël. [18] Il t'a envoyé en expédition
et il t'a dit : ' Pars, voue à l'anathème ces pécheurs, les
Amalécites, fais-leur la guerre jusqu'à l'extermination. '
[19] Pourquoi n'as-tu pas obéi à Yahvé ? Pourquoi t'es-tu
rué sur le butin et as-tu fait ce qui déplaît à Yahvé ? »
[20] Saül répondit à Samuel : « J'ai obéi à Yahvé ! J'ai fait
l'expédition où il m'envoyait, j'ai ramené Agag, roi
d'Amaleq, et j'ai voué les Amalécites à l'anathème. [21] Dans
le butin, le peuple a pris, en petit et en gros bétail, le
meilleur de ce que frappait l'anathème pour le sacrifier
à Yahvé ton Dieu à Gilgal. » [22] Mais Samuel dit[b] :

> « Yahvé se plaît-il aux holocaustes et aux sacrifices
> comme dans l'obéissance à la parole de Yahvé ?
> Oui, l'obéissance est plus que le meilleur sacrifice,
> la docilité, plus que la graisse des béliers.
> [23] Un péché de sorcellerie, voilà la rébellion,
> un crime de téraphim, voilà la présomption !

« Parce que tu as rejeté la parole de Yahvé, il t'a rejeté
pour que tu ne sois plus roi ! »

---

18. « *t'a dit* » G ; « *a dit* » H.
23. « *un crime de téraphim* » 'äwon t^erâpîm *Sym* ; « *vanité et téraphim* »
'awèn ût^erâpîm H.

---

a) Cf. **9** 21. L'élévation de Saül a été une pure grâce qui l'oblige à une
obéissance absolue envers Dieu. D'autres expliquent, moins vraisemblablement : « Puisque tu es chef, tu aurais dû résister au peuple ».
b) Les paroles de Samuel doivent s'interpréter en fonction du cas
auquel elles s'appliquent. Ce qui est condamné, ce n'est pas le culte sacrificiel en général, c'est la volonté de Saül d'offrir des sacrifices en transgressant un ordre divin. C'est l'obéissance intérieure qui plaît à Dieu, non
le seul rite extérieur, cf. Os **6** 6. Accomplir celui-ci contre le gré de Dieu,
c'est apporter son hommage à un autre que Dieu, c'est tomber dans l'ido-
lâtrie, qui est évoquée ici par la sorcellerie et les téraphim, ces idoles aux-
quelles on confiait la garde des maisons et des biens, Gn **31** 19 et 30 s,
et ici, **19** 13.

**Saül implore en vain
son pardon**ᵃ.

²⁴ Saül dit à Samuel : « J'ai péché en transgressant l'ordre de Yahvé et tes commandements, parce que j'ai eu peur du peuple et je lui ai obéi. ²⁵ Maintenant, je t'en prie, pardonne ma faute, reviens avec moi, que j'adore Yahvé. » ²⁶ Mais Samuel répondit à Saül : « Je ne reviendrai pas avec toi : puisque tu as rejeté la parole de Yahvé, Yahvé t'a rejeté pour que tu ne sois plus roi sur Israël. » ²⁷ Comme Samuel se détournait pour partir, Saül saisit le pan de son manteau, qui fut arraché, ²⁸ et Samuel lui dit : « Aujourd'hui, Yahvé t'a arraché la royauté sur Israël et l'a donnée à ton voisin, qui est meilleur que toi. » ²⁹ (Pourtant, la Gloire d'Israël ne ment pas et ne se repent pas, car Il n'est pas un homme pour se repentir ᵇ.) ³⁰ Saül dit : « J'ai péché, cependant, je t'en prie, honore-moi devant les anciens de mon peuple et devant Israël, et reviens avec moi pour que j'adore Yahvé ton Dieuᶜ. » ³¹ Samuel revint en compagnie de Saül et celui-ci adora Yahvé.

**Mort d'Agag
et départ de Samuel.**

³² Puis Samuel dit : « Amenez-moi Agag, le roi des Amalécites », et Agag vint vers lui en résistant et

---

32. « *la mort est amère* » mar hammâwèt *G* ; « *est écartée l'amertume de la mort* » sâr mar-hammâwèt *H*.

---

a) Les vv. 24-28 paraissent additionnels : le v. 26ᵇ reprend le v. 23ᵇ, le v. 24 anticipe le v. 30. Les vv. 27-28 rappellent 1 R **11** 11 et 30 s (le manteau du prophète Ahiyya). Ce passage a été ajouté pour préparer le ch. **16** ; la suite primitive du v. 23 est au v. 30.
b) Ce v. est l'addition d'un lecteur qui, citant presque textuellement Nb **23** 19, proteste contre le « repentir » attribué à Dieu aux vv. 11 et 35.
c) La scène entre Samuel et Saül n'a pas eu de témoins et le rejet de Saül ne sera pas immédiatement effectif (parce que le roi a confessé sa faute ?). Samuel accepte de confirmer l'autorité de Saül en paraissant avec lui au sanctuaire.

dit : « Vraiment, la mort est amère[a] ! » [33] Samuel dit :
« Comme ton épée a privé des femmes de leurs enfants,
entre les femmes, ta mère sera privée de son enfant ! »
Et Samuel égorgea[b] Agag devant Yahvé à Gilgal.

[34] Samuel partit pour Rama et Saül remonta chez lui à
Gibéa de Saül. [35] Samuel ne revit plus Saül jusqu'à sa
mort[c]. En effet Samuel pleurait[d] Saül, mais Yahvé s'était
repenti de l'avoir fait roi sur Israël.

III

SAÜL ET DAVID

I. DAVID A LA COUR

Onction de David[e].

16. [1] Yahvé dit à Samuel : « Jusques à quand
resteras-tu à pleurer Saül,
alors que moi je l'ai rejeté pour qu'il ne règne plus sur

---

a) Le texte et le sens du v. sont incertains. Au lieu de « en résistant »
d'autres interprètent « en tremblant, en chancelant », ou bien « d'un cœur
joyeux », ce qui est difficile à justifier. Si on garde le texte hébreu, Agag,
trop confiant, pense être sauvé par l'intervention de Samuel.

b) Le mot, unique en hébreu, est traduit ainsi par la version grecque.
D'autres : « mit en pièces ». Bien que l'action se passe devant Yahvé, ce
n'est pas un sacrifice humain, c'est l'exécution de l'anathème.

c) Une autre tradition les fait cependant se rencontrer encore, **19** 22-24.

d) Litt. « portait le deuil ». Samuel aimait Saül, mais il se conforme à
la volonté exprimée par Dieu.

e) Cet épisode fait difficulté. Cette onction restera sans conséquence
et il n'y sera plus fait allusion. David sera oint à Hébron par les gens de
Juda, 2 S **2** 4, puis par les anciens d'Israël, 2 S **5** 3. De plus, cette onction
s'est faite publiquement, devant les anciens et devant tout le peuple, et
cependant, d'après **17** 28, le frère aîné Éliab n'en sait évidemment rien. La
tradition prophétique n'a pas voulu que David fût sur ce point inférieur
à Saül et elle a dit qu'il avait été oint lui aussi par le vieux prophète. Cette
scène est parallèle à celle du ch. **9** et elle se plaçait au mieux après le rejet
de Saül, ch. **15**, où elle est préparée par le v. 28.

Israël ? Emplis d'huile ta corne et va ! Je t'envoie chez Jessé le Bethléemite, car je me suis choisi un roi parmi ses fils. » [2] Samuel dit : « Comment pourrais-je y aller ? Saül l'apprendra et il me tuera ! » Mais Yahvé reprit : « Tu prendras avec toi une génisse et tu diras : ' C'est pour sacrifier à Yahvé que je suis venu. ' [3] Tu inviteras Jessé au sacrifice et je t'indiquerai moi-même ce que tu auras à faire : tu oindras pour moi celui que je te dirai. »

[4] Samuel fit ce que Yahvé avait ordonné. Quand il arriva à Bethléem, les anciens de la ville vinrent en tremblant à sa rencontre[a] et demandèrent : « Ta venue est-elle de bon augure, voyant ? » — [5] « Oui, répondit Samuel, je suis venu offrir un sacrifice à Yahvé. Purifiez-vous et venez avec moi au sacrifice. » Il purifia Jessé et ses fils et les invita au sacrifice.

[6] Lorsqu'ils arrivèrent et que Samuel aperçut Éliab, il se dit : « Sûrement, Yahvé a son oint devant lui ! » [7] Mais Yahvé dit à Samuel : « Ne considère pas son apparence ni la hauteur de sa taille[b], car je l'ai écarté. Les vues de Dieu ne sont pas comme les vues de l'homme, car l'homme regarde à l'apparence, mais Yahvé regarde au cœur[c]. » [8] Jessé appela Abinadab et le fit passer devant Samuel, qui dit : « Ce n'est pas lui non plus que Yahvé a choisi. » [9] Jessé fit passer Shamma, mais Samuel dit : « Ce n'est pas lui non plus que Yahvé a choisi. » [10] Jessé fit ainsi

---

16 4. « *et demandent* » *nombreux Mss Vers.*; « *et demanda* » *H.* — « *voyant* » *4Q Sam*[b] *G ; omis par H.*

7. « *les vues de Dieu* » *4Q Sam*[b] (?) *G ; omis par H.*

---

a) On n'était pas rassuré par l'arrivée inopinée de l'homme de Dieu, ministre de ses châtiments. Ou bien la brouille entre Saül et Samuel est supposée connue et les anciens craignent de se compromettre.

b) C'était pourtant ce qui avait distingué Saül, **9** 2; **10** 23-24 : David sera beau lui aussi, v. 12, mais il surpassera Saül par les qualités du cœur.

c) Cf. Jr **17** 10; **20** 12.

passer ses sept fils[a] devant Samuel, mais Samuel dit à Jessé : « Yahvé n'a choisi aucun de ceux-là. » [11] Il demanda à Jessé : « En est-ce fini avec tes garçons ? » et celui-ci répondit : « Il reste encore le plus jeune, il est à garder le troupeau. » Alors Samuel dit à Jessé : « Envoie-le chercher, car nous ne nous mettrons pas à table[b] avant qu'il ne soit venu ici. » [12] Jessé le fit donc venir : il était roux[c], avec un beau regard et une belle tournure. Et Yahvé dit : « Va, donne-lui l'onction : c'est lui ! » [13] Samuel prit la corne d'huile et l'oignit au milieu de ses frères. L'esprit de Yahvé s'empara de David[d] à partir de ce jour-là. Quant à Samuel, il se mit en route et partit pour Rama.

David entre au service de Saül[e].

[14] L'esprit de Yahvé s'était retiré de Saül et un mauvais esprit, venant de Yahvé[f], lui causait des terreurs. [15] Alors

---

a) Mais, d'après **17** 13-15, Jessé n'a que quatre fils, y compris David, et effectivement notre récit n'en nomme que quatre; ce v. est un enjolivement, d'après lequel **17** 12 a été lui-même retouché.

b) Litt. « se mettre en cercle », s'asseoir autour du plat posé à terre, comme font encore bédouins et paysans de Palestine. C'est le repas sacrificiel, cf. **9** 13.

c) On peut comprendre aussi « rubicond » de teint, mais sûrement pas « blond ».

d) Le nom n'avait pas été prononcé jusqu'ici pour ménager un effet. L'esprit s'empare de lui, comme de Saül, **10** 6 et 10, mais sans les signes extérieurs et en liaison immédiate avec l'onction : l'esprit de Dieu est ici la grâce impartie à une personne consacrée.

e) Il y avait deux traditions sur les débuts de David auprès de Saül. D'après celle qui commence ici, David est appelé comme ménestrel à la cour de Saül, qui fait de lui son écuyer, **16** 14-23. A ce titre, il accompagne le roi dans la guerre philistine, **17** 1-11, et se distingue dans un combat singulier, **17** 32-53 (mêlé à l'autre tradition). D'après un autre récit, David est un jeune pâtre inconnu de Saül, il apporte des provisions à ses frères qui sont à l'armée, juste au moment où le champion philistin provoque les Israélites, **17** 12-30. (Le v. 31 est un v. de raccord; on rejoint ensuite le premier récit, **17** 32-53.) Alors Saül fait venir le jeune héros et l'attache à son service, **17** 55-**18** 2.

f) Ce récit est rattaché avec art au précédent, dont il fournit l'antithèse : l'esprit de Yahvé est venu sur David, v. 13, et il a quitté Saül. Une nouvelle

les serviteurs de Saül lui dirent : « Voici qu'un mauvais esprit de Dieu te cause des terreurs. [16] Que notre seigneur en donne l'ordre et les serviteurs qui t'assistent chercheront un homme qui sache jouer de la cithare : quand un mauvais esprit de Dieu t'assaillira, il en jouera et tu iras mieux[a]. » [17] Saül dit à ses serviteurs : « Trouvez-moi donc un homme qui joue bien et amenez-le-moi. » [18] L'un des serviteurs prit la parole et dit : « J'ai vu un fils de Jessé, le Bethléemite : il sait jouer, et c'est un vaillant, un homme de guerre, il parle bien, il est beau et Yahvé est avec lui[b]. » [19] Saül dépêcha donc des messagers à Jessé, avec cet ordre : « Envoie-moi ton fils David (qui est avec le troupeau)[c]. » [20] Jessé prit cinq pains, une outre de vin, un chevreau et fit tout porter à Saül par son fils David. [21] David arriva auprès de Saül et se mit à son service. Saül se prit d'une grande affection pour lui et David devint son écuyer. [22] Saül envoya dire à Jessé : « Que David reste donc à mon service, car il a gagné ma bienveillance. » [23] Ainsi, chaque

---

20. « *cinq* » ḥămiššâh *conj.*; « *un âne* » ḥămôr *H.*

---

touche est ajoutée à la figure tragique de Saül : il va rester roi en titre, sans le secours du Dieu qui fait et maintient les rois en Israël. Saül est possédé par un esprit mauvais. Celui-ci est dit venir de Yahvé, il sera appelé le « mauvais esprit de Dieu » vv. 15 et 16, cf. **18** 10 ; **19** 9, parce que l'Israélite rapporte tout à Dieu comme à la cause première. Comp. le « mauvais esprit » de Jg **9** 23 ; dans 1 R **22** 19-23, Dieu envoie « un esprit de mensonge », cf. l'esprit de vertige, Is **19** 14, l'esprit de torpeur, Is **29** 10. — La conscience de son rejet par Dieu et l'abandon de Samuel agissent sur le tempérament excessif du roi et provoquent des crises de folie, **18** 10 s ; **19** 9 s.

a) La musique a été employée dans toute l'antiquité, classique et orientale, soit pour exciter l'esprit bon, cf. **10** 5, soit pour chasser l'esprit mauvais.

b) D'après cette tradition, David n'est plus un enfant comme aux vv. 11-12 et à **17** 33, 42. Ce portrait de David, beau, vaillant, gagnant les sympathies de tous, est un motif dominant dans l'histoire de ses débuts, ici vv. 12 et 21 ; **17** 37 ; **18** 1-2, 5, 7, 20, 28.

c) Les mots entre parenthèses ont probablement été ajoutés d'après le v. 11.

fois que l'esprit de Dieu assaillait Saül, David prenait la
cithare et il en jouait; alors Saül se calmait, il allait mieux
et le mauvais esprit s'écartait de lui.

17. ¹ Les Philistins ras-

Goliath défie l'armée semblèrent leurs troupes
israélite. pour la guerre, ils se concentrèrent à Soko, ville de Juda,
et campèrent entre Soko et Azéqa, à Éphès-Dammim*ᵃ*.
² Saül et les Israélites se concentrèrent et campèrent dans
la Vallée du Térébinthe et ils se rangèrent en bataille face
aux Philistins. ³ Les Philistins occupaient la montagne
d'un côté, les Israélites occupaient la montagne de l'autre
côté et la vallée était entre eux.

⁴ Un champion*ᵇ* sortit des rangs philistins. Il s'appelait
Goliath*ᶜ*, de Gat, et sa taille était de six coudées et un
empan*ᵈ*. ⁵ Il avait sur la tête un casque de bronze et il était

------

17 4. « *des rangs* » mimma'arkòt *cf. G ;* « *des camps* » mimmaḥănôt H.

------

a) L'action se passe environ 30 km. au sud-ouest de Jérusalem. Soko
est près de l'actuel Khirbet Shuweikeh, Azéqa est Tell Zakariyah, Éphès-
Dammim (comp. Pas-Dammim dans 1 Ch **11** 13; cf. 2 S **23** 9) est un lieu
inconnu entre Soko et Azéqa. La Vallée du Térébinthe, v. 2, est le Wady
es-Sant.

b) Litt. « l'homme de l'entre deux », l'homme du combat entre deux,
le champion d'un combat singulier, de même au v. 23. Cf. la note sur le v. 8.

c) Le nom n'est pas sémitique et on l'a rapproché de celui d'Alyatte,
le père de Crésus, roi de Lydie. Dans 2 S **21** 19, la victoire sur Goliath
est attribuée à un des preux de David et cette tradition paraît être la plus
ancienne. Dans notre récit, le nom de Goliath n'est mentionné qu'aux
vv. 4 et 23 (où il est sûrement une glose). Vraisemblablement, la tradition
primitive du ch. **17** ne parlait que d'une victoire de David sur « le Philistin » anonyme, qui revient constamment dans ce ch. et encore à **19** 5.
Mais l'insertion du nom propre est ancienne, voir **21** 10.

d) Trois mètres ! Et ce géant est équipé de toutes les armes d'origine
étrangère qui donnaient aux Philistins la supériorité sur les Israélites : un
casque de bronze et une cuirasse à écailles (de 80 kilos !), cf. la note sur
le v. 39; des jambières de bronze, qui ne sont alors attestées que dans le
monde égéen; un cimeterre, *kîdôn,* qui, en dehors de Jos **8** 18-26, n'est
attribué qu'à des étrangers, Jr **6** 23; **50** 42; Jb **39** 23; une lance (dont le fer

revêtu d'une cuirasse à écailles; la cuirasse pesait cinq mille sicles de bronze. [6] Il avait aux jambes des jambières de bronze, et un cimeterre de bronze en bandoulière. [7] Le bois de sa lance était comme un liais de tisserand et la pointe de sa lance pesait six cents sicles de fer. Le porte-bouclier marchait devant lui.

[8] Il se campa devant les lignes israélites et leur cria : « Pourquoi êtes-vous sortis pour vous ranger en bataille ? Ne suis-je pas, moi, le Philistin, et vous, n'êtes-vous pas les serviteurs de Saül ? Choisissez-vous un homme et qu'il descende vers moi[a]. [9] S'il l'emporte en luttant avec moi et s'il me tue, alors nous serons vos serviteurs, si je l'emporte sur lui et si je le tue, alors vous deviendrez nos serviteurs, vous nous serez asservis. » [10] Le Philistin dit aussi : « Moi, j'ai lancé aujourd'hui un défi[b] aux lignes d'Israël. Don-

---

6. « *jambières* » *Vers.*; *au sing. dans H.*
7. « *Le bois* » 'ệṣ Qer *Vers.*; « *La flèche* » ḥệṣ *H.*
8. « *Choisissez* » baḥărû G ; H *corrompu* : beᵊrû.

---

pèse 9 kilos !), qui est comme un liais de tisserand, la barre de bois qui soulève la lice par une série de boucles, c'est-à-dire une lance avec boucle de lancement, comme en eurent les Grecs et les Égyptiens; un grand bouclier porté par un servant; à tout cela, il faut ajouter l'épée, vv. 45, 51, qui « n'avait pas sa pareille », 21 10, peut-être la longue rapière des Peuples de la Mer.

a) Le Philistin propose un combat entre deux champions, qui doit mettre fin à la guerre et décider le sort des deux peuples. On en a rapproché les combats singuliers de l'Iliade. On peut aussi y comparer le combat de Sinuhe, dans un conte égyptien du XVIIIᵉ siècle av. J. C. Sinuhe est provoqué par un « fort » (on dirait en hébreu : un *gibbôr*) du Réténu. Le combat se déroule devant les tribus assemblées : « C'était un fort qui n'avait pas son égal... Il s'élança sur moi, mais je tirai sur lui et ma flèche se fixa dans son cou. Il cria, il tomba sur son nez; je l'abattis avec sa propre hache et je poussai mon cri de guere sur son dos. » On notera les parallèles étroits avec notre récit. Les mêmes coutumes se sont continuées en milieu arabe jusqu'à l'époque moderne. Cf. encore les notes sur 2 S 2 12-17; 21 15-22; 23 20-21.

b) Litt. « j'ai excité, provoqué », cf. 2 S 23 21. Cette provocation s'accompagnait d'insultes, vv. 43-44, qui rappellent encore les héros d'Homère et les Arabes d'avant-hier.

nez-moi un homme, et que nous nous mesurions en combat singulier[a] ! » ¹¹ Quand Saül et tout Israël entendirent ces paroles du Philistin, ils furent consternés et ils eurent très peur.

**Arrivée de David
au camp[b].**

¹² David était le fils d'un Éphratéen[c] de Bethléem de Juda, qui s'appelait Jessé et qui avait huit fils[d]. Cet homme, au temps de Saül, était vieux et chargé d'années. ¹³ Les trois fils aînés de Jessé partirent en guerre derrière Saül. Ses trois fils qui partirent en guerre s'appelaient l'aîné Éliab, le second Abinadab et le troisième Shamma. ¹⁴ David était le plus jeune et les trois aînés partirent derrière Saül. ¹⁵ (David allait et venait du service de Saül au soin du troupeau de son père à Bethléem[e]. ¹⁶ Le Philistin s'approchait matin et soir et il se présenta ainsi pendant quarante jours[f].) ¹⁷ Jessé dit à son fils David : « Emporte

---

12. *Après* « *Éphratéen* », *H ajoute* « *celui-là* », *glose qui renvoie à* **16** 1 s *et manque dans Syr.* — « *d'années* » *baššânîm Luc Syr ;* « *parmi les hommes* » *ba'ănâšîm H.*

13. « *partirent* » *Syr Vulg ; répété dans H.*

---

a) Pour ce sens donné à *yâḥad,* comp. Esd **4** 3.

b) Ce nouveau récit ne connaît ni l'onction de David, **16** 1-13, ni son entrée à la cour, **16** 14-23. C'est une autre tradition sur les débuts de David, voir p. 87, note *e.* Un témoin majeur des Septante, le manuscrit du Vatican, omet les vv. 12-31, sans doute pour éviter la contradiction entre les deux récits, mais cette recension a aussi d'autres omissions dans les ch. **17-18.**

c) Du clan d'Éphrata, allié à Caleb, 1 Ch **2** 19, 24, 50, et installé à Bethléem, cf. Rt **1** 2.

d) Le v. a été retouché d'après **16** 10 s. Ici, Jessé n'a que quatre fils. Trois sont à l'armée, il ne reste à la maison que David et son père, l'un trop jeune et l'autre trop vieux pour porter les armes.

e) Glose rédactionnelle pour harmoniser ce récit avec la présence de David à la cour, **16** 22-23.

f) Encore une glose : il faut laisser à David le temps d'arriver.

donc à tes frères cette mesure^a de grain grillé et ces dix pains, va vite au camp vers tes frères. ¹⁸ Quant à ces dix morceaux de fromage, tu les offriras au chef de mille. Tu t'informeras de la santé de tes frères et tu rapporteras d'eux un gage^b. ¹⁹ Ils sont avec Saül et tous les hommes d'Israël dans la Vallée du Térébinthe, faisant la guerre aux Philistins. »

²⁰ David se leva de bon matin, il laissa le troupeau à un gardien, prit sa charge et partit comme lui avait ordonné Jessé. Il arriva au campement^c au moment où l'armée sortait pour prendre ses positions et poussait le cri de guerre. ²¹ Israël et les Philistins se rangèrent ligne contre ligne. ²² David laissa son chargement aux mains du gardien des bagages, il courut aux lignes et demanda à ses frères comment ils allaient.

²³ Pendant qu'il parlait, le champion (il s'appelait Goliath, le Philistin de Gat)^d montait des lignes philistines. Il dit les mêmes paroles que ci-dessus^e et David les entendit. ²⁴ Dès qu'ils aperçurent l'homme, tous les Israélites s'enfuirent loin de lui et eurent très peur. ²⁵ Les gens d'Israël dirent : « Avez-vous vu cet homme qui monte ? C'est pour lancer un défi à Israël qu'il monte. Celui qui le tuera, le roi le comblera de richesses, il lui donnera

---

a) En hébreu *'êpâh :* les approximations des modernes varient entre 20 et 45 litres.

b) David est un enfant et Jessé veut s'assurer qu'il a bien fait la commission. Mais tous les messagers étaient peut-être astreints au même usage.

c) Le campement, *ma'gâl,* est établi en cercle (rac. *'gl*) pour une raison de sécurité, cf. **26** 5, 7, ou bien *ma'gâl* est le parc des chariots, *'ǎgâlâh,* qui assurent les transports et où sont naturellement les bagages, cf. la suite. Mais ce n'est pas un parc de chars de combat, qui ont un autre nom et qui n'existaient pas encore en Israël.

d) La parenthèse est une addition évidente qui, dans l'hébreu, coupe le verbe de son complément.

e) Le compilateur des deux récits abrège et renvoie aux vv. 8-10.

sa fille et il exemptera^a sa maison paternelle en Israël. »
²⁶ David demanda aux hommes qui se tenaient près de
lui : « Qu'est-ce qu'on fera à celui qui tuera ce Philistin et
qui écartera la honte d'Israël ? Qu'est-ce que ce Philistin
incirconcis^b pour qu'il ait lancé un défi aux troupes du
Dieu vivant ? » ²⁷ Le peuple lui répondit comme ci-dessus :
« Voilà ce qu'on fera à celui qui le tuera. » ²⁸ Son frère
aîné Éliab l'entendit qui parlait aux gens et Éliab se mit
en colère contre David et dit : « Pourquoi donc es-tu
descendu ? A qui as-tu laissé ces quelques brebis dans le
désert ? Je connais ton insolence et la malice de ton cœur :
c'est pour voir la bataille que tu es venu^c ! » ²⁹ David
répondit : « Qu'est-ce que j'ai fait ? Est-ce qu'on ne peut
plus parler ? » ³⁰ Il se détourna de lui et s'adressa à un
autre. Il posa la même question et on lui répondit comme
la première fois. ³¹ On entendit les paroles de David et on
les rapporta à Saül qui le fit venir.

**David s'offre
pour relever le défi.**
³² David dit à Saül : « Que
personne ne perde courage
à cause de lui^d. Ton serviteur ira se battre contre ce
Philistin. » ³³ Mais Saül répondit à David : « Tu ne peux
pas marcher contre ce Philistin pour lutter avec lui, car
tu n'es qu'un enfant^e, et lui, il est un homme de guerre
depuis sa jeunesse. »

---

a) C'est l'exemption de taxes et de corvées, que le roi accordait en
récompense d'un service rendu. On a des parallèles dans les textes de Ras
Shamra.
b) Les Philistins ne pratiquaient pas la circoncision, ce qui les distinguait
des autres voisins des Israélites, cf. **18** 25-27. « Incirconcis » était devenu
un sobriquet qui les désignait, cf. v. 36; **14** 6; **31** 4; Jg **14** 3; **15** 18.
c) Éliab ne sait rien de l'onction racontée à **16** 1-13.
d) C'est le premier récit qui reprend et le v. 32 se rattache au v. 11.
e) Conformément à **17** 12 s plutôt qu'à **16** 18 : les deux traditions sont
ici mêlées.

³⁴ Mais David dit à Saül : « Quand ton serviteur faisait paître les brebis de son père et que venait un lion ou un ours qui enlevait une brebis du troupeau, ³⁵ je le poursuivais, je le frappais et j'arrachais celle-ci de sa gueule. Et s'il se dressait contre moi, je le saisissais par les poils du menton et je le frappais à mort. ³⁶ Ton serviteur a tué le lion et l'ours, il en sera de ce Philistin incirconcis comme de l'un d'eux, puisqu'il a défié les troupes du Dieu vivant. » ³⁷ David dit encore : « Yahvé qui m'a sauvé de la griffe du lion et de l'ours me sauvera des mains de ce Philistin. » Alors Saül dit à David : « Va et que Yahvé soit avec toi ! »

³⁸ Saül revêtit David de sa tenue militaire, lui mit sur la tête un casque de bronze et lui fit endosser une cuirasse. ³⁹ Il ceignit David de son épée, par-dessus sa tenue. David essaya de marcher, car il n'était pas entraîné, et il dit à Saül : « Je ne puis pas marcher avec cela, car je ne suis pas entraîné ᵃ. » On l'en débarrassa donc.

Le combat singulier. ⁴⁰ David prit son bâton en main, il se choisit dans le torrent cinq pierres bien lisses et les mit dans son sac de berger, sa giberne ᵇ, puis, la fronde à la main, il marcha vers le Philistin. ⁴¹ Le Philistin s'approcha de plus en plus près de David, précédé

---

39. « *Il ceignit David* » Gᴮ ; « *David se ceignit* » H. — « *on l'en débarrassa* » wayᵉsirum Gᴮ ; « *David les retira* »wayᵉsirém dâwid H.

a) Le texte n'a pas besoin de correction : *wayyo'èl* peut signifier « il essaya » et *nissâh* est peut-être un terme technique pour l'entraînement militaire. Il est possible qu'on retrouve encore ici la tradition de David enfant, mais, même s'il est déjà l'écuyer de Saül, **16** 21, il n'a jamais endossé l'armure du roi. Cette armure elle-même fait difficulté et suggère que les vv. 38-39 n'appartiennent pas à la tradition primitive : d'après **13** 22 ; **18** 10, 11, etc. et **31** 4, Saül n'a qu'une lance et une épée ; les premières mentions de la cuirasse et du casque dans l'armement israélite sont sous Achab, 1 R **22** 34, et sous Ozias, 2 Ch **26** 14.

b) En hébreu, un terme unique, qui doit désigner la poche à pierres de fronde et qui est glosé par les mots précédents.

du porte-bouclier. [42] Le Philistin tourna les yeux vers
David et, lorsqu'il le vit, il le méprisa car il était jeune —
il était roux, avec une belle apparence[a]. [43] Le Philistin dit
à David : « Suis-je un chien pour que tu viennes contre
moi avec des bâtons[b] ? » et le Philistin maudit David
par ses dieux. [44] Le Philistin dit à David : « Viens vers
moi, que je donne ta chair aux oiseaux du ciel et aux bêtes
des champs[c] ! » [45] Mais David répondit au Philistin : « Tu
marches contre moi avec épée, lance et cimeterre, mais moi,
je marche contre toi au nom de Yahvé Sabaot, le Dieu
des troupes d'Israël que tu as défiées. [46] Aujourd'hui,
Yahvé te livrera en ma main, je te tuerai, je te décapiterai,
je donnerai aujourd'hui même ton cadavre et les cadavres
de l'armée philistine aux oiseaux du ciel et aux bêtes
sauvages. Toute la terre saura qu'il y a un Dieu en Israël[d],
[47] et toute cette assemblée saura que ce n'est pas par l'épée
ni par la lance que Yahvé donne la victoire, car Yahvé est
maître du combat[e] et il vous livre entre nos mains. »

[48] Dès que le Philistin s'avança et marcha au-devant de
David, celui-ci sortit des lignes et courut à la rencontre

------

46. « *ton cadavre et les cadavres* » G ; « *les cadavres* » H. — « *en Israël* »
Vers.; « *pour Israël* » H.
48. « *des lignes* » *conj.*; « *vers les lignes* » H.

------

a) Rappel de **16** 12.
b) Une partie de la tradition grecque ajoute : « et des pierres ? Et David
dit : Non, mais tu es pire qu'un chien ». La version grecque a, dans ce
même ch., d'autres variantes, qui remontent à une tradition différente de
celle que le texte massorétique a canonisée, cf. notes sur les vv. 12 et 55.
c) Dt **28** 26; Is **18** 6; Jr **15** 3. Les malédictions et les insultes accompagnent les combats singuliers des dieux et des héros d'Homère et le
combat de Tiamat et de Mardouk dans le poème babylonien de la création.
d) Cf. 1 R **18** 36.
e) Comp. **18** 6. C'est la pointe théologique du récit, et elle exprime
la doctrine de la guerre sainte : les guerres d'Israël sont les guerres de
Yahvé, cf. **18** 17; **15** 28, c'est lui qui combat pour les Israélites, Jos **10** 14;
Jg **20** 35, et qui livre les ennemis entre leurs mains, **23** 4; **24** 5; Jos **6** 2;
Jg **3** 28, etc.

du Philistin. [49] Il mit la main dans son sac et en prit une
pierre qu'il tira avec la fronde. Il atteignit le Philistin au
front; la pierre s'enfonça dans son front et il tomba la
face contre terre. [50] Ainsi David triompha du Philistin
avec la fronde et la pierre : il frappa le Philistin et le fit
mourir; il n'y avait pas d'épée entre les mains de David.
[51] David courut et se tint debout sur le Philistin; saisis-
sant l'épée de celui-ci, il la tira du fourreau, il acheva le
Philistin et, avec elle, il lui trancha la tête.

Les Philistins, voyant que leur champion était mort,
s'enfuirent. [52] Les hommes d'Israël et de Juda se mirent
en mouvement, poussèrent le cri de guerre et poursuivirent les Philistins jusqu'aux approches de Gat et jusqu'aux portes d'Éqrôn[a]. Des morts philistins jonchèrent
le chemin depuis Shaarayim[b] jusqu'à Gat et Éqrôn. [53] Les
Israélites revinrent de cette poursuite acharnée et pillèrent
le camp philistin. [54] David prit la tête du Philistin et
l'apporta à Jérusalem; quant à ses armes, il les mit dans
sa propre tente[c].

**David vainqueur
est présenté à Saül[d].**

[55] En voyant David partir
à la rencontre du Philistin,
Saül avait demandé à Abner,
le chef de l'armée : « De qui

---

52. « *Gat* » *G* ; « *vallée* » gay' *H*. — « *depuis Shaarayim* » *conj.* ; « *de Shaarayim* » *H*.

a) Cf. **5** 8-10.
b) Cf. Jos **15** 36. Localisation incertaine.
c) Ce v. est une addition : Jérusalem ne sera conquise que plus tard, 2 S **5** 6-9, et David, qu'il fût l'écuyer de Saül (première tradition) ou le jeune pâtre arrivant de Bethléem (deuxième tradition) n'avait pas au camp une tente particulière. D'après le v. 57, la tête du Philistin est portée à Saül et on retrouvera son épée au sanctuaire de Nob, **21** 10.
d) Cet épisode appartient à la même tradition que **17** 12-30 : David est encore un inconnu pour Saül. Mais cela est inconciliable avec la tradition de **16** 14-23. Le manuscrit du Vatican des Septante omet **17** 55-**18** 5, comme il avait omis **17** 12-31.

ce jeune homme est-il le fils, Abner ? » Et Abner répondit :
« Aussi vrai que tu es vivant, ô roi, je n'en sais rien. »
⁵⁶ Le roi dit : « Informe-toi de qui ce garçon est le fils. »

⁵⁷ Lorsque David revint d'avoir tué le Philistin, Abner
le prit et le conduisit devant Saül, tenant dans sa main la
tête du Philistin. ⁵⁸ Saül lui demanda : « De qui es-tu le
fils, jeune homme ? » David répondit : « De ton serviteur
Jessé le Bethléemite. »

18. ¹ Lorsqu'il eut fini de parler à Saül, l'âme de Jonathan s'attacha à l'âme de David et Jonathan se mit à l'aimer
comme lui-même.ᵃ ² Saül le retint ce jour même et ne lui
permit pas de retourner chez son père. ³ Jonathan conclut
un pacte avec David, car il l'aimait comme lui-même :
⁴ Jonathan se dépouilla du manteau qu'il avait sur lui et
il le donna à David, ainsi que sa tenue, jusqu'à son épée,
son arc et son ceinturonᵇ. ⁵ Dans ses sorties, partout où
l'envoyait Saül, David remportait des succès et Saül le
mit à la tête des hommes de guerre; il était bien vu de
tout le peuple, et même des officiers de Saül.

Éveil de la jalousie de Saülᶜ.	⁶ A leur retour, quand David revint d'avoir tué le Philistin, les femmes sortirent de toutes les villes

---

18 6. « *en dansant* » *conj.*; « *et les danses* » H.

---

a) Ainsi se déclare l'amitié entre David et Jonathan, qui mettra sa
douceur dans les âpres récits qui suivent, **19** 1-7; **20**; **23** 16-18, et durera
jusqu'à la mort de Jonathan, 2 S **1** 26.

b) Dans l'ancienne conception orientale, la personnalité s'étendait aux
vêtements que l'on portait (le manteau d'Élie, 2 R **2** 13 s; celui de Booz,
Rt **3** 9; cf. ici **24** 5-6). En lui donnant ses vêtements, Jonathan s'attache
vraiment à David, v. 1.

c) Le texte de ce ch. est surchargé : redondance du v. 6, premier attentat
à la vie de David, vv. 10-11, mariage manqué avec Mérab, vv. 17-19,
succès de David, v. 30, reprenant les vv. 14-16. Il est remarquable que
l'ancienne version grecque ne contenait pas ces doublets, mais il faut

97

d'Israël au-devant du roi Saül pour chanter en dansant, au son des tambourins, des cris d'allégresse et des sistres[a]. ⁷ Les femmes qui dansaient chantaient ceci :

> « Saül a tué ses milliers,
> et David ses myriades[b]. »

⁸ Saül fut très irrité et cette affaire lui déplut. Il dit : « On a donné les myriades à David et à moi les milliers, il ne lui manque plus que la royauté ! » ⁹ Et, à partir de ce jour, Saül regarda David d'un œil jaloux.

= **19** 9-10   ¹⁰ Le lendemain, un mauvais esprit de Dieu[c] assaillit Saül qui entra en délire au milieu de la maison. David jouait de la cithare comme les autres jours et Saül avait sa lance à la main. ¹¹ Saül brandit sa lance[d] et dit : « Je vais clouer David au mur ! » mais David l'évita par deux fois.

¹² Saül eut peur de David car Yahvé était avec celui-ci et s'était détourné de Saül. ¹³ Alors Saül l'écarta d'auprès de lui et l'institua chef de mille : il marchait à la tête du peuple. ¹⁴ Dans toutes ses entreprises, David réussissait et Yahvé était avec lui. ¹⁵ Voyant qu'il réussissait très bien, Saül le craignait, ¹⁶ mais tous en Israël et en Juda aimaient David, car il dirigeait tous leurs mouvements.

---

8. « *les myriades* » G ; « *des myriades* » H.

---

attendre la publication des manuscrits de Qumrân pour décider si elle remonte à un original hébreu plus sobre ou si elle a élagué un texte trop touffu.

a) Le sens du mot est incertain.

b) Cf. **21** 12; **29** 5. Les femmes célèbrent les vainqueurs, comp. Miryam, Ex **15** 20-21; Débora, Jg **5**; la fille de Jephté, Jg **11** 34.

c) Voir **16** 14 et la note. Les vv. 10-11 se rattachent à la même tradition que **16** 14-23. Ils interrompent ici le fil du récit et anticipent la tentative de meurtre de Saül, qui sera racontée à **19** 8 s. Ils sont omis par l'ancienne version grecque, voir note *c*, p. 97.

d) La lance est l'arme attitrée de Saül et l'insigne de sa royauté. Le motif revient fréquemment, cf. déjà **13** 22 et **19** 9; **20** 33; **22** 6; **26** 7, 16, 22; 2 S **1** 6.

Mariage de David[a].

[17] Saül dit à David : « Voici ma fille aînée Mérab, je vais te la donner pour femme; sers-moi seulement en brave et combats les guerres de Yahvé. » Saül s'était dit : « Qu'il ne tombe pas sous ma main, mais sous celle des Philistins ! » [18] David répondit à Saül : « Qui suis-je et quel est mon lignage[b], la famille de mon père, en Israël, pour que je devienne le gendre du roi ? » [19] Mais, lorsque vint le moment de donner à David la fille de Saül, Mérab, on la donna à Adriel de Mehola[c].

[20] Or Mikal, la fille de Saül, s'éprit de David et on l'annonça à Saül, qui trouva cela bien. [21] Il se dit : « Je la lui donnerai, mais elle sera un piège pour lui et la main des Philistins sera sur lui. » (Saül dit deux fois à David : « Tu seras aujourd'hui mon gendre[d]. ») [22] Alors Saül donna cet ordre à ses serviteurs : « Parlez en secret à David et dites :

---

18. « *mon lignage* » ḥayyî *conj.*; « *ma vie* » ḥayyay *H*.

---

a) Lex vv. 17-19 se rattachent à la promesse énoncée à **17** 25. Ils sont omis par l'ancienne version grecque, voir p. 97, note *c*, et de fait ils s'accordent mal avec la suite : aucune allusion, sauf la glose du v. 21, à ces fiançailles rompues dans les vv. 20-27, qui développent les mêmes thèmes, d'une manière plus vivante, à propos de Mikal.

b) Si la correction textuelle est bonne, le terme, attesté en arabe mais unique dans la Bible, aurait été glosé par les mots suivants.

c) Mehola, ou Abel Mehola, patrie d'Élisée, 1 R **19** 16, est à chercher au sud de Beisân, dans la vallée du Jourdain, probablement Tell Abu-Sifri. Le mari de Mérab sera encore mentionné 2 S **21** 8.

d) Glose qui rappelle les deux promesses concernant Mérab et Mikal. Elle est omise par le grec. Au lieu de « deux fois », certains corrigent : « tu seras mon gendre dans deux ans » mais ne savent plus que faire d' « aujourd'hui ». En fait, la formule « Aujourd'hui, tu seras mon gendre » était celle que le père de la jeune fille prononçait et qui assurait la validité des fiançailles, comp. les formules déclaratives pour le mariage, Tb **7** 11, pour le divorce, Os **2** 4, pour l'adoption, Ps **2** 7. Pour la durée des fiançailles, si on écarte la correction injustifiée de ce v., on n'a que des indications vagues : « lorsque vint le moment », v. 19, « le temps n'était pas écoulé », v. 26.

Tu plais au roi et tous ses serviteurs t'aiment, deviens donc le gendre du roi. » ²³ Les serviteurs de Saül répétèrent ces paroles aux oreilles de David, mais David répliqua : « Est-ce une petite chose à vos yeux de devenir le gendre du roi ? Moi je ne suis qu'un homme pauvre et de basse condition. » ²⁴ Les serviteurs de Saül en référèrent à celui-ci : « Voilà les paroles que David a dites. » ²⁵ Saül répondit : « Vous direz ceci à David : ' Le roi ne désire pas un paiement*a*, mais cent prépuces*b* de Philistins, pour tirer vengeance des ennemis du roi. ' » Saül comptait faire tomber David aux mains des Philistins.

²⁶ Les serviteurs de Saül rapportèrent ces paroles à David et celui-ci trouva que l'affaire était bonne, pour devenir le gendre du roi. Le temps n'était pas écoulé*c* ²⁷ que David se mit en campagne et partit avec ses hommes. Il tua aux Philistins deux cents hommes, il rapporta leurs prépuces et les compta au roi, pour devenir son gendre. Alors Saül lui donna pour femme sa fille Mikal.

²⁸ Saül s'aperçut que Yahvé était avec David et que toute la maison d'Israël l'aimait. ²⁹ Alors Saül eut encore plus peur de David et il conçut contre lui une hostilité de tous les jours. ³⁰ Les princes des Philistins firent campagne, mais chaque fois qu'ils faisaient campagne, David rem-

---

27. « *les compta* » *Vers.*; « *ils les comptèrent* » H.
28. « *et que toute la maison d'Israël l'aimait* » G *VetLat* ; « *et Mikal fille de Saül l'aimait* » H.

---

a) Le *mohar,* la somme d'argent que le fiancé payait au père de la jeune fille.
b) En Égypte et en Assyrie, il arrivait qu'on dénombrât les ennemis tués en leur coupant un membre (comp. peut-être 2 R **10** 6). Les prépuces certifieront que les victimes sont des Philistins incirconcis, cf. **17** 26 et la note.
c) Le récit primitif fixait donc un délai que la rédaction finale a omis d'indiquer. Ces mots manquent dans la version grecque, cf. p. 97, note *c* .

portait plus de succès que tous les officiers de Saül, et il acquit un très grand renom.

19. ¹ Saül communiqua à son fils Jonathan et à tous ses officiers son dessein de faire mourir David. Or Jonathan, fils de Saül, avait beaucoup d'affection pour David ² et il avertit ainsi David : « Mon père Saül cherche à te faire mourir. Sois donc sur tes gardes demain matin, reste à l'abri et dissimule-toi. ³ Moi, je sortirai et je me tiendrai à côté de mon père dans le champ où tu seras, je parlerai en ta faveur à mon père, je verrai ce qu'il y a et je t'en informerai. »

Jonathan intercède pour David[a].

⁴ Jonathan dit du bien de David à son père Saül et il lui parla ainsi : « Que le roi ne pèche pas contre son serviteur David, car celui-ci n'a commis aucune faute contre toi; bien plutôt, ce qu'il a fait a été d'un grand profit pour toi. ⁵ Il a risqué sa vie[b], il a tué le Philistin et Yahvé a procuré une grande victoire à tout Israël : tu as vu et tu t'es réjoui. Pourquoi pécherais-tu par le sang d'un innocent en faisant mourir David sans raison ? » ⁶ Saül céda aux paroles de Jonathan et il fit ce serment : « Aussi vrai que Yahvé est vivant, il ne mourra pas ! » ⁷ Alors Jonathan appela David et il lui rapporta toutes ces choses. Puis il le conduisit à Saül et David reprit son service comme auparavant.

---

a) Cet épisode ferait convenablement suite au ch. **18** : la haine de Saül le pousse au meurtre. Mais il ne s'accorde pas au récit du ch. **20** où Jonathan, v. 2, ne sait encore rien des intentions criminelles de son père. Ce sont deux traditions sur l'intervention de Jonathan en faveur de David (et le récit du ch. **20** a influencé ici la rédaction du v. 3 : le champ où David est caché).

b) Litt. « il a mis son âme dans sa main », cf. **28** 21; Jg **12** 3, etc.

II. FUITE DE DAVID

= **18** 10-11

Attentat de Saül
contre David[a].

⁸ Comme la guerre avait repris, David se mit en campagne et combattit les Philistins ; il leur infligea une grande défaite et ils s'enfuirent devant lui. ⁹ Or un mauvais esprit de Yahvé prit possession de Saül : comme il était assis dans sa maison, sa lance à la main, et que David jouait de la cithare, ¹⁰ Saül essaya de clouer David au mur avec sa lance, mais celui-ci esquiva le coup de Saül, qui planta sa lance dans le mur. David prit la fuite et se sauva.

Cette même nuit[b], ¹¹ Saül

David sauvé par Mikal. envoya des émissaires surveiller la maison de David, voulant le mettre à mort dès le matin. Mais la femme de David, Mikal, lui donna cet avertissement : « Si tu ne t'échappes pas cette nuit, demain tu es un homme mort ! » ¹² Mikal fit descendre David par la fenêtre. Il partit, prit la fuite et se sauva.

¹³ Mikal prit le téraphim[c], elle le plaça sur le lit, mit à

---

19 10-11. *Les mots « cette même nuit » sont à rattacher au v.* 11, *avec G contre H, cf. la note.*

11. *« voulant le mettre à mort » G ; « et le mettre à mort » H.*

---

a) Doublet de **18** 10-11. Sur la lance de Saül, cf. la note sur **18** 11.

b) Ce n'est pas la suite immédiate de ce qui précède car, si David a fui, il est allé plus loin que sa maison, cf. les vv. 12 et 18. Le récit se rattache plutôt à **18** 27 : la tentative de Saül se placerait dans la nuit même des noces de David.

c) Sur ces idoles domestiques, voir la note sur **15** 23. Notre passage montre qu'elles n'étaient pas toujours petites, comme à Gn **31** 34, mais qu'elles pouvaient atteindre la taille humaine. Notre texte indique aussi que, malgré l'apparence de sa forme plurielle, *t⁰rapîm* est un singulier (archaïque avec mimation), comme *urim* et *tummim,* cf. **14** 41, et peut-être comme Élohim.

son chevet une tresse[a] en poils de chèvre et le couvrit
d'un vêtement. [14] Lorsque Saül envoya des messagers pour
s'emparer de David, elle dit : « Il est malade. » [15] Mais
Saül renvoya les messagers voir David et leur dit : « Por-
tez-le moi dans son lit pour que je le mette à mort ! »
[16] Les messagers entrèrent, et voilà que c'était le téraphim
dans le lit, avec la tresse en poils de chèvre à son chevet !
[17] Saül dit à Mikal : « Pourquoi m'as-tu ainsi trahi et as-tu
laissé partir mon ennemi pour qu'il s'échappe ? » Mikal
répondit à Saül : « C'est lui qui m'a dit : Laisse-moi partir,
ou je te tue ! »

**Saül et David
chez Samuel[b].**

[18] David avait donc pris
la fuite et s'était échappé. Il
se rendit chez Samuel à Rama
et lui rapporta tout ce que
Saül lui avait fait. Lui et Samuel allèrent habiter aux
cellules[c]. [19] On informa ainsi Saül : « Voici que David est
aux cellules à Rama. » [20] Saül envoya des messagers pour
se saisir de David et ceux-ci virent la communauté des
prophètes en train de prophétiser, Samuel se tenant à leur
tête[d]. Alors l'esprit de Dieu s'empara des messagers de
Saül et ils furent pris de délire eux aussi. [21] On avertit
Saül, qui envoya d'autres messagers, et ils furent pris de

---

20. « *et ceux-ci virent* » *Vers.* ; « *et il vit* » *H.*

---

a) Mot unique de sens incertain, quelque objet grossièrement tissé et
pouvant donner l'illusion de la chevelure de David, cf. v. 16.
b) Bloc erratique et probablement tardif. D'après **15** 35, Saül et Samuel
ne devaient plus se revoir. C'est une nouvelle explication du dicton relatif
à Saül, cf. **10** 11. Le genre littéraire rappelle le triple envoi des messagers
d'Ochozias à Élie, 2 R **1** 9 s.
c) Habitations des prophètes (cf. 2 R **6** 1 s) à Rama ou aux environs
immédiats, mais le texte et le sens sont incertains; peut-être un lieu-dit de
Rama, Nawît (Ketib) ou Nayôt (Qerê).
d) Seul texte où Samuel soit représenté comme faisant partie de ces
groupes d'extatiques, sur lesquels voir la note à **10** 5.

délire eux aussi. Saül envoya un troisième groupe de
messagers, et ils furent pris de délire eux aussi.

²² Alors il partit lui-même pour Rama et arriva à la
grande citerne qui est à Sékû*ᵃ*. Il demanda où étaient
Samuel et David et on répondit : « Ils sont aux cellules
à Rama. » ²³ De là il se rendit donc aux cellules à Rama.
Mais l'esprit de Dieu s'empara aussi de lui et il marcha
en délirant jusqu'à son arrivée aux cellules à Rama. ²⁴ Lui
aussi il se dépouilla de ses vêtements, lui aussi il fut pris
de délire devant Samuel, puis il s'écroula nu et resta ainsi
tout ce jour et toute la nuit*ᵇ*. D'où le dicton : « Saül est-il
aussi parmi les prophètes ? »

Jonathan favorise
le départ de David*ᶜ*.

20. ¹ S'étant enfui des
cellules qui sont à Rama*ᵈ*,
David vint dire en face à
Jonathan : « Qu'ai-je donc
fait, quelle a été ma faute, quel a été mon crime envers
ton père pour qu'il en veuille à ma vie ? » ² Il lui répondit :
« Loin de toi cette pensée ! Tu ne mourras pas. Mon père
n'entreprend aucune chose, importante ou non, sans m'en
faire la confidence. Pourquoi mon père m'aurait-il caché
cette affaire ? C'est impossible*ᵉ* ! » ³ David fit ce serment :

---

23. « *De là* » *G ;* « *Là* » *H.*
20 3. *Après* « *fit ce serment* », *H ajoute* « *encore* », *qui provient d'une ditto-*
graphie.

---

a) Localisation inconnue. Le grec suppose un texte différent : « la citerne
de l'aire qui se trouve sur la dune » ou « sur la piste ».
b) C'est l'hébétude qui suit la crise.
c) Récit parallèle à **19** 11-17. Dans un cas Mikal, dans l'autre Jonathan, la fille et le fils du roi, sauvent David auquel ils sont affectionnés.
Le texte est surchargé et les vv. 11-17 et 40-42 sont des additions.
d) Suture rédactionnelle : il fallait ramener David à la cour, mais d'après
le récit qui suit David ne s'est pas encore séparé de Saül.
e) Évidemment, ce récit ne connaît pas celui de **19** 1-7.

« Ton père sait très bien que j'ai ta faveur et il s'est dit :
' Que Jonathan ne sache rien, de peur qu'il n'en soit
peiné. ' Mais, aussi vrai que vit Yahvé et que tu vis toi-
même, il n'y a qu'un pas entre moi et la mort. »

⁴ Jonathan dit à David : « Que veux-tu que je fasse
pour toi ? » ⁵ David répondit à Jonathan : « C'est demain
la nouvelle lune*ᵃ* et je devrais m'asseoir avec le roi pour
manger, mais tu me laisseras partir et je me cacherai dans
la campagne jusqu'au soir. ⁶ Si ton père remarque mon
absence, tu diras : ' David m'a demandé avec instance
la permission de faire une course à Bethléem, sa ville, car
on y célèbre le sacrifice annuel pour tout le clan*ᵇ*. ' ⁷ S'il
dit : ' C'est bien ', ton serviteur est sauf, mais s'il se met
en colère, sache que le malheur est décidé de sa part.
⁸ Montre ta bonté envers ton serviteur, puisque tu l'as
uni à toi dans un pacte au nom de Yahvé, et, si je suis
en faute, fais-moi mourir toi-même ; pourquoi m'amener
jusqu'à ton père ? » ⁹ Jonathan reprit : « Loin de toi
cette pensée ! Si je savais vraiment que mon père est décidé
à faire venir sur toi un malheur, est-ce que je ne t'avertirais
pas ? » ¹⁰ David demanda à Jonathan : « Qui m'avertira
si ton père te répond durement*ᶜ* ? »

---

5. *Après « au soir », H ajoute « le troisième », glose d'après vv.* 27 *et* 25 ;
omis par G.

10. « *si* » 'im *G ;* « *ou quoi* » 'ô mah *H.*

---

a) La néoménie, qui déterminait le début du mois, était marquée par
une fête religieuse, Is **1** 13-14 ; Os **2** 13 ; Am **8** 5 ; cf. 2 R **4** 23, comportant
des sacrifices, Nb **10** 10 ; **28** 11 s.

b) Ce devait être une obligation grave d'assister à cette fête du clan,
unité sociale plus large que la famille. Cependant la Bible n'en fait pas
d'autre mention ; le cas d'Elqana, ch. **1**, est différent : c'est un sacrifice de
pèlerinage et strictement familial.

c) La question suppose qu'il est dangereux pour les deux amis de se
rencontrer. La réponse viendra au v. 18.

¹¹ Jonathan dit à David^{*a*} : « Viens, sortons dans la campagne » et ils sortirent tous deux dans la campagne. ¹² Jonathan dit à David : « Yahvé, Dieu d'Israël, est témoin ! Je sonderai mon père demain à la même heure : s'il en va bien pour David et si je n'envoie pas t'en faire confidence, ¹³ que Yahvé fasse à Jonathan ce mal et qu'il ajoute encore cet autre^{*b*} ! S'il paraît bon à mon père d'amener le malheur sur toi, je t'en ferai confidence et je te laisserai aller; tu partiras sain et sauf, et que Yahvé soit avec toi comme il fut avec mon père ! ¹⁴ Si je suis encore vivant, puisses-tu me témoigner une bonté de Yahvé; si je meurs, ¹⁵ ne retire jamais ta bonté à ma maison. Quand Yahvé supprimera de la face de la terre les ennemis de David, ¹⁶ que le nom de Jonathan ne soit pas supprimé avec la maison de Saül, sinon Yahvé en demandera compte à David. » ¹⁷ Jonathan prêta de nouveau serment à David, parce qu'il l'aimait de toute son âme.

¹⁸ Jonathan lui dit^{*c*} : « C'est demain la nouvelle lune et on remarquera ton absence, car ta place sera vide. ¹⁹ Après-

---

12. « *est témoin* » '*éd Syr ; omis par* H (*ou bien ajouter au début* ħay « *Vive Yahvé...* »). — *Après* « *demain* », H *ajoute* « *le troisième* », *glose comme au v.* 5.
13. « *à mon père d'amener* » 'èl 'âbî l^ehâbî' *conj.*; « *à mon père* » 'èl 'âbî H.
14-16. *Texte très abîmé, restitué à l'aide de* G.
17. « *prêta serment* » G ; « *fit prêter serment* » H. — *La fin du v. d'après* G ; H *est surchargé.*
19. « *on remarquera... ton absence* » tippâqéd *Syr Targ cf.* G *et v.* 18; « *tu descendras* » téréd H. — « *ce tertre* » hârègèb hallâ'z *d'après* G *cf. v.* 41; « *la pierre...* (?)» hâ'èbèn hâ'âzèl H.

---

a) Les vv. 11-17 sont une addition : dans le récit principal, Jonathan ne communiquera pas directement la réponse à David, mais l'avertira par un signe convenu. D'autre part, les rôles sont renversés et Jonathan fait figure de suppliant. Enfin, on se place déjà dans l'hypothèse d'un transfert du pouvoir de Saül à David (cf. la note sur le v. 31) et le v. 16 fait allusion à 2 S 9 1 s, cf. 2 S **21** 7. Le texte a beaucoup souffert et la traduction ne peut être qu'approximative.
b) Voir la note sur **3** 17.
c) Suite du v. 10.

demain, on remarquera beaucoup ton absence, tu iras à l'endroit où tu t'étais caché le jour de l'affaire[a], tu t'assiéras à côté de ce tertre que tu sais. [20] Pour moi, après-demain, je lancerai des flèches de ce côté-là comme pour tirer à la cible. [21] J'enverrai le servant : ' Va ! Trouve la flèche. ' Si je dis au servant : ' La flèche est en deçà de toi, prends-la ', viens, c'est que cela va bien pour toi et qu'il n'y a rien, aussi vrai que Yahvé est vivant. [22] Mais si je dis au garçon : ' La flèche est au delà de toi ', pars, car c'est Yahvé qui te renvoie. [23] Quant à la parole que nous avons échangée, moi et toi, Yahvé est témoin entre nous deux pour toujours. »

[24] Donc David se cacha dans la campagne. La nouvelle lune arriva et le roi se mit à table pour manger. [25] Le roi s'assit à sa place habituelle, la place contre le mur, Jonathan se mit en face, Abner s'assit à côté de Saül et la place de David resta inoccupée. [26] Cependant, Saül ne dit rien ce jour-là; il pensa : « C'est un accident, il n'est pas pur[b]. » [27] Le lendemain de la nouvelle lune, le second jour, la place de David resta inoccupée et Saül dit à son fils Jonathan : « Pourquoi le fils de Jessé n'est-il venu au repas ni hier ni aujourd'hui ? » [28] Jonathan répondit à Saül : « David m'a demandé avec instance la permission d'aller

---

20. *Texte incertain.*
21. « *la flèche* » (*bis*) G VetLat ; « *les flèches* » (*bis*) H.
23. « *témoin pour toujours* » 'éd 'ad 'ôlâm G Targ ; « *pour toujours* » 'ad 'ôlâm H, *par haplographie, cf. v.* 42.
25. « *se mit en face* » way^eqaddém G ; « *se leva* » wayyâqom H.
26. *A la fin, le texte répète* « *car il n'est pas pur* ».

---

a) Rappel d'un épisode qui ne nous a pas été conservé, ou bien allusion à **19** 1-7. Mais comme ce dernier passage est d'une autre source, il faut alors admettre une influence réciproque dans la rédaction de deux récits d'abord indépendants.

b) Un « accident », une pollution involontaire, rend impur jusqu'au soir, d'après Lv **15** 16; Dt **23** 11.

à Bethléem. ²⁹ Il m'a dit : ' Laisse-moi partir, je te prie, car nous avons un sacrifice de clan à la ville et mes frères m'ont réclamé; maintenant, si j'ai acquis ta faveur, laisse-moi m'échapper, que j'aille voir mes frères. ' Voilà pourquoi il n'est pas venu à la table du roi. »

³⁰ Saül s'enflamma de colère contre Jonathan et il lui dit : « Fils d'une dévoyée[a] ! Ne sais-je pas que tu prends parti pour le fils de Jessé, à ta honte et à la honte de la nudité de ta mère ? ³¹ Aussi longtemps que le fils de Jessé vivra sur la terre, tu ne seras pas en sécurité ni ta royauté[b]. Maintenant, fais-le chercher et amène-le-moi, car il est passible de mort. » ³² Jonathan répliqua à son père et lui dit : « Pourquoi mourrait-il ? Qu'a-t-il fait ? » ³³ Alors Saül brandit sa lance contre lui pour le frapper, et Jonathan connut que la mort de David était chose décidée de la part de son père. ³⁴ Jonathan se leva de table échauffé de

---

29. « *et mes frères* » G ; « *et mon frère* » H.

---

a) Le texte est indécis, mais tel est bien le sens. Parmi les injures dont l'Orient est prodigue, celle-ci est l'une des plus blessantes. Surtout de la part du père : Saül renie son fils.

b) Saül, premier roi d'Israël, avait été personnellement choisi par Dieu (ou accepté par lui, selon l'autre tradition) et le principe de la succession dynastique n'était pas établi (pas plus qu'en Édom à la même époque, cf. Gn 36 31-39) : on pouvait s'attendre à ce que son successeur fût comme lui un guerrier valeureux, désigné par Dieu, acclamé par le peuple : déjà David apparaît comme le successeur probable. Jonathan partage cette opinion commune et, dès le début, il soutient la cause de David. Ses serments, son pacte avec David, **18** 3; **20** 14-16, 23, 42; **23** 17-18, ne signifient pas un complot contre Saül. David gardera jusqu'au bout le respect du caractère sacré de Saül, l'oint de Yahvé, cf. **24** 7, 11; **26** 9-11, 23; 2 S **1** 14 et l'élégie sur Saül et Jonathan, 2 S **1** 19-27. Seulement, Saül songe à transmettre son pouvoir à Jonathan, cf. notre v., et il voit dans la popularité croissante de David une conspiration contre lui-même et sa famille, **18** 8; **20** 31; **22** 8, 13. En obligeant David à fuir, Saül va précipiter les choses et David, groupant autour de lui tous les mécontents, **22** 2, fera alors figure de révolté. Toutes ces histoires sont d'ailleurs racontées à la lumière des événements qui suivirent, d'où les allusions fréquentes à la royauté qui est assurée à David.

colère, et il ne mangea rien ce second jour du mois parce
qu'il était peiné au sujet de David[a], parce que son père
l'avait insulté.

³⁵ Le lendemain matin, Jonathan sortit dans la campagne
pour le rendez-vous avec David; il était accompagné d'un
jeune servant. ³⁶ Il dit à son servant : « Cours et trouve les
flèches que je vais tirer. » Le servant courut et Jonathan
tira la flèche de manière à le dépasser. ³⁷ Quand le servant
arriva vers l'endroit de la flèche qu'il avait tirée, Jonathan
lui cria : « Est-ce que la flèche n'est pas au delà de toi[b] ? »
³⁸ Jonathan cria encore au servant : « Vite ! Dépêche-toi,
ne t'arrête pas. » Le servant de Jonathan ramassa la flèche
et l'apporta à son maître. ³⁹ Le servant ne se doutait de
rien, seuls Jonathan et David savaient de quoi il s'agissait.

⁴⁰ Jonathan remit les armes à son servant et lui dit :
« Va et porte cela à la ville. » ⁴¹ Tandis que le servant rentrait, David se leva d'à côté du tertre, il tomba la face
contre terre et se prosterna trois fois, puis ils s'embras-
sèrent l'un l'autre et ils pleurèrent ensemble à profusion.
⁴² Jonathan dit à David : « Va en paix. Quant au serment
que nous avons juré tous les deux par le nom de Yahvé,
que Yahvé soit témoin pour toujours entre moi et toi,
entre ma descendance et la tienne[c]. »

---

38. « *apporta* » wayyâbé' *Vers.*; « *vint* » wayyâbo' *H.*
41. « *tertre* » règèb *comme au v.* 19; « *sud* » nègèb *H.* — « *à profusion* »
'ad-hagdél *d'après* G VetLat ; « *jusqu'à David il fit grand* » 'ad-dâwid
higdîl *H.*
42. « *témoin pour toujours* » G Targ ; « *pour toujours* » H, *cf. v.* 23.

a) Cette incise manque dans l'ancienne version grecque et est peut-être
une glose inspirée du v. 3.
b) C'était le signe convenu au v. 22 pour annoncer à David sa condamnation.
c) Les vv. 40-42 sont ajoutés : le stratagème des flèches n'a de raison
d'être que si David et Jonathan ne doivent pas communiquer directement.
Le v. **21** 1 suivait le v. **20** 39 et terminait dans la plus belle manière des

43   **21.** ¹ David se leva et partit, et Jonathan rentra en ville.

21. ¹

                                    ² David arriva à Nob*ᵃ*
        L'arrêt à Nob.   chez le prêtre Ahimélek*ᵇ*.

Celui-ci vint en tremblant au devant de David et lui demanda : « Pourquoi es-tu seul
² et n'y a-t-il personne avec toi*ᶜ* ? » ³ David répondit au prêtre Ahimélek : « Le roi m'a donné un ordre et m'a dit : ' Que personne ne sache la mission dont je te charge et l'ordre que je te donne ! ' Quant à mes hommes, je leur
³ ai donné rendez-vous à tel endroit. ⁴ Maintenant, si tu as sous la main cinq pains, donne-les-moi, ou ce qui se trou-
⁴ vera. » ⁵ Le prêtre répondit : « Je n'ai pas de pain ordinaire sous la main, il n'y a que du pain consacré*ᵈ* — pourvu que tes hommes se soient gardés de rapports avec les femmes. »

---

21 3. « *je leur ai donné rendez-vous* » yô'adtî *cf. G ;* « *je leur ai fait savoir* » yôda'tî *H.*

4. « *si tu as* » 'im yéš *G ;* « *ce que tu as* » mah yéš *H.*

---

vieux récits : les deux amis se séparent sans s'être revus ni embrassés ! Tout l'effet est détruit par l'addition. G et Vulg rattachent **21** 1 au ch. **20** (= v. 43) et sont en retard d'une unité pour la numérotation des vv. du ch **21**.

a) Sur la pente orientale du Mont Scopus, à l'est de Jérusalem, qui était encore aux mains des Cananéens et que l'on contournait pour aller de Benjamin en Juda. L'épisode est donc bien placé sur la route de David fugitif et prépare **22** 9-23. Cette « ville des prêtres », **22** 19, se trouvait près d'Anatot, Ne **11** 32, où sera exilé Ébyatar, survivant du sacerdoce de Nob, 1 R **2** 26, et qui est l'une des villes lévitiques, Jos **21** 18.

b) Descendant d'Éli, **22** 9, le même personnage qu'Ahiyya de **14** 3, cf. la note. Le sacerdoce de Silo s'était réfugié à Nob après le désastre du ch. **4**.

c) Il s'est passé quelque chose d'extraordinaire, pense le prêtre, pour que David, capitaine et gendre du roi, voyage seul. D'autre part, le dissentiment entre David et Saül devait être connu, cf. **16** 4.

d) Ce sont les pains d'oblation, v. 7, présentés à Yahvé dans le sanctuaire, cf. Ex **25** 30; Lv **24** 5-9. D'après ce dernier texte, ils étaient réservés aux prêtres; au temps de David, la loi était moins sévère ou une circonstance exceptionnelle permettait qu'on y dérogeât, mais il fallait être rituellement pur. Le Christ fait allusion à cet épisode, Mt **12** 3-4; Mc **2** 25-26; Lc **6** 3-4.

5   ⁶ David répondit au prêtre : « Bien sûr, les femmes nous
ont été interdites, comme toujours quand je pars en
campagne, et les choses des hommes sont en état de pureté.
C'est un voyage profane, mais vraiment aujourd'hui ils
6   sont en état de pureté quant à la chose*ᵃ*. » ⁷ Alors le prêtre
lui donna ce qui avait été consacré, car il n'y avait pas
d'autre pain que le pain d'oblation, celui qu'on retire de
devant Yahvé pour le remplacer par du pain chaud, quand
on le prend*ᵇ*.

7   ⁸ Or, ce jour même, se trouvait là un des serviteurs de
Saül, retenu*ᶜ* devant Yahvé; il se nommait Doëg l'Édomite et était chef des coureurs de Saül*ᵈ*.

8   ⁹ David dit à Ahimélek : « Et n'y a-t-il pas ici sous ta
main une lance ou une épée ? Je n'ai pris avec moi ni
mon épée ni mes armes, tant l'affaire du roi était urgente. »

9   ¹⁰ Le prêtre répondit : « L'épée de Goliath le Philistin, que
tu as tué dans la Vallée du Térébinthe*ᵉ*, est là, enveloppée
dans un manteau derrière l'éphod*ᶠ*. Si tu veux, prends-la,

---

8. « *des coureurs* » hârâṣîm *conj. cf.* **22** 17-18; « *des bergers* » hâroʻîm *H.*

---

a) Verset difficile et dont le sens est discuté. Nous comprenons : bien
que ce soit un voyage profane, les hommes se sont comportés comme
pour une expédition militaire, où la continence était une règle religieuse,
cf. Dt **23** 10 : leurs « choses » sont pures (litt. « objets, vases », un euphémisme, comme nous disons « parties », « membre »).

b) Chaque sabbat d'après Lv **24** 8.

c) « Retenu » par un vœu ? ou pour un service ? ou dans l'attente d'un
oracle ?

d) Les « coureurs » appartiennent à la garde royale et composent un
peloton d'escorte, cf. 2 S **15** 1; 1 R **1** 5; 2 R **10** 25; **11** *passim*. La correction
textuelle, facile au point de vue paléographique, est justifiée par la présence
de Doëg à la cour parmi les officiers du roi, **22** 9, peut-être aussi par son
intervention à la place des coureurs, **22** 9. Sa mention ici prépare cette
sanglante histoire.

e) Cf. **17** 51 et 54.

f) Il n'y a pas lieu de distinguer cet éphod de l'objet qui sert à la consultation de Yahvé, cf. **22** 10 et **23** 6. On voit ici que c'est un objet assez grand,

il n'y en a pas d'autre ici. » David répondit : « Elle n'a pas sa pareille, donne-la-moi. »

|| 27 1-2

David chez les Philistins[a].

11

¹¹ David se leva et s'enfuit ce jour-là loin de Saül et il arriva chez Akish, roi de Gat. ¹² Mais les serviteurs d'Akish dirent à celui-ci : « Est-ce que ce n'est pas David, le roi du pays[b] ? N'est-ce pas celui-là qu'on chantait dans les danses :

« Saül a tué ses milliers,
et David ses myriades[c]. »

12
13

¹³ David réfléchit sur ces paroles et il eut très peur d'Akish, roi de Gat. ¹⁴ Alors, David fit l'insensé sous leurs yeux et il simula la démence entre leurs mains : il tambourinait sur les battants de la porte et laissait sa salive couler sur sa barbe.

14
15

¹⁵ Akish dit à ses serviteurs : « Vous voyez bien que c'est un fou ! Pourquoi me l'amenez-vous ? ¹⁶ Est-ce que je manque de fous, que vous m'ameniez celui-ci pour m'ennuyer avec ses folies ? Va-t-il entrer dans ma maison ? »

---

14. « *tambourinait* » wayyâtâp *G VetLat Vulg* ; « *faisait des signes* » way*tâw *H*.

---

cf. aussi Jg **8** 26 s, ce qui s'explique si l'éphod était primitivement le revêtement d'une image divine, cf. la note sur **2** 28. L'épée de Goliath est déposée dans le sanctuaire, comme un trophée, cf. **31** 10.

a) Cet épisode ne peut être la suite du précédent. C'est une tradition indépendante sur la fuite de David, qui anticipe le récit du ch. **27** et souligne d'un trait humoristique l'habileté de David.

b) C'est ce que les gens de Gat ont conclu du refrain qu'ils connaissent et qu'ils vont citer. Le narrateur les suppose mal informés, cf. déjà **4** 8 et la note.

c) Cf. **18** 7.

III. DAVID CHEF DE BANDE

David commence sa vie errante.

22. [1] David partit de là et se réfugia dans la grotte[a] d'Adullam. Ses frères et toute sa famille l'apprirent et descendirent l'y rejoindre. [2] Tous les gens en détresse, tous ceux qui avaient des créanciers, tous les mécontents se rassemblèrent autour de lui et il devint leur chef. Il y avait avec lui environ quatre cents hommes.

[3] De là, David se rendit à Miçpé[b] de Moab et dit au roi de Moab : « Permets que mon père et ma mère restent avec vous jusqu'à ce que je sache ce que Dieu fera pour moi. » [4] Il les laissa chez le roi de Moab et ils restèrent avec celui-ci tout le temps que David fut dans le refuge.

[5] Le prophète Gad[c] dit à David : « Ne reste pas dans le refuge, va-t'en et enfonce-toi dans le pays de Juda. » David partit et se rendit dans la forêt de Hérèt.

---

22 3. « *restent* » yuṣṣag *conj. cf. Syr Vulg* ; « *sortent (et viennent)* » yéṣé' H.
4. « *laissa* » wayyanniḥém *Aq Targ Syr Vulg* ; « *conduisait* » wayyanḥém H.

---

a) La correction « refuge », qui est souvent adoptée d'après les vv. 4 et 5, cf. **23** 13 et 14, n'est appuyée par aucun témoin du texte et n'est pas justifiée : c'est la grotte qui est un repaire, comme les grottes du désert de Juda l'ont été pour les hors-la-loi de tous les temps, maquisards de la Révolte juive, paysans fuyant la conscription turque, terroristes arabes sous le Mandat anglais. Adullam était une ville de la Séphéla, Jos **12** 15 ; **15** 35, actuellement Tell el-Madhkûr, près d'Id el-Ma (ou el-Miya), qui garde le souvenir du nom ancien, à l'est de Soko, **17** 1, et au nord de Qéïla, **23** 1.

b) Site inconnu. David soustrait ses parents à la vengeance de Saül et il a des liens de famille avec Moab : il est l'arrière-petit-fils de Ruth la Moabite, Rt **4** 17 ; Mt **1** 5-6.

c) Il restera le « voyant » de David, 2 S **24** 11 s. Adullam est déjà en Juda, mais le « pays de Juda » désigne ici le cœur du pays, la vraie montagne judéenne, cf. encore **23** 3. La localisation de Hérèt (ou Harèt) est incertaine : peut-être le maquis à l'est de Qéïla.

**Massacre des prêtres
de Nob**[a].

⁶ Saül apprit qu'on avait découvert David et les hommes qui l'accompagnaient. Saül était à Gibéa, assis sous le tamaris du haut lieu, sa lance à la main, et tous ses officiers se tenaient debout près de lui. ⁷ Et Saül dit aux officiers qui se tenaient près de lui : « Écoutez donc, Benjaminites[b] ! Le fils de Jessé aussi vous donnera-t-il à tous des champs et des vignes et vous nommera-t-il tous chefs de mille et chefs de cent, ⁸ que vous conspiriez tous contre moi ? Personne ne m'avertit quand mon fils pactise avec le fils de Jessé, personne de vous n'a pitié de moi et ne me révèle que mon fils a dressé mon serviteur en ennemi contre moi, comme il apparaît aujourd'hui. »

⁹ Doëg l'Édomite[c], qui se tenait près des officiers de Saül, prit la parole et dit : « J'ai vu le fils de Jessé qui venait à Nob chez Ahimélek, fils d'Ahitub. ¹⁰ Celui-ci a consulté Yahvé pour lui, il lui a donné des vivres, il lui a remis aussi l'épée de Goliath le Philistin. » ¹¹ Alors Saül fit appeler le prêtre Ahimélek fils d'Ahitub et toute sa famille, les prêtres de Nob, et ils vinrent tous chez le roi.

¹² Saül dit : « Écoute donc, fils d'Ahitub ! » et il répondit : « Me voici, Monseigneur. » ¹³ Saül lui dit : « Pourquoi avez-vous conspiré contre moi, le fils de Jessé et toi ? Tu

---

6. « *les hommes* » *G* ; « *des hommes* » *H*. — « *du haut lieu* » babbâmâh *G* ; « *de la hauteur* » bârâmâh *H*.

8. « *n'a pitié* » ḥomél *G cf*. **23** 21 ; « *n'est malade* » ḥolèh *H*. — « *en ennemi* » leʿoyéb *G* ; « *en espion* » leʿoréb *H*.

13. « *en ennemi* », *cf. v.* 8.

---

a) Suite de **21** 2-10.

b) Saül avait favorisé les hommes de sa tribu : peuvent-ils espérer les mêmes avantages de David, un Judéen ? Ces donations et ces promotions sont l'exercice du « droit du roi », **8** 11-17, et sont attestées par des textes extra-bibliques dans les États cananéens du IIe millénaire av. J. C.

c) Cf. **21** 8.

lui as donné du pain et une épée et tu as consulté Dieu
pour lui, afin qu'il se dresse en ennemi contre moi, comme
il arrive aujourd'hui. » [14] Ahimélek répondit au roi[a] : « Et
qui donc, parmi tous tes serviteurs, est comparable à
David, le fidèle, le gendre du roi, le chef de ta garde personnelle, celui qu'on honore dans ta maison ? [15] Est-ce
aujourd'hui que j'ai commencé de consulter Dieu pour lui ?
Loin de moi toute autre pensée ! Que le roi n'impute à son
serviteur et à toute sa famille aucune charge, car son serviteur ne savait rien de tout cela, ni peu ni prou. » [16] Le roi
reprit : « Tu mourras, Ahimélek, toi et toute ta famille. »

[17] Le roi ordonna aux coureurs qui se tenaient près de
lui : « Approchez et mettez à mort les prêtres de Yahvé,
car ils ont eux aussi prêté la main à David, ils ont su qu'il
fuyait et ils ne m'ont pas averti. » Mais les gardes du roi
ne voulurent pas porter la main sur les prêtres de Yahvé
et les frapper[b]. [18] Alors, le roi dit à Doëg : « Toi, approche
et frappe les prêtres. » Doëg l'Édomite s'approcha et frappa
lui-même les prêtres : il mit à mort ce jour-là quatre-vingt-
cinq hommes qui portaient le pagne de lin. [19] Quant à Nob,
la ville des prêtres, Saül la passa au fil de l'épée, hommes
et femmes, enfants et nourrissons, bœufs, ânes, brebis.

[20] Il n'échappa qu'un fils d'Ahimélek, fils d'Ahitub[c].
Il se nommait Ébyatar et il s'enfuit auprès de David.

---

14. « *chef* » śar *cf. G Targ ;* « *éloigné* » sâr *H.*
19. *A la fin du v.,* H *répète* « *au fil de l'épée* ».

a) La défense d'Ahimélek est honnête : il a traité David selon son rang
et comme il faisait d'habitude. Il ne pouvait pas penser qu'agissant ainsi
il trempait dans un complot.

b) Les gardes du corps, qui sont Israélites, refusent de commettre ce
crime sacrilège (noter l'insistance du texte sur les « prêtres de Yahvé »),
mais Doëg, leur chef, **21** 8, qui est un mercenaire étranger, n'aura pas les
mêmes scrupules.

c) Ainsi se réalise la prophétie contre la famille d'Éli, **2** 31-33.

²¹ Ébyatar annonça à David que Saül avait massacré les
prêtres de Yahvé, ²² et David lui dit : « Je savais ce jour-là
que Doëg l'Édomite, étant présent, avertirait sûrement
Saül ! C'est moi qui suis responsable de la vie de tous tes
parents. ²³ Demeure avec moi, sois sans crainte : c'est le
même qui en voudra à ma vie et qui en voudra à la tienne,
car tu es sous ma bonne garde*a*. »

23.   ¹ On apporta cette

David à Qéïla.   nouvelle à David : « Les Phi-
                                             listins assiègent Qéïla*b* et
pillent les aires. » ² David consulta Yahvé : « Dois-je partir
et battrai-je les Philistins ? » Yahvé répondit : « Va, tu
battras les Philistins et tu délivreras Qéïla. » ³ Cependant
les hommes de David lui dirent : « Ici, en Juda*c*, nous
avons déjà à craindre; combien plus si nous allons à Qéïla
contre les troupes philistines ! » ⁴ David consulta encore
une fois Yahvé, et Yahvé répondit : « Pars ! Descends à
Qéïla, car je livre les Philistins entre tes mains. » ⁵ David
alla donc à Qéïla avec ses hommes, il attaqua les Philistins, enleva leurs troupeaux et leur infligea une grande
défaite. Ainsi David délivra les habitants de Qéïla. —
⁶ Lorsqu'Ébyatar, fils d'Ahimélek, se réfugia auprès de
David, il descendit à Qéïla, ayant en main l'éphod*d*.

---

22. « *suis responsable* » ḥabtî *G Syr ;* « *me suis tourné* » sabbotî *H.*
23 5. *Après* « *Philistins* », *G ajoute :* « *et ils s'enfuirent devant lui* ».
6. « *il descendit à Qéïla, ayant en main l'éphod* » *G ;* « *à Qéïla l'éphod
descendit dans sa main* » *H* (*ordre des mots brouillé*).

---

a) Ébyatar restera le prêtre de David jusqu'à la mort de celui-ci. Il sera
écarté par Salomon, 1 R **2** 26-27.
b) Aujourd'hui Khirbet Qîla, à quelques km. au sud d'Adullam.
c) David doit être encore à Hérèt, **22** 5. Qéïla se trouve aussi en Juda,
cf. Jos **15** 44, mais à la périphérie, et « Juda » désigne ici le cœur du pays,
voir notes sur **22** 5 et **26** 19.
d) Cette notice se rattache à **22** 20-23 et prépare l'intervention du prêtre
au v. 9. Sur l'éphod, cf. **2** 28.

⁷ Quand on rapporta à Saül que David était entré à
Qëïla, il dit : « Dieu l'a livré en mon pouvoir, car il s'est
pris au piège en entrant dans une ville à portes et à ver-
rous ! » ⁸ Saül appela tout le peuple aux armes pour descendre à Qëïla et bloquer David et ses hommes. ⁹ Quand
David sut que c'était contre lui que Saül forgeait de mauvais desseins, il dit au prêtre Ébyatar : « Apporte l'éphod. »
¹⁰ David dit : « Yahvé, Dieu d'Israël, ton serviteur a
entendu dire que Saül se préparait à venir à Qëïla pour
détruire la ville à cause de moi. ¹¹ Saül descendra-t-il,
comme ton serviteur l'a appris ? Yahvé, Dieu d'Israël,
veuille informer ton serviteur ! » Yahvé répondit : « Il
descendra. » ¹² David demanda : « Les notables de Qëïla
me livreront-ils, moi et mes hommes, entre les mains de
Saül ? » Yahvé répondit : « Ils vous livrerontᵃ. » ¹³ Alors
David partit avec ses hommes, au nombre d'environ six
cents, ils sortirent de Qëïla et errèrent à l'aventure. On
rapporta à Saül que David s'était échappé de Qëïla et il
abandonna l'expédition.

¹⁴ David demeura au désert dans les refuges; il demeura
dans la montagne au désert de Ziphᵇ et Saül fut conti-
nuellement à sa recherche, mais Dieu ne le livra pas entre
ses mains.

---

7. « *livré* » mâkar *G cf.* **12** 9; « *traité en étranger, rejeté* » nikkar *H.*
11. *Au début du v.,* H *a* « *les notables me livreront-ils entre ses mains ?* »,
répété au v. 12 *et omis ici par G.*

---

a) David a sauvé les habitants de Qëïla, mais il leur fait payer cette
assistance en vivant à leurs dépens avec sa troupe, comp. l'histoire de
Nabal; alors ils le trahissent et font appel au pouvoir régulier. Cela arrive
aux maquisards de tous les temps. Comparer ici l'affaire de Ziph, vv. 19 s,
les récits des ch. **24** (v. 2) et **27** (v. 1).
b) Aujourd'hui Tell Ziph au sud d'Hébron. Le v. est rédactionnel
et fait la liaison entre l'épisode de Qëïla, vv. 1-13, et celui de Ziph,
vv. 19-27.

David à Horsha.
Visite de Jonathan[a].

¹⁵ David se rendit compte que Saül était entré en campagne pour attenter à sa vie. David était alors dans le désert de Ziph, à Horsha[b]. ¹⁶ S'étant mis en route, Jonathan, fils de Saül, vint auprès de David à Horsha et le réconforta au nom de Dieu. ¹⁷ Il lui dit : « Sois sans crainte, car la main de mon père Saül ne t'atteindra pas. C'est toi qui régneras sur Israël et moi je serai ton second; mon père Saül lui-même le sait bien. » ¹⁸ Ils conclurent tous les deux un pacte devant Yahvé. David demeura à Horsha et Jonathan s'en alla chez lui.

David échappe de justesse à Saül.

¹⁹ Des gens de Ziph montèrent à Gibéa auprès de Saül pour lui dire : « David ne se cache-t-il pas parmi nous dans les refuges, à Horsha, sur la colline de Hakila, au sud de la steppe[c] ? ²⁰ Maintenant, quand tu désireras descendre, ô roi, descends : c'est à nous de le livrer entre les mains du roi. » ²¹ Saül répondit : « Soyez bénis de Yahvé pour avoir eu pitié de moi. ²² Allez donc, informez-vous encore, ren-

---

22. « *informez-vous* » hâbînû *quelques Mss ;* « *préparez-vous* » hâkînû *texte reçu.* — « *se hâteront* », *litt.* « *en hâte* » bimᵉhérâh *G ;* « *qui l'ont vu ?* » mî râ'âhû *H.*

---

a) Les vv. 15-18 se rattachent imparfaitement au contexte. Ils appartiennent aux traditions sur l'amitié de David et de Jonathan, cf. particulièrement **20** 11-17. L'annonce de la royauté de David est ici explicite et Jonathan se réserve la seconde place, v. 17. Sur les rapports de David et de Jonathan et sur leur pacte mutuel, v. 18, cf. la note sur **20** 31.

b) Aujourd'hui Khirbet Khoreisa, 3 km. au sud de Tell Ziph.

c) La fin du v. paraît être une addition composite, qui emprunte Horsha au v. 18, Hakila à **26** 1, le sud de la steppe au v. 24. Si on avait donné à Saül ces précisions topographiques, il ne demanderait pas un supplément d'information, v. 22.

dez-vous bien compte de l'endroit où se hâteront ses pas; on m'a dit qu'il était très rusé. ²³ Rendez-vous bien compte de toutes les cachettes où il se terre et revenez me voir quand vous serez sûrs. Alors, j'irai avec vous et, s'il est dans le pays, je le traquerai dans tous les clans de Juda. »

²⁴ Se mettant en route, ils partirent pour Ziph, en avant de Saül. David et ses hommes étaient au désert de Maôn*ᵃ*, dans la plaine au sud de la steppe. ²⁵ Saül et ses hommes partirent à sa recherche. On l'annonça à David et celui-ci descendit à la gorge *ᵇ* qui se trouve dans le désert de Maôn. ²⁶ Saül et ses hommes suivaient un des versants de la montagne, David et ses hommes suivaient l'autre versant *ᶜ*. David fuyait éperdûment devant Saül et Saül et ses hommes cherchaient à passer du côté de David et de ses hommes pour s'emparer d'eux, ²⁷ quand un messager vint dire à Saül : « Viens vite, les Philistins ont envahi le pays ! » ²⁸ Saül cessa donc de poursuivre David et marcha à la

25. « *à sa recherche* » G *Vulg* ; « *à la recherche* » H. — « *qui se trouve* » 'ăšèr G ; « *et il demeura* » wayyéšèb H.
26. « *et ses hommes* » 1° G ; omis par H. — « *à passer* » 'oᵇerîm *cf.* G ; « *à cerner* » 'oṭerîm H.

a) Aujourd'hui Tell Ma'în, sur un plateau désertique au sud de Tell Ziph. La « steppe », yᵉšîmôn, ici et v. 24; **26** 1, 3, est le nom de la région aride qui avoisine Ziph.
b) Le sens premier de *sèla'* n'est pas « rocher » mais une coupure dans le roc, c'est aussi le sens de la racine en arabe, et il est conservé ici. La suite montre qu'il s'agit d'une gorge rocheuse, d'un cañon. Plusieurs de ces gorges coupent le désert montagneux de Juda et descendent vers la Mer Morte.
c) Non pas les deux versants d'une hauteur, mais les deux versants de la gorge, difficile à franchir. Le sens est évident pour quiconque a parcouru cette région du désert de Juda. Cf. une situation analogue dans 2 S **16** 13.

rencontre des Philistins. C'est pourquoi on a appelé cet
endroit la Gorge des Séparations*a*.

= 26   24. ¹ David monta de là
    David épargne Saül*b*.   et s'établit dans les refuges
                    d'Engaddi*c*. ² Quand Saül
revint de la poursuite des Philistins, on lui rapporta
ceci : « David est au désert d'Engaddi. » ³ Alors
Saül prit trois mille hommes choisis dans tout Israël
et partit à la recherche de David et de ses gens,
à l'est des Rocs des Bouquetins*d*. ⁴ Il arriva aux parcs
à brebis*e* qui sont près du chemin; il y a là une grotte
où Saül entra pour se couvrir les pieds*f*. Or David et
ses gens étaient assis au fond de la grotte, ⁵ et les gens
de David lui dirent : « Voici le jour où Yahvé te dit :
C'est moi qui livre ton ennemi entre tes mains, traite-le
comme il te plaît. » David se leva et coupa furtivement
le pan du manteau de Saül. ⁶ Après quoi, le cœur lui
battit, d'avoir coupé le pan du manteau de Saül*g*. ⁷ Il dit

---

24 6. « *le pan du manteau* » *Vers.*; « *le pan* » H.

---

a) En hébreu *sèla' hammaḥleqôt,* que l'on peut identifier avec le ravin
abrupt qui descend vers l'est entre Ziph et Maôn et qui s'appelle d'abord
Wady Wa'r (en arabe : « le ravin accidenté ») puis Wady Malâqi.

b) Ce récit, parallèle à celui du ch. **26**, met en relief la magnanimité de
David et son respect pour le caractère sacré du roi, oint de Yahvé.

c) La « Source du Chevreau », aujourd'hui 'Aïn Djedi, près du rivage
de la mer Morte, à la latitude de Ziph.

d) Les bouquetins sauvages vivent encore dans la région d'Engaddi.

e) Enclos de pierres sèches, généralement devant l'entrée d'une grotte.
On y parque les troupeaux pour la nuit.

f) Euphémisme : satisfaire un besoin naturel; les Arabes s'accroupissent
et font retomber leur manteau autour d'eux.

g) David éprouve du remords, pour l'expression cf. 2 S **24** 10. En effet,
le vêtement est un substitut de la personne : de même que donner son
vêtement c'est engager sa personne, cf. **18** 4, toucher au vêtement c'est
toucher à la personne. Il n'y a pas à transposer les vv. 5ᵇ-6 après 8ᵃ; cette
transposition n'est appuyée par aucun témoin du texte et elle n'est pas
nécessaire au sens.

à ses hommes : « Yahvé me garde d'agir ainsi à l'égard
de mon seigneur, de porter la main sur lui, car il est l'oint
de Yahvé. » [8] Et David adressa à ses hommes des paroles
tranchantes[a] et ne leur permit pas de se jeter sur Saül.

Celui-ci quitta la grotte et alla son chemin. [9] David se
leva ensuite, sortit de la grotte et lui cria : « Monseigneur
le roi ! » Saül regarda derrière lui et David s'inclina jusqu'à terre et se prosterna. [10] Puis David dit à Saül : « Pourquoi écoutes-tu les gens qui disent : Voici que David
cherche ton malheur ? [11] En ce jour même, tes yeux ont
vu comment Yahvé t'avait livré aujourd'hui entre mes
mains dans la grotte, mais j'ai refusé de te tuer, je t'ai
épargné et j'ai dit : Je ne porterai pas la main sur mon
seigneur, car il est l'oint de Yahvé. [12] O mon père, vois,
vois donc le pan de ton manteau dans ma main : puisque
j'ai pu couper le pan de ton manteau et que je ne t'ai pas
tué, reconnais clairement qu'il n'y a chez moi ni méchanceté ni crime. Je n'ai pas péché contre toi alors que, toi,
tu tends des embûches à ma vie pour me l'enlever. [13] Que
Yahvé soit juge entre moi et toi, que Yahvé me venge de
toi, mais ma main ne te touchera pas ! [14] (Comme dit
l'ancien proverbe : Des méchants sort la méchanceté et
ma main ne te touchera pas.[b]) [15] Après qui le roi d'Israël
s'est-il mis en campagne, après qui cours-tu ? Après un

---

7. *Après* « *mon seigneur* », *le texte ajoute* « *l'oint de Yahvé* », *glose probable
doublant les derniers mots du v.*

11. « *j'ai refusé* » wâ'ămâ'én *G ;* « *et il a dit* » we'âmar *H.* — « *je t'ai
épargné* » wâ'âhus *Vers.;* « *(mon œil) a épargné* » wattâhâs *H.*

---

a) Le sens précis est incertain; d'autres : « dissuader, réprimander ».
La traduction adoptée essaye de respecter le sens premier de la racine.

b) Ce proverbe signifie : à toucher les méchants il vous arrive malheur.
Il n'est pas en situation ici et il a été inséré par un glossateur, qui y retrou-
vait les derniers mots attribués à David.

chien crevé[a], après une simple puce ! [16] Que Yahvé soit l'arbitre, qu'il juge entre moi et toi, qu'il examine et défende ma cause et qu'il me rende justice en me délivrant de ta main ! »

[17] Lorsque David eut achevé de parler ainsi à Saül, celui-ci dit : « Est-ce bien ta voix, mon fils David ? » et Saül se mit à crier et à pleurer. [18] Puis il dit à David : « Tu es plus juste que moi, car tu m'as fait du bien et moi je t'ai fait du mal. [19] Aujourd'hui, tu as mis le comble à ta bonté pour moi, puisque Yahvé m'avait livré entre tes mains et que tu ne m'as pas tué. [20] Quand un homme rencontre son ennemi, le laisse-t-il aller bonnement son chemin ? Que Yahvé te récompense pour le bien que tu m'as fait aujourd'hui. [21] Maintenant, je sais que tu régneras sûrement et que la royauté sur Israël sera ferme en tes mains. [22] Jure-moi donc par Yahvé que tu ne supprimeras pas ma postérité après moi et que tu ne feras pas disparaître mon nom de ma famille. » [23] David prêta serment à Saül[b]. Celui-ci s'en alla chez lui, tandis que David et ses gens remontaient au refuge.

= 28 3   **Mort de Samuel**[c].   **25.** [1] Samuel mourut. Tout Israël s'assembla et fit son deuil; on l'ensevelit chez lui[d] à Rama.

---

19. « *tu as mis le comble* » higdaltâ *conj.*; « *tu as révélé* » higgadtâ *H.*
25 1. « *Maôn* » *G Luc ;* « *Parân* » *H.*

---

a) Expression orientale d'humilité, cf. 2 S **9** 8, ou de mépris, dans la bouche d'un autre, 2 S **16** 9. De même en assyrien.

b) Les vv. 21-23ᵃ, qui annoncent la royauté de David, s'alignent avec **20** 12-17, 41-42; **23** 15-18, cf. les notes à ces passages. Ils soulignent, dans la bouche de Saül lui-même, le tragique de sa destinée : sa lutte contre David est une lutte contre Dieu. De l'autre côté, David peut être généreux : il laisse agir Dieu, qui a déjà décidé en sa faveur, cf. v. 16.

c) Notice aberrante, qui sera reprise à **28** 3, où elle est mieux en situation.

d) Litt. « dans sa maison », qu'il ne faut pas prendre strictement, voir d'ailleurs le parallèle de **28** 3, de même dans 1 R **2** 34. On n'a pas de témoi-

**Histoire de Nabal
et d'Abigayil.**

David partit et descendit au désert de Maôn.

² Il y avait à Maôn un homme, qui avait ses affaires à Karmel*a*; c'était un homme très riche, il avait trois mille moutons et mille chèvres, et il était alors à Karmel pour la tonte de son troupeau. ³ L'homme se nommait Nabal et sa femme, Abigayil; mais alors que la femme était pleine de bon sens et belle à voir, l'homme était brutal et malfaisant; il était Calébite*b*.

⁴ David, ayant appris au désert que Nabal tondait son troupeau, ⁵ envoya dix garçons auxquels il dit*c* : « Montez à Karmel, rendez-vous chez Nabal et saluez-le de ma part. ⁶ Vous parlerez ainsi à mon frère : ' Salut à toi, salut à ta maison, salut à tout ce qui t'appartient ! ⁷ Maintenant, j'apprends que tu as les tondeurs. Or tes bergers ont été avec nous, nous ne les avons pas molestés et rien de ce qui leur appartenait n'a disparu, tout le temps qu'ils furent à Karmel. ⁸ Interroge tes serviteurs et ils te renseigneront. Puissent les garçons trouver bon accueil auprès de toi, car nous sommes venus un jour de fête. Donne, je te prie, ce que tu as sous la main à tes serviteurs et à ton fils David '. »

---

3. « *Calébite* » kâlibbî *Qer Targ Vulg ;* « *comme son cœur* » kᵉlibbô *Ket.*
6. « *à mon frère* » lᵉ'âḥî *conj.*; « *à un vivant* » lèḥây *H.*

---

gnages qu'en Israël les adultes aient jamais été ensevelis à l'intérieur de la maison.

a) Ville au sud de Maôn (Tell Maʿîn) à une quinzaine de km. au sud d'Hébron, aujourd'hui les ruines de Kermel, cf. **15** 12.

b) Du clan de Caleb, mêlé aux Judéens dès l'époque de la conquête, Jos **15** 13 s; Jg **1** 12 s.

c) La tonte des brebis est l'occasion d'une fête, 2 S **13** 23 s, où un riche propriétaire doit se montrer généreux. David en profite pour exiger la taxe que les nomades prélèvent sur les villages voisins pour la « protection » qu'ils leur accordent en ne les pillant pas, et aussi en écartant les maraudeurs, v. 16. C'est le droit de « fraternité ».

[9] Les garçons de David, étant arrivés, redirent toutes ces paroles à Nabal de la part de David et attendirent. [10] Mais Nabal, s'adressant aux serviteurs de David, leur dit : « Qui est David, qui est le fils de Jessé ? Il y a aujourd'hui trop de serviteurs qui se sauvent de chez leurs maîtres. [11] Je vais peut-être prendre mon pain, mon vin[a], ma viande que j'ai abattue pour mes tondeurs et en faire cadeau à des gens qui viennent je ne sais d'où ! » [12] Les garçons de David rebroussèrent chemin et s'en retournèrent. A leur arrivée, ils répétèrent toutes ces paroles à David. [13] Alors David dit à ses hommes : « Que chacun ceigne son épée ! » Ils ceignirent chacun son épée, David aussi ceignit la sienne, et quatre cents hommes environ partirent à la suite de David, tandis que deux cents restaient près des bagages[b].

[14] Or Abigayil, la femme de Nabal, avait été avertie par l'un des serviteurs, qui lui dit : « David a envoyé, du désert, des messagers pour saluer notre maître, mais celui-ci s'est jeté sur eux. [15] Pourtant ces gens ont été très bons pour nous, ils ne nous ont pas molestés et nous n'avons rien perdu, tout le temps que nous avons circulé près d'eux, quand nous étions aux champs. [16] Nuit et jour, ils ont été comme un rempart autour de nous, tout le temps que nous fûmes avec eux à paître le troupeau. [17] Reconnais maintenant et vois ce que tu dois faire, car

---

11. « *mon vin* » G ; « *mon eau* » H.

---

a) On pourrait, sans doute, garder « mon eau » de l'hébreu : l'eau est précieuse au désert et il y a précisément de l'eau à Karmel. Mais on buvait du vin à la tonte des brebis, cf. 2 S **13** 28, on en buvait beaucoup chez Nabal, v. 36, et Abigayil en apportera à David, v. 18 : tout cela rend préférable la leçon du grec.

b) En tout, les six cents hommes de **23** 13. Sur les bagages, cf. **17** 22 ; **30** 24.

la perte de notre maître et de toute sa maison est une affaire réglée, et c'est un vaurien à qui on ne peut rien dire. »

[18] Vite Abigayil prit deux cents pains, deux outres de vin, cinq moutons apprêtés, cinq boisseaux[a] de grain rôti, cent grappes de raisin sec, deux cents gâteaux de figues, qu'elle chargea sur des ânes. [19] Elle dit à ses serviteurs : « Passez devant, et moi je vous suis », mais elle ne prévint pas Nabal, son mari.

[20] Tandis que, montée sur un âne, elle descendait derrière un repli de la montagne, David et ses hommes descendaient vis-à-vis d'elle et elle les rencontra. [21] Or David s'était dit : « C'est donc en vain que j'ai protégé dans le désert tout ce qui était à ce bonhomme et que rien de ce qui lui appartenait n'a disparu ! Il me rend le mal pour le bien ! [22] Que Dieu fasse à David ce mal et qu'il ajoute cet autre[b] si, d'ici à demain matin, je laisse de tous les siens subsister un seul mâle[c]. » [23] Dès qu'Abigayil aperçut David, elle se hâta de descendre de l'âne et, tombant sur la face devant David, elle se prosterna jusqu'à terre. [24] Se jetant à ses pieds, elle dit : « Que la faute soit sur moi, Monseigneur ! Puisse ta servante parler à tes oreilles et daigne écouter les paroles de ta servante ! [25] Que Monseigneur ne fasse pas attention à ce vaurien, à ce Nabal, car il porte bien son nom : il s'appelle la Brute[d] et vraiment il

---

22. « à David » G ; « aux ennemis de David » H.
23. « sur la face devant David » G ; « à la face de David sur son visage » H.

a) En hébreu *se'âh*, mesure pour la farine et le pain, représentant le tiers de l'*êpâh*, cf. la note sur **17** 17.

b) Voir **3** 17 et la note.

c) Litt. « celui qui urine contre le mur », encore au v. 34 et 1 R **14** 10; **16** 11; **21** 21; 2 R **9** 8.

d) En hébreu *nâbâl* désigne l'insensé, qui se conduit mal à l'égard de Dieu et des hommes, à la fois sot, impie et méchant, cf. Is **32** 5 s.

est abruti. Mais moi, ta servante, je n'avais pas vu les
garçons que Monseigneur avait envoyés. [26] Maintenant,
Monseigneur, par la vie de Yahvé et ta propre vie, par
Yahvé qui t'a empêché d'en venir au sang et de te faire
justice de ta propre main, que deviennent comme Nabal[a]
tes ennemis et ceux qui cherchent du mal à Monseigneur !
[27] Quant à ce présent que ta servante apporte à Monseigneur, qu'il soit remis aux garçons qui marchent sur les
pas de Monseigneur. [28] Pardonne, je t'en prie, la faute de
ta servante ! Aussi bien, Yahvé assurera à Monseigneur
une maison durable[b], car Monseigneur combat les guerres
de Yahvé et, au long de ta vie, on ne trouve pas de mal
en toi. [29] Et si un homme se lève pour te poursuivre et
attenter à ta vie[c], l'âme de Monseigneur sera ensachée
dans le sachet de vie[d] auprès de Yahvé ton Dieu, tandis
que l'âme de tes ennemis, il la lancera au creux de la fronde.
[30] Lors donc que Yahvé aura accompli pour Monseigneur
tout le bien qu'il a dit à ton propos et lorsqu'il t'aura établi
chef sur Israël[e], [31] que ce ne soit pas pour toi un trouble
et un remords d'avoir versé en vain le sang et de t'être fait

---

29. « *Et si un homme se lève* » w^eqâm *ou* w^eyâqûm *conj.* ; « *Et un homme
s'est levé* » wayyâqom *H.*

31. « *d'avoir versé* » *Vers.*; « *et d'avoir versé* » *H.* — « *de sa main* » *G
cf. vv.* 26, 33; *omis par H.*

---

a) Pas seulement qu'ils deviennent sots comme Nabal, mais qu'ils par-
tagent le sort tragique qui attend celui-ci et que prévoit Abigayil, cf. 2 S
18 32.

b) Comme à **2** 35. Allusion ici à la dynastie davidique, cf. v. 30.

c) Allusion aux poursuites de Saül.

d) Dieu y garde comme un trésor la vie de ses amis. L'image est analogue
à celle du « livre de vie », Ps **69** 29; Is **4** 3; Dn **12** 1; Ap **3** 5. La formule
unique de ce v. est utilisée dans les inscriptions funéraires juives depuis
le Moyen Age; l'expression « le sachet de vie » se trouve déjà dans une
inscription juive du vi^e siècle, à Tortose.

e) Cf. **13** 14, avec l'emploi du même mot *nâgîd,* désignant le chef choisi
par Yahvé, cf. la note sur **9** 16.

justice de ta main. Quand Yahvé aura fait du bien à Monseigneur, souviens-toi de ta servante. »

[32] David répondit à Abigayil : « Béni soit Yahvé, Dieu
d'Israël, qui t'a envoyée aujourd'hui à ma rencontre.
[33] Bénie soit ta sagesse et bénie sois-tu, pour m'avoir
retenu aujourd'hui d'en venir au sang et de me faire justice
de ma propre main ! [34] Mais, par la vie de Yahvé, Dieu
d'Israël, qui m'a empêché de te faire du mal, si tu n'étais
pas venue aussi vite au-devant de moi, je jure que, d'ici
au lever du matin, il ne serait pas resté à Nabal un seul
mâle. » [35] David reçut ce qu'elle lui avait apporté et il lui
dit : « Remonte en paix chez toi. Vois : je t'ai exaucée et
je t'ai fait grâce. »

[36] Quand Abigayil arriva chez Nabal, il festoyait dans
sa maison. Un festin de roi : Nabal était en joie et complè-
tement ivre; aussi, jusqu'au lever du jour, elle ne lui
révéla rien. [37] Le matin, quand Nabal eut cuvé son vin, sa
femme lui raconta cette affaire : alors son cœur mourut
dans sa poitrine et il devint comme une pierre[a]. [38] Une
dizaine de jours plus tard, Yahvé frappa Nabal et il mourut.

[39] Ayant appris que Nabal était mort, David dit : « Béni
soit Yahvé qui m'a rendu justice pour l'injure que j'avais
reçue de Nabal : Yahvé a prévenu son serviteur de commettre le mal et il a fait retomber la méchanceté de Nabal
sur sa propre tête. »

David envoya demander Abigayil en mariage. [40] Les
serviteurs de David vinrent donc trouver Abigayil à Karmel et lui dirent : « David nous a envoyés vers toi pour te
prendre comme sa femme. » [41] D'un mouvement, elle se
prosterna la face contre terre et dit : « Ta servante est
comme une esclave, pour laver les pieds des serviteurs

---

a) C'est une première attaque d'apoplexie; la seconde l'emportera, v. 38.

de Monseigneur. » ⁴² Vite, Ábigayil se releva et monta sur un âne; suivie par cinq de ses servantes, elle partit derrière les messagers de David et elle devint sa femme.

⁴³ David avait aussi épousé Ahinoam de Yizréel^a, et il les eut toutes deux pour femmes. ⁴⁴ Saül avait donné sa fille Mikal, femme de David, à Palti, fils de Layish, de Gallim^b.

– 24

David épargne Saül^c.

26. ¹ Les gens de Ziph^d vinrent à Gibéa et dirent à Saül : « Est-ce que David ne se cache pas sur la colline de Hakila^e, à l'orée de la steppe ? » ² S'étant mis en route, Saül descendit au désert de Ziph, accompagné de trois mille hommes, l'élite d'Israël, pour traquer David dans le désert de Ziph. ³ Saül campa à la colline de Hakila, qui est à l'orée de la steppe, auprès de la route. David, qui séjournait au désert, vit que Saül était venu l'y poursuivre. ⁴ David envoya des espions

---

a) Non pas la ville de la Palestine du Nord, qui deviendra la résidence secondaire des rois d'Israël, mais une ville du même nom aux environs de Karmel, Jos **15** 56. Ahinoam avait été épousée la première, elle est la mère de son fils aîné Amnon, 2 S **3** 2; cf. 1 S **27** 3; **30** 5; 2 S **2** 2.

b) Un peu au nord de Jérusalem, cf. Is **10** 30, peut-être au Khirbet Qâqûl. On retrouvera Mikal et son mari à 2 S **3** 13-16.

c) Ce récit est tellement semblable, dans son intention, ses péripéties, l'attitude de ses acteurs et jusque dans l'expression à celui du ch. **24** qu'on ne peut envisager que deux hypothèses. Ou bien ce sont deux événements analogues, moulés dans la même forme par la tradition orale puis écrite; ou bien, c'est un doublet, deux manières parallèles de raconter la générosité de David et son respect religieux pour le caractère sacré du roi. La seconde hypothèse est plus probable et n'exclut pas une influence réciproque des deux récits dans leur rédaction finale. De petites inconséquences du texte font penser que cette seconde tradition était elle-même composite : on racontait tantôt que David seul, vv. 5, 12, était allé prendre la lance du roi, v. 22, tantôt que David et Abishaï, vv. 6 s, 11, avaient pris la lance et la gourde de Saül, vv. 11, 12, 16.

d) Ils jouent le même rôle de traîtres qu'à **23** 19 s.

e) Le nom se conserve peut-être à Dahret el Kôlâ, « la hauteur de Kôlâ », entre Ziph et Engaddi.

et il sut que Saül était effectivement arrivé[a]. [5] Alors David
se mit en route et arriva au lieu où Saül campait. Il vit
l'endroit où étaient couchés Saül et Abner, fils de Ner, le
chef de son armée : Saül était couché dans le campement
et la troupe bivouaquait autour de lui.

[6] David, s'adressant à Ahimélek le Hittite[b] et à Abishaï,
fils de Çeruya et frère de Joab[c], leur dit : « Qui veut
descendre avec moi au camp, jusqu'à Saül ? » Abishaï
répondit : « C'est moi qui descendrai avec toi. » [7] Donc
David et Abishaï se dirigèrent de nuit vers la troupe : ils
trouvèrent Saül étendu et dormant dans le campement,
sa lance plantée en terre à son chevet[d], et Abner et l'armée
étaient couchés autour de lui.

[8] Alors Abishaï dit à David : « Aujourd'hui Dieu a
livré ton ennemi en ta main. Eh bien, laisse-moi le clouer
à terre avec sa propre lance[e], d'un seul coup et je n'aurai
pas à lui en donner un second ! » [9] Mais David dit à Abishaï : « Ne le tue pas ! Qui pourrait porter la main sur l'oint
de Yahvé et rester impuni ? » [10] David ajouta : « Aussi
vrai que Yahvé est vivant, c'est lui qui le frappera, soit
que son jour arrive et qu'il meure, soit qu'il descende au
combat et qu'il y périsse. [11] Mais que Yahvé me garde de

---

26 8. « *à terre avec sa propre lance* » baḥănîtô bâ'âreṣ *conj.*; « *avec la lance et
en terre* » baḥănît ûbâ'âreṣ *H.*

---

a) « Effectivement, pour sûr » est un sens possible de l'hébreu *'èl nâkôn,*
mais on attend une indication de lieu, ici et à **23** 23 où l'expression se
retrouve. Ici, les témoins grecs ont « de Qéïla » ou bien « à Çiqlag »
Cependant, il serait arbitraire de corriger; on peut aussi interpréter l'hébreu
les deux fois, au sens de « à tel endroit ».

b) Ce compagnon de David n'est pas mentionné ailleurs.

c) Abishaï et Joab sont les neveux de David, par sa sœur Çeruya, cf. 1 Ch
2 16.

d) Sur ce thème de la lance de Saül, voir la note sur **18** 11. Dans les
campements arabes, la lance dressée marquait la tente du chef.

e) Comme Saül avait voulu faire contre David, **18** 11; **19** 10.

9

porter la main sur l'oint de Yahvé ! Maintenant, prends
donc la lance qui est à son chevet et la gourde d'eau, et
allons-nous en. » [12] David prit du chevet de Saül la lance
et la gourde d'eau et ils s'en allèrent : personne n'en vit
rien, personne ne le sut, personne ne s'éveilla, ils dor-
maient tous, car un profond sommeil venant de Yahvé[a]
s'était abattu sur eux.

[13] David passa de l'autre côté[b] et se tint sur le sommet
de la montagne au loin; il y avait un grand espace entre
eux. [14] Alors David appela l'armée et Abner, fils de Ner :
« Ne vas-tu pas répondre, Abner ? » dit-il. Et Abner
répondit : « Qui es-tu, toi qui appelles ? » [15] David dit à
Abner : « N'es-tu pas un homme ? Et qui est ton pareil
en Israël ? Pourquoi donc n'as-tu pas veillé sur le roi ton
maître ? Car quelqu'un du peuple est venu pour tuer le
roi ton maître. [16] Ce n'est pas bien ce que tu as fait. Aussi
vrai que Yahvé est vivant, vous êtes dignes de mort pour
n'avoir pas veillé sur votre maître, l'oint de Yahvé. Maintenant, regarde donc où est la lance du roi et où est la
gourde d'eau qui était à son chevet[c] ! »

[17] Or Saül reconnut la voix de David, et il demanda :
« Est-ce bien ta voix, mon fils David ? » — « Oui, Monseigneur le roi », répondit David. [18] Et il continua : « Pourquoi donc Monseigneur poursuit-il son serviteur ? Qu'ai-je
fait et de quoi suis-je coupable ? [19] Maintenant, que
Monseigneur le roi veuille écouter les paroles de son ser-

---

12. « *du chevet* » G Syr Targ ; « *au chevet* » H.
14. *Après* « *qui appelles* », H *ajoute* « *le roi* »; *omis par* G.
16. « *et où est la cruche* » Targ ; « *et la cruche* » H.

---

a) Comme le sommeil d'Adam, Gn **2** 21, et celui d'Abraham, Gn **15** 12.
b) Sur l'autre versant de la vallée.
c) David ne montre pas les gages qu'il a pris (c'est la nuit), il invite
Abner à constater leur disparition.

viteur : si c'est Yahvé qui t'excite contre moi, qu'il soit
apaisé par une offrande[a], mais si ce sont des humains, qu'ils
soient maudits devant Yahvé, car ils m'ont banni aujour-
d'hui, en sorte que je ne participe plus à l'héritage de
Yahvé, comme s'ils disaient : ' Va servir des dieux étrangers[b] ! ' 20 Maintenant, que mon sang ne soit pas répandu
à terre loin de la présence de Yahvé[c] ! En effet, le roi
d'Israël est sorti à la quête de ma vie, comme on pourchasse la perdrix dans les montagnes. »

21 Saül dit : « J'ai péché ! Reviens, mon fils David, je
ne te ferai plus de mal, puisque ma vie a eu aujourd'hui
tant de prix à tes yeux. Oui, j'ai agi en insensé et je me suis
très lourdement trompé. » 22 David répondit : « Voici la
lance du roi. Que l'un des garçons traverse et vienne la
prendre. 23 Yahvé rendra à chacun selon sa justice et sa
fidélité : aujourd'hui Yahvé t'avait livré entre mes mains
et je n'ai pas voulu porter la main contre l'oint de Yahvé.

---

20. « *de ma vie* » G ; « *d'une simple puce* » H, *influencé par* 24 15.
23. « *entre mes mains* » *certains Mss G* ; « *en main* » H.

---

a) Litt. « qu'il respire l'odeur d'une offrande », cf. Gn 8 21.
b) Yahvé était tellement lié avec le pays d'Israël, son « héritage », qu'on
ne pensait pas pouvoir l'honorer à l'étranger, où régnaient d'autres dieux.
Ainsi Naaman emportera à Damas un peu de terre d'Israël, 2 R 5 17.
Forcer David à s'exiler, c'est le condamner à abandonner Yahvé. Ce qui
présuppose le ch. 27. Mais il y a peut-être plus : David dit qu'il est dès
maintenant banni, v. 19, il craint que son sang ne soit versé loin de Yahvé,
parce que le roi le pourchasse, v. 20. Il semble donc que David se considère
déjà hors de « l'héritage de Yahvé ». Faut-il penser que cet héritage se
restreint à ce qui est proprement le pays de Juda, compris comme à 22 5
et 23 3 ? Peut-être aussi excluait-on de cet héritage le désert, terre maudite
où l'action bienfaisante de Yahvé ne s'exerçait pas, le domaine des satyres,
de Lilit et d'Azazel, Is 13 21; 34 13-14; Lv 16 10.
c) Semble confirmer la suggestion faite à la note précédente : David ne
veut pas mourir de la main de Saül, hors de la présence de Yahvé, au désert
où son sang ne sera pas vengé. Comp. Caïn chassé au désert, loin de la
face de Yahvé, et dont la vengeance doit être assurée par une mesure
spéciale, Gn 4 14-15.

²⁴ De même que ta vie a compté beaucoup à mes yeux en ce jour, ainsi ma vie comptera beaucoup au regard de Yahvé et il me délivrera de toute angoisse. »

²⁵ Saül dit à David : « Béni sois-tu, mon fils David. Certainement tu profiteras et tu réussiras *a*. » David alla son chemin et Saül retourna chez lui.

IV. DAVID CHEZ LES PHILISTINS

= 21 11-16

David se réfugie à Gat.

27. ¹ David se dit en lui-même : « Un de ces jours, je vais périr par la main de Saül, je n'ai rien de mieux à faire que de me sauver au pays des Philistins *b*. Saül renoncera à me traquer encore dans tout le territoire d'Israël et j'échapperai à sa main. » ² Donc David se mit en route et passa, avec les six cents hommes qu'il avait, chez Akish, fils de Maok, le roi de Gat *c*. ³ David s'établit auprès d'Akish à Gat, lui et ses hommes, chacun avec sa famille, David avec ses deux femmes, Ahinoam de Yizréel et Abigayil, la femme de Nabal de Karmel. ⁴ On informa Saül que David s'était enfui à Gat et il cessa de le chercher.

----

27 1. « *que de me sauver* » kî 'im 'immâlệt *G* ; « *car je me sauverai sûrement* » kî himmâlệt 'immâlệt *H*.

3. « *de Nabal de Karmel* » *G cf.* 2 *S* 2 2 ; 3 3 ; « *de Nabal, la Karmélite* » *H*.

----

a) A **24** 21, Saül prédisait explicitement la royauté de David.

b) C'était un sûr moyen d'échapper à Saül, mais ce passage apparent à l'ennemi mettait David dans une situation fausse, dont il ne se tirera que par son habileté, vv. 8-12, et servi par les circonstances, ch. **29**. Paradoxalement, cet exil lui permettra de recruter des partisans et de préparer son accession au trône, **30** 26-31.

c) Comp. la tradition indépendante de **21** 11-16.

**David vassal
des Philistins.**

⁵ David dit à Akish : « Je t'en prie, si j'ai trouvé faveur à tes yeux, qu'on me donne une place dans l'une des villes de l'extérieur, où je puisse résider. Pourquoi ton serviteur demeurerait-il à côté de toi dans la ville royale ? » ⁶ Ce même jour, Akish lui donna Çiqlag*a*. C'est pourquoi Çiqlag a appartenu jusqu'à maintenant aux rois de Juda*b*. ⁷ La durée du séjour que David fit en territoire philistin fut d'un an et quatre mois*c*.

⁸ David et ses gens partirent en razzia contre les Geshurites, les Girzites et les Amalécites*d*, car telles sont les tribus habitant la région qui va de Télam*e* en direction de Shur*f* et jusqu'à la terre d'Égypte. ⁹ David dévastait le pays et ne laissait en vie ni homme ni femme, il enlevait le petit et le gros bétail, les ânes, les chameaux et les vêtements et revenait apporter le tout à Akish. ¹⁰ Quand Akish demandait : « Où avez-vous fait la razzia aujourd'hui ? », David répondait que c'était contre le Négeb de Juda ou

---

8. « *Télam* » certains Mss grecs, cf. **15** 4, 7 ; « *depuis toujours* » mé'ôlâm H.
9. « *apporter (et apportait)* » wayyâbê' *conj.* ; « *et rentrait* » wayyâbo' H.
10. « *où* » 'ân *certains Mss Targ Syr (cf.* « *chez qui* » G Vulg) ; « *ne... pas* » 'al H.

---

a) Probablement Tell el-Khuweilfé, à la frontière de Philistie, au nord-nord-est de Bersabée. Akish donne la ville en fief à David, comptant sur sa troupe pour faire la police du désert voisin.
b) C'est-à-dire qu'elle était une terre du domaine privé du roi.
c) Comp. **29** 3.
d) Sur les Amalécites, voir le ch. **15**. Les Geshurites sont nommés à côté de la Philistie en Jos **13** 2. Les Girzites ne sont pas mentionnés ailleurs, et la tradition textuelle est incertaine (Qerê lit « Gézérites », une partie du grec les omet), mais les corrections proposées sont improbables.
e) Site du Négeb, qui fut la base de l'expédition de Saül contre les Amalécites, **15** 4.
f) Donné déjà, dans **15** 7, comme limite du territoire amalécite.

le Négeb de Yerahméel ou le Négeb des Qénites[a]. [11] David ne laissait ni homme ni femme à ramener vivants à Gat, « de peur, se disait-il, qu'ils ne fassent des rapports contre nous en disant : ' Voilà ce que David a fait '. » Telle fut sa manière d'agir tout le temps qu'il séjourna en territoire philistin. [12] Akish avait confiance en David; il se disait : « Il s'est sûrement rendu odieux[b] à Israël son peuple et il sera pour toujours mon serviteur. »

28. [1] Or, en ce temps-là,

Les Philistins partent en guerre contre Israël[c].

les Philistins rassemblèrent leurs troupes en guerre pour combattre Israël, et Akish dit à David : « Sache bien que tu iras à l'armée avec moi, toi et tes hommes. » [2] David répondit à Akish : « Aussi bien, tu sauras maintenant ce que va faire ton serviteur. » Alors Akish dit à David : « Eh bien ! Je t'instituerai pour toujours mon garde du corps. »

---

28 2. « *maintenant* » 'attâh *G Vulg ;* « *toi* » 'attâh *H.*

---

a) Le Négeb est la région peu habitée et surtout pastorale, qui s'étend dans le sud de la Palestine. On y distingue ici le Négeb de Juda, à l'extrémité du territoire judéen, le Négeb des Qénites à l'est du précédent, et le Négeb de Yerahméel probablement plus au sud. Le texte de **30** 14 y ajoute le Négeb des Kérétiens et le Négeb de Caleb. David présente donc comme dirigées contre les Judéens et leurs alliés, des razzias qu'il opère contre les maraudeurs du désert et qui doivent lui concilier les Judéens. Si cette habileté lui assure la confiance d'Akish, v. 12, elle choque notre sens de la vérité, comme son traitement des prisonniers, v. 11, choque la simple humanité. Mais la morale de l'A. T. était encore imparfaite.

b) Cf. la note sur 2 S **10** 6.

c) Cela devait arriver et mettre David dans une tragique situation. A l'ordre de mobilisation qu'il reçoit de son suzerain, David fait une réponse ambiguë qu'Akish prend pour l'annonce de prouesses guerrières. Pas un instant David n'a songé à se battre contre Israël, mais il compte sur les circonstances, qui le serviront en effet, voir la suite du récit au ch. **29**.

Saül et la sorcière	[3] Samuel était mort, tout Israël avait fait son deuil et on l'avait enseveli à Rama, dans sa ville. Saül avait
d'En-Dor[a]	

expulsé du pays les nécromants et les devins.

[4] Tandis que les Philistins, s'étant groupés, venaient camper à Shunem[b], Saül rassembla tout Israël et ils campèrent à Gelboé[c]. [5] Lorsque Saül vit le camp philistin, il eut peur et son cœur trembla fort. [6] Saül consulta Yahvé, mais Yahvé ne lui répondit pas, ni par les songes, ni par les oracles[d], ni par les prophètes. [7] Saül dit alors à ses serviteurs : « Cherchez-moi une nécromancienne, que j'aille chez elle et que je la consulte », et ses serviteurs lui répondirent : « Il y a une nécromancienne à En-Dor[e]. »

[8] Saül se déguisa[f] et endossa d'autres vêtements, puis

---

3. « *dans sa ville* » *certains Mss G Vulg* ; « *et dans sa ville* » H.

a) La nécromancie était pratiquée en Israël, 2 R **21** 6; Is **8** 19, bien qu'elle fût défendue par la loi, Lv **19** 31; **20** 6 et 27; Dt **18** 11, et ici même, v. 9, mais cet exemple concret est unique dans l'A. T. Alors que le narrateur semble partager la croyance populaire aux revenants, tout en considérant leur évocation comme illicite, les Pères et les commentateurs se sont préoccupés de donner une explication du fait. Trois solutions ont été proposées : intervention divine, intervention démoniaque, tromperie de la femme. On peut admettre que la scène se préparait comme les séances de ce genre, avec crédulité de la part de Saül et supercherie de la part de la femme, mais que Dieu permit à l'âme de Samuel de se manifester vraiment (d'où la frayeur de la femme) et d'annoncer l'avenir. C'est la solution d'Origène et déjà, semble-t-il, des Septante qui, à 1 Ch **10** 13 : « Saül pécha en consultant la nécromancienne », ajoutent : « et c'est Samuel qui lui prophétisa »; cf. aussi Si **46** 20.

b) Aujourd'hui Sulem dans la plaine de Yizréel. A **29** 1, les Philistins sont encore à Apheq : le récit n'est donc pas à sa place chronologique.

c) Le mont Gelboé, aujourd'hui Djebel Fuqu'a, fermait la plaine de Yizréel, au sud de Shunem.

d) En hébreu '*ûrîm*, les sorts sacrés, cf. **14** 41.

e) L'actuel village d'Endor, au sud du Thabor et au nord de Shunem. Saül, pour s'y rendre, devra donc contourner le camp philistin.

f) Comme la femme de Jéroboam se déguise pour consulter le prophète Ahiyya, 1 R **14** 2.

il partit avec deux hommes et ils arrivèrent de nuit chez la femme. Il lui dit : « Je t'en prie, fais-moi dire l'avenir par un revenant, et évoque[a] pour moi celui que je te dirai. » [9] Mais la femme lui répondit : « Voyons, tu sais toi-même ce qu'a fait Saül et comment il a supprimé du pays les nécromants et les devins. Pourquoi tends-tu un piège à ma vie pour me faire mourir ? » [10] Alors Saül lui fit ce serment par Yahvé : « Aussi vrai que Yahvé est vivant, dit-il, tu n'encourras aucun blâme pour cette affaire. » [11] La femme demanda : « Qui faut-il évoquer pour toi ? » et il répondit : « Évoque-moi Samuel. »

[12] Alors la femme vit Samuel et, poussant un grand cri, elle dit à Saül : « Pourquoi m'as-tu trompée ? Tu es Saül[b] ! » [13] Le roi lui dit : « N'aie pas peur ! Mais que vois-tu ? » et la femme répondit à Saül : « Je vois un spectre[c] qui monte de la terre[d]. » [14] Saül lui demanda : « Quelle apparence a-t-il ? » et la femme répondit : « C'est un vieillard qui monte, il est drapé dans un manteau[e]. » Alors Saül sut que c'était Samuel et, s'inclinant la face contre terre, il se prosterna.

[15] Samuel dit à Saül : « Pourquoi as-tu troublé mon repos en m'évoquant ? » — « C'est, répondit Saül, que je suis dans une grande angoisse : les Philistins me font la guerre et Dieu s'est détourné de moi, il ne me répond plus, ni par les prophètes, ni en songe. Alors je t'ai appelé pour que tu m'indiques ce que je dois faire. » [16] Samuel dit :

---

a) Litt. « fais monter », cf. v. 13.

b) La femme connaît les rapports que Samuel a eus avec Saül. Si, à son grand effroi, le prophète défunt se manifeste (voir la note *a*, p. 135), c'est que le consultant est le roi d'Israël !

c) En hébreu « un élohim », un être surhumain, comp. Gn. **3** 5 ; Ps **8** 6. Seulement ici appliqué aux morts.

d) Il monte du shéol, le séjour souterrain des morts.

e) Le manteau de Samuel, **15** 27.

« Pourquoi me consulter, quand Yahvé s'est détourné de toi et est devenu ton adversaire[a] ? [17] Yahvé t'a fait comme il t'avait dit par mon entremise : il a arraché de ta main la royauté et l'a donnée à ton prochain, David, [18] parce que tu n'as pas obéi à Yahvé et que tu n'as pas satisfait l'ardeur de sa colère contre Amaleq. C'est pour cela que Yahvé t'a traité de la sorte aujourd'hui. [19] De plus, Yahvé livrera, en même temps que toi, ton peuple Israël aux mains des Philistins. Demain, toi et tes fils, vous serez avec moi[b] ; le camp d'Israël aussi, Yahvé le livrera aux mains des Philistins. »

[20] Aussitôt Saül tomba à terre de tout son long. Il était terrifié par les paroles de Samuel ; de plus, il était sans force, n'ayant rien mangé de tout le jour et de toute la nuit. [21] La femme vint à Saül, et, le voyant épouvanté, elle lui dit : « Vois, ta servante t'a obéi, j'ai risqué ma vie et j'ai obéi aux ordres que tu m'avais donnés. [22] Maintenant, je t'en prie, écoute à ton tour la voix de ta servante : laisse-moi te servir un morceau de pain, mange et prends des forces pour te remettre en route. » [23] Saül refusa : « Je ne mangerai pas », dit-il. Mais ses serviteurs le pressèrent, ainsi que la femme, et il céda à leurs instances. Il se leva de terre et s'assit sur le divan. [24] La femme avait chez elle un veau à l'engrais. Vite, elle l'abattit et, prenant de la farine, elle pétrit et fit cuire des pains sans levain. [25] Elle servit Saül et

---

17. « *t'a fait* » *quelques Mss G Vulg ;* « *s'est fait* » *H, également possible.*

---

a) Tout le passage se réfère, même dans les termes, au récit de la campagne contre les Amalécites, ch. **15**, spécialement vv. 27-28.

b) Annonce de la fin tragique de la famille royale, **31** 2-6. Le shéol est le séjour commun de tous les morts, qu'ils soient bons ou méchants. La doctrine des récompenses et des châtiments d'outre-tombe s'est développée très lentement et n'apparaît clairement qu'à la fin de l'A. T. dans Sg **3-5**, en liaison avec la croyance à l'immortalité.

ses gens. Ils mangèrent, puis se levèrent et partirent cette
même nuit.

29. ¹ Les Philistins con-
David est congédié   centrèrent toutes leurs trou-
par les chefs philistinsᵃ· pes à Apheq ᵇ, tandis que
les Israélites campaient à la
source qui est en Yizréel ᶜ. ² Les princes des Philistins défilaient par centuries et par milliers, et David et ses hommes
défilaient les derniers avec Akish. ³ Les princes des Philistins demandèrent : « Qu'est-ce que ces Hébreux ? » et
Akish répondit aux princes des Philistins : « Mais c'est
David, le serviteur de Saül, roi d'Israël ! Voici un an ou
deux qu'il est avec moi et je n'ai trouvé aucun reproche
à lui faire depuis le jour qu'il s'est rendu à moi jusqu'à
maintenant. » ⁴ Les princes des Philistins s'emportèrent
contre lui et ils lui dirent : « Renvoie cet homme et qu'il
retourne au lieu que tu lui as assigné. Qu'il ne vienne pas
en guerre avec nous et ne se retourne pas contre nous
dans le combat ! Comment celui-là achèterait-il la faveur
de son maître, sinon avec la tête des hommes que voici ?
⁵ N'est-il pas ce David, duquel on chantait dans les
chœurs :

« Saül a tué ses milliers
et David ses myriades ᵈ ? »

---

29 3. *« un ou deux ans » G VetLat ; « des jours ou des années » H. — « s'est
rendu à moi » G ; « s'est rendu » H.*

---

a) Suite immédiate de **28** 2.
b) A la source du fleuve de Jaffa. C'était déjà le point de concentration
des Philistins à **4** 1.
c) Le nom paraît désigner ici non la ville mais la plaine de Yizréel.
La source serait celle de En-Harod, Jg **7** 1, au pied du mont Gelboé,
aujourd'hui 'Aïn Djalud.
d) Voir **18** 7; **21** 12.

⁶ Akish appela donc David et lui dit : « Aussi vrai que
Yahvé est vivant*ᵃ*, tu es loyal et il me plairait que tu
m'accompagnes dans les mouvements de l'armée, car je
n'ai rien trouvé de mauvais en toi depuis le jour que tu es
venu chez moi jusqu'à maintenant. Mais tu n'es pas bien
vu des princes. ⁷ Donc retourne et va-t'en en paix, pour
ne pas indisposer les princes des Philistins. »

⁸ David dit à Akish*ᵇ* : « Qu'ai-je donc fait et qu'as-tu à
reprocher à ton serviteur depuis le jour où je suis entré
à ton service jusqu'à maintenant, pour que je ne puisse
pas venir et combattre les ennemis de Monseigneur le
roi ? » ⁹ Akish répondit à David : « Tu sais que tu m'es
aussi agréable qu'un ange de Dieu*ᶜ*, seulement les princes
des Philistins ont dit : ' Il ne faut pas qu'il aille au combat
avec nous. ' ¹⁰ Donc lève-toi de bon matin avec les serviteurs de ton maître*ᵈ* qui sont venus avec toi, et allez à
l'endroit que je vous ai assigné. Ne garde en ton cœur
aucun ressentiment, car tu m'es agréable. Vous vous lève-
rez de grand matin et, dès qu'il fera jour, vous partirez. »

¹¹ David et ses hommes se levèrent de bonne heure pour
partir dès le matin et retourner au pays philistin. Quant
aux Philistins, ils montèrent en Yizréel.

---

9. « *Tu sais* » conj.; « *Je sais* » H.
10. « *et allez... tu m'es agréable* » G *VetLat ; omis par* H.

---

a) Ce serment yahviste dans la bouche du Philistin est une inconsé-
quence de la part du narrateur, qui se place au point de vue israélite.
De même dans la formulation du v. 9.

b) David est ravi de sortir d'une situation embarrassante, mais il ne
quittera pas le naïf Akish sans de grandes protestations de fidélité (remarquer la pointe d'humour, commune aux récits sur les Philistins).

c) Encore une formule israélite, cf. 2 S **14** 17, 20; **19** 28, toujours à
propos de David.

d) Saül et non pas Akish lui-même, cf. vv. 3 et 4. Aux yeux d'Akish,
David a trahi Saül avec la troupe qu'il commandait, mais les autres princes
craignent qu'il ne trahisse maintenant les Philistins.

30. [1] David et ses hommes arrivèrent à Çiqlag le surlendemain. Or les Amalécites avaient fait une razzia au Négeb et contre Çiqlag[a]; ils avaient dévasté Çiqlag et l'avaient livrée au feu. [2] Ils avaient fait captifs les femmes et tous ceux qui y étaient, petits et grands[b]. Ils n'avaient tué personne, mais ils avaient emmené les prisonniers[c] et continué leur chemin. [3] Lors donc que David et ses hommes arrivèrent à la ville, ils virent qu'elle était brûlée et que leurs femmes, leurs fils et leurs filles avaient été enlevés. [4] Alors David et toute la troupe qui l'accompagnait se mirent à crier et à pleurer jusqu'à ce qu'ils n'en eussent plus la force. [5] Les deux femmes de David avaient été emmenées captives, Ahinoam de Yizréel et Abigayil, la femme de Nabal de Karmel.

Campagne contre les Amalécites.

[6] David était en grande détresse, car les gens parlaient de le lapider; tous avaient en effet l'âme pleine d'amertume, chacun à cause de ses fils et de ses filles. Mais David retrouva courage en Yahvé son Dieu. [7] David dit au prêtre Ébyatar, fils d'Ahimélek : « Je t'en prie, apporte-moi l'éphod » et Ébyatar apporta l'éphod à David. [8] Alors David consulta Yahvé et demanda : « Poursuivrai-je ce rezzou[d] et l'atteindrai-je ? » La réponse fut : « Poursuis, car sûrement tu l'atteindras et tu libéreras les captifs. »

---

30 2. « *et tous ceux* » G ; *omis par* H.

---

a) En représaille des razzias de David, **27** 8.

b) Les enfants et les vieillards; tous les hommes valides étaient avec David.

c) Pour les vendre comme esclaves, sans doute en Égypte.

d) C'est le nom, emprunté à l'arabe, qui désigne la bande partie en razzia. Cela correspond exactement au mot et à la chose de l'hébreu.

⁹ David partit avec les six cents hommes qui l'accompagnaient et ils arrivèrent au torrent de Besor*a*. ¹⁰ David continua la poursuite avec quatre cents hommes, mais deux cents restèrent, qui étaient trop fatigués pour franchir le torrent de Besor*b*.

¹¹ On trouva un Égyptien dans la campagne et on l'amena à David. On lui donna du pain, qu'il mangea, et on lui fit boire de l'eau. ¹² On lui donna aussi une masse de figues et deux grappes de raisins secs. Il mangea et ses esprits lui revinrent; en effet, il n'avait rien mangé ni rien bu depuis trois jours et trois nuits. ¹³ David lui demanda : « A qui appartiens-tu et d'où es-tu ? » Il répondit : « Je suis un jeune Égyptien, esclave d'un Amalécite. Mon maître m'a abandonné parce que j'étais malade, voici aujourd'hui trois jours. ¹⁴ Nous avons fait la razzia contre le Négeb des Kerétiens et celui de Juda et contre le Négeb de Caleb*c*, et nous avons incendié Çiqlag. » ¹⁵ David lui demanda : « Veux-tu me guider vers ce rezzou ? » Il répondit : « Jure-moi par Dieu que tu ne me feras pas mourir et que tu ne me livreras pas à mon maître, et je te guiderai vers ce rezzou. »

¹⁶ Il l'y conduisit donc, et voici qu'ils étaient disséminés par toute la contrée, mangeant, buvant et faisant la fête, à cause de tout le grand butin qu'ils avaient rapporté du

---

9. *A la fin du v., le texte ajoute « et le reste demeura », glose du v.* 10ᵇ.
13. *« trois jours » Vers.; H omet « jours ».*

---

a) Un wady indéterminé du Négeb.
b) La poursuite venait après trois jours de marche forcée : d'Apheq à Çiqlag, il y a une bonne centaine de km.
c) Voir la note sur **27** 10. Les Kerétiens sont apparentés aux Philistins et David recrutera chez eux une partie de sa garde, 2 S **8** 18; **15** 18, etc. Le Négeb des Kerétiens occupait le sud de la Philistie; le Négeb de Caleb désigne une région au sud d'Hébron.

pays des Philistins et du pays de Juda. [17] David les mas-
sacra, depuis l'aube jusqu'au soir, les vouant à l'anathème.
Personne n'en réchappa, sauf quatre cents jeunes hommes,
qui montèrent sur les chameaux et s'enfuirent. [18] David
délivra tout ce que les Amalécites avaient pris — David
délivra aussi ses deux femmes[a]. [19] Rien ne fut perdu pour
eux, depuis les moindres choses jusqu'aux plus importantes, depuis le butin jusqu'aux fils et aux filles, tout ce
qui leur avait été enlevé : David ramena tout. [20] Ils prirent
tout le petit et le gros bétail et le poussèrent devant lui
en disant : « Voilà le butin de David[b] ! »

[21] David arriva auprès des deux cents hommes qui
avaient été trop fatigués pour le suivre et qu'ils avait laissés
au torrent de Besor. Ils vinrent au devant de David et
de la troupe qui l'accompagnait; David s'approcha avec
la troupe et leur demanda comment ils allaient. [22] Mais
tous les méchants et les vauriens parmi les gens qui étaient
allés avec David prirent la parole et dirent : « Puisqu'ils
ne sont pas venus avec nous, qu'on ne leur donne rien du
butin que nous avons sauvé, sauf à chacun sa femme et
ses enfants; qu'ils les emmènent et s'en aillent ! » [23] Mais

---

17. « *les vouant à l'anathème* » lᵉhèḥĕrimâm *conj.*; « *à leur lendemain* »
lᵉmoḥŏrâtâm *H.*

19. « *depuis le butin jusqu'aux fils et aux filles, tout* » *cf. G* ; « *jusqu'aux
fils et aux filles et depuis le butin à tout* » *H.*

20. « *Ils prirent* » *G Vulg* ; « *David prit* » *H.* — « *et le poussèrent devant
lui* » *cf. G Vulg* ; « *ils poussèrent devant ce bétail* » *H.*

21. « *qu'il avait* » *Vers.*; « *qu'ils avaient* » *H.*

22. « *avec nous* » *Vers.*; « *avec moi* » *H.*

23. « *ainsi après ce que* » kén 'aḥărê *Gᴮ*; « *ainsi mes frères* » kén 'èḥây *H.*

---

a) Cf. v. 5.

b) En plus de ce qu'ils avaient pris à Çiqlag, les Amalécites avaient
ramené un butin de leurs autres expéditions, cf. v. 14. Il tombe aux mains
des Israélites : le chef de la razzia a droit à une part spéciale, qu'il va utiliser
pour ses propres fins, v. 26; le reste est distribué à la troupe selon la règle
du v. 24.

David dit : « N'agissez pas ainsi après ce que Yahvé nous
a accordé : il nous a protégés et il a livré entre nos mains le
rezzou qui était venu contre nous. ²⁴ Qui serait de votre
avis dans cette affaire ? Car :

    Telle la part de celui qui descend au combat,
     telle la part de celui qui reste près des bagages.

Ils partageront ensemble. » ²⁵ Et, à partir de ce jour-là, il
fit de cela pour Israël une règle et une coutume qui per-
sistent encore aujourd'hui ᵃ.

²⁶ Arrivé à Çiqlag, David envoya des parts de butin aux
anciens de Juda, selon leurs villes, avec ce message :
« Voici pour vous un présent pris sur le butin des ennemis
de Yahvé »,
²⁷ à ceux de Betul,
    à ceux de Rama du Négeb,
    à ceux de Yattir,
²⁸ à ceux d'Aroër,
    à ceux de Siphmot,
    à ceux d'Eshtemoa,
²⁹ à ceux de Karmel,
    à ceux des villes de Yerahméel,
    à ceux des villes des Qénites,
³⁰ à ceux de Horma,
    à ceux de Bor-Ashân,
    à ceux de Éter,
³¹ à ceux d'Hébron

26. « *selon leurs villes* » leʿârêhèm *conj.*; « *à son ami* » leʿréʿéhû *H.*
27. « *Betul* » *cf. Jos* **19** 4; « *Béthel* » *H.* — « *Rama* » *cf. Jos* **19** 8; « *Ramot* » *H.*
29. « *Karmel* » *G ;* « *Rakal* » *H.*
30. « *Éter* » *cf. Jos* **15** 42; « *Atak* » *H.*

a) La même prescription sera attribuée à Moïse par Nb **31** 27.

et à tous les endroits que David avait fréquentés avec ses hommes*ᵃ*.

‖ ı Ch **10** ı-ı2

Bataille de Gelboé.
Mort de Saül*ᵇ*.

31. ¹ Les Philistins livrèrent bataille à Israël et les Israélites s'enfuirent devant les Philistins et tombèrent, frappés à mort, sur le mont Gelboé. ² Les Philistins serrèrent de près Saül et ses fils et ils tuèrent Jonathan, Abinadab*ᶜ* et Malki-Shua, les fils de Saül. ³ Le poids du combat se porta sur Saül. Les tireurs d'arc le surprirent et il fut blessé gravement par les tireurs. ⁴ Alors Saül dit à son écuyer : « Tire ton épée et transperce-moi, de peur que ces incirconcis ne viennent et ne se jouent de moi*ᵈ*. » Mais son écuyer ne voulut pas, car il était rempli d'effroi*ᵉ*. Alors Saül prit son épée et se jeta sur elle. ⁵ Voyant que Saül était mort, l'écuyer se jeta lui aussi sur son épée et mourut avec lui. ⁶ Ainsi Saül, ses trois fils et son écuyer moururent ensemble ce jour-là. ⁷ Lorsque les Israélites

---

31 ı. « *livrèrent* » *Ch ;* « *livraient* » *H.*

3. « *les tireurs d'arc* » *Ch ;* « *les tireurs, des hommes à l'arc* » *H.* — « *et il fut blessé* » wayyéḥêl *G ;* « *et il trembla* » wayyâḥèl *H Ch.*

4. *Après* « *ne viennent* » *H ajoute* « *et ne me transpercent* »; *omis par Ch.*

6. *Après* « *et son écuyer* » *H ajoute* « *aussi tous ses hommes* »; *omis par G.*

---

a) C'est une manière de payer l'hospitalité reçue et, surtout, de se faire des amis qui porteront David au trône, 2 S **2** 4. Les villes citées aux vv. 27-30, compte tenu des corrections textuelles et à l'exception de Siphmot inconnue par ailleurs, se retrouvent dans les listes de Jos **15** et **19** : toutes se localisent au sud d'Hébron.

b) Suite du ch. **28.** D'après **28** 4, les Philistins sont campés à Shunem, les Israélites sur le mont Gelboé. Le récit s'intéresse surtout au sort de Saül et de ses fils. Une autre tradition est conservée par 2 S **1** ı-ı6.

c) Il remplace ici Ishyo de **14** 49.

d) Cf. la mort d'Abimélek, Jg **9** 54, et ı R **16** 18; 2 M **14** 41 s. En dehors de ces épisodes guerriers, un seul cas de suicide dans tout l'Ancien Testament : 2 S **17** 23.

e) La crainte religieuse de porter la main sur le roi, cf. **26** 9; 2 S **1** 14.

qui étaient de l'autre côté de la vallée et qui étaient de l'autre côté du Jourdain*ᵃ* virent que les hommes d'Israël étaient en déroute et que Saül et ses fils avaient péri, ils abandonnèrent leurs villes et prirent la fuite. Les Philistins vinrent s'y établir.

⁸ Le lendemain, les Philistins, venus pour détrousser les morts, trouvèrent Saül et ses trois fils gisant sur le mont Gelboé. ⁹ Ils lui tranchèrent la tête et le dépouillèrent de ses armes*ᵇ*, qu'ils firent porter*ᶜ* à la ronde dans le pays philistin, pour annoncer la bonne nouvelle à leurs idoles et à leur peuple. ¹⁰ Ils déposèrent ses armes dans le temple d'Astarté; quant à son corps, ils l'attachèrent au rempart de Bet-Shân*ᵈ*.

¹¹ Lorsque les habitants de Yabesh de Galaad*ᵉ* apprirent

---

9. « *à leurs idoles* » G *VetLat* ; « *au temple de leurs idoles* » H.

---

a) Le grec et l'hébreu étant d'accord sur ce texte, il n'est pas légitime de considérer la mention de l'autre côté du Jourdain comme une glose ni de corriger deux fois « de l'autre côté » *beʿéber* en « dans les villes » *beʿârê*. Il s'agit des tribus de Galilée, au nord de la plaine de Yizréel, et des tribus de Transjordanie qui, donc, n'avaient pas pris part au combat, ce qui est intéressant pour déterminer l'étendue du pouvoir effectif de Saül. Le parallèle des Chroniques a seulement « dans la vallée ». En tout cas, l'expansion philistine qui aurait suivi, cf. la fin du v., ne doit pas être exagérée : les Philistins sont à Bet-Shân d'après le v. 10, mais il n'y a aucune preuve ni aucune probabilité qu'ils se soient jamais installés de l'autre côté du Jourdain; Yabesh de Galaad resta israélite, v. 11.

b) Comme David avait fait à Goliath, **17** 51.

c) D'autres traduisent : « et ils envoyèrent des messagers ». Les armes auraient été déposées à Bet-Shân, v. 10. Mais les Philistins n'avaient pas de temple à Bet-Shân, qu'ils n'occupèrent qu'après cette défaite. Les armes (et la tête ?) de Saül, promenées à travers le pays philistin, étaient le plus éloquent des messages, avant d'être placées comme trophées dans un temple, cf. **5** 2; **21** 10, en Philistie même, peut-être à Ashqelôn, dont Astarté était la grande déesse.

d) Aujourd'hui Beisân, dans la vallée du Jourdain, à l'est du mont Gelboé.

e) Ils avaient été naguère sauvés par Saül, ch. **11**, et veulent rendre les derniers hommages au défunt.

ce que les Philistins avaient fait à Saül, [12] tous les braves se mirent en route et, après avoir marché toute la nuit, ils enlevèrent du rempart de Bet-Shân les corps de Saül et de ses fils et, les ayant apportés à Yabesh, ils les y brûlèrent[a]. [13] Puis ils prirent leurs ossements, les ensevelirent sous le tamaris de Yabesh et jeûnèrent pendant sept jours[b].

---

12. « *les ayant apportés* » G Syr Ch ; « *étant revenus* » H.

---

a) Coutume étrangère à Israël, et c'est pourquoi 1 Ch **10** 12 a omis ce trait, mais il ne faut pas corriger le texte. Ce n'est d'ailleurs qu'une incinération partielle, puisque les os sont préservés, v. 13, et seront ensuite récupérés par David, 2 S **21** 13-14. Cela n'est donc pas comparable à Am **2** 1, mais cela semble être autre chose qu'un feu où l'on brûlait des aromates près du corps, pour les funérailles royales, d'après Jr **34** 5 ; 2 Ch **16** 14 ; **21** 19.

b) Sur le jeûne pour les morts, cf. 2 S **1** 12 ; **3** 35, et opposer 2 S **12** 21. Sur le deuil de sept jours, cf. Gn **50** 10 ; Jdt **16** 24 ; Si **22** 12.

DEUXIÈME LIVRE DE SAMUEL

David apprend la mort de Saül[a].

1. [1] Après la mort de Saül, David, revenant de battre les Amalécites, demeura deux jours à Çiqlag. [2] Le troisième jour, un homme arriva du camp, d'auprès de Saül. Il avait les vêtements déchirés et la tête couverte de poussière. En arrivant près de David, il se jeta à terre et se prosterna. [3] David lui dit : « D'où viens-tu ? » Il répondit : « Je me suis sauvé du camp d'Israël. » [4] David demanda : « Que s'est-il passé ? Informe-moi donc ! » L'autre dit : « C'est que le peuple s'est enfui de la bataille, et parmi le peuple beaucoup sont tombés. Même, Saül et son fils Jonathan sont morts[b] ! »

[5] David demanda au jeune porteur de nouvelles : « Comment sais-tu que Saül et son fils Jonathan sont morts ? » [6] Le jeune porteur de nouvelles répondit[c] : « Je me trouvais par hasard sur le mont Gelboé et je vis Saül

---

1 4. *Après « sont tombés », H ajoute « et sont morts », omis par G Syr.*

a) Ce récit, qui fait suite à 1 S 30, donne une version de la mort de Saül différente de celle de 1 S 31 1-13. Il est lui-même composite : d'après une forme de la tradition, un homme de l'armée vient annoncer la mort de Saül et de Jonathan; David et le peuple font le deuil, vv. 1-4 et 11-12. D'après l'autre forme, un jeune Amalécite se vante d'avoir tué Saül et rapporte les insignes royaux, espérant une récompense; il est exécuté sur l'ordre de David, vv. 5-10 et 13-16.
b) Toute la scène est très semblable à celle qui suit le désastre d'Ében-ha-Ézèr, 1 S 4 12-17.
c) D'après 1 S 31 3-4, Saül, blessé par les archers, se donne lui-même la mort. L'Amalécite va raconter tout autre chose. On peut admettre qu'il invente et qu'il a seulement dépouillé le cadavre, v. 10[b]. Mais, comme le narrateur ne met pas en doute ses paroles, vv. 14-16, il y a plutôt ici une autre tradition sur la mort de Saül.

s'appuyant sur sa lance et serré de près par les chars et
les cavaliers. ⁷ S'étant retourné, il m'aperçut et m'appela.
Je répondis : ' Me voici ! ' ⁸ Il me demanda : ' Qui es-tu ? '
et je lui dis : ' Je suis un Amalécite. ' ⁹ Il me dit alors :
' Approche-toi de moi et tue-moi, car je suis saisi de vertige, bien que ma vie soit tout entière en moi. ' ¹⁰ Je
m'approchai donc et lui donnai la mort, car je savais qu'il
ne survivrait pas, une fois tombé. Puis j'ai pris le diadème*ᵃ*
qu'il avait sur la tête et le bracelet qu'il avait au bras et je
les ai apportés ici à Monseigneur. »

¹¹ Alors David saisit ses vêtements et les déchira, et
tous les hommes qui étaient avec lui firent de même. ¹² Ils
se lamentèrent, pleurèrent et jeûnèrent jusqu'au soir*ᵇ* à
cause de Saül, de son fils Jonathan, du peuple de Yahvé et
de la maison d'Israël, parce qu'ils étaient tombés par l'épée.

¹³ David demanda au jeune porteur de nouvelles : « D'où
es-tu ? » et il répondit : « Je suis le fils d'un étranger en résidence*ᶜ*, d'un Amalécite. » ¹⁴ David lui dit : « Comment
n'as-tu pas craint d'étendre la main pour faire périr l'oint
de Yahvé*ᵈ* ? » ¹⁵ David appela l'un de ses garçons et dit :
« Approche et abats-le ! » Celui-ci le frappa et il mourut*ᵉ*.
¹⁶ David lui dit : « Que ton sang retombe sur ta tête*ᶠ*,

---

a) C'est l'insigne royal, cf. 2 R **11** 12; Ps **89** 40; **132** 18, qui sera trans-
féré au grand prêtre d'après l'Exil, cf. Ex **29** 6; Lv **8** 9. La traduction
« diadème » est d'ailleurs peu exacte : *nèzèr* signifie « consécration », ici
« signe de consécration ». La forme de cet insigne est indiquée par le nom
de *ṣîṣ*, qui lui est donné à propos du grand prêtre, Ex **39** 30; Lv **8** 9,
cf., pour le roi, Si hébr. **40** 4 : c'était une « fleur » d'or attachée à la coiffure.

b) Voir 1 S **31** 13, note.

c) Un *gér*, un immigrant vivant sous la protection des Israélites, Ex **22**
20; **23** 9, etc.

d) Comp. 1 S **24** 7, 11; **26** 9.

e) Allusion à cette mort dans **4** 10.

f) David s'adresse au mort : son sang ne criera pas vengeance (contre
David) car il a été justement exécuté, comp. 1 R **2** 32 et encore, pour
l'expression, **3** 29; 1 R **2** 33; Mt **27** 25; Ac **18** 6.

car ta bouche a témoigné contre toi, quand tu as dit :
' C'est moi qui ai donné la mort à l'oint de Yahvé '. »

**Élégie de David
sur Saül et Jonathan** [a].

[17] David entonna cette complainte sur Saül et sur son fils Jonathan. [18] Elle est écrite au livre du Juste [b], pour apprendre l'arc aux enfants de Juda [c]. Il dit :

[19] « La gloire d'Israël, sur tes hauteurs, est-elle
   Comment sont tombés les héros [e] ?   [meurtrie [d] ?

[20] Ne le publiez pas dans Gat,
   ne l'annoncez pas dans les rues d'Ashqelôn,
   que ne se réjouissent les filles des Philistins,
   que n'exultent les filles des incirconcis !

[21] Montagnes de Gelboé,
   ni rosée ni pluie sur vous,
   campagnes traîtresses,
   puisqu'y fut déshonoré le bouclier des héros !

---

18. *L'ordre des mots, bouleversé dans le texte, est rétabli d'après le sens.*
21. « *campagnes traîtresses* » śᵉdê tarmît *conj.*; « *et campagnes de prélève-
ment* » ûśᵉdê tᵉrûmôt H.

---

a) Cette pièce est certainement authentique. David y exprime, avec un
souffle poétique et guerrier, son admiration sincère pour Saül et son amitié
tendre pour Jonathan.

b) Ancien recueil poétique, qui est perdu mais qui est encore cité dans
Jos **10** 13.

c) Comme un chant qui accompagnait les exercices militaires, résumés
dans le tir à l'arc, cf. 2 S **22** 35 et le même verbe dans Jg **3** 2; Ps **144** 1.
On pourrait aussi comprendre : « à enseigner aux enfants de Juda : c'est
l'Arc », titre du morceau, tiré de la mention de l'arc de Jonathan au v. 22.

d) Nous comprenons haṣṣᵉbî comme l'état construit de ṣᵉbî « gloire »,
précédé de la particule interrogative, cf. le début de la complainte sur
Abner, **3** 33.

e) Ce refrain, vv. 25 et 27, sera repris par la complainte pour Judas
Maccabée, 1 M **9** 21.

²² Le bouclier de Saül n'était pas oint d'huile,
      mais du sang des blessés, de la graisse des guerriers;
l'arc de Jonathan jamais ne recula,
      ni l'épée de Saül ne revint inutile.

²³ Saül et Jonathan, aimés et charmants,
      dans la vie et dans la mort ne furent pas séparés.
Plus que les aigles ils étaient rapides,
      plus que les lions ils étaient forts.

²⁴ Filles d'Israël, pleurez sur Saül,
      qui vous revêtait d'écarlate et de lin fin,
qui accrochait des joyaux d'or
      à vos vêtements[a].

²⁵ Comment sont tombés les héros
      au milieu du combat ?

Jonathan, par ta mort je suis navré,
²⁶ j'ai le cœur serré à cause de toi, mon frère Jonathan.
Tu m'étais délicieusement cher,
      ton amitié m'était plus merveilleuse
      que l'amour des femmes.

²⁷ Comment sont tombés les héros,
      ont péri les armes de guerre[b] ? »

---

24. « *et de lin fin* » *ûs*ᵉ*dînîm conj.*; « *avec délices* » '*im* '*ădânîm H.*
25. « *par ta mort je suis navré* » *b*ᵉ*môt*ᵉ*ka ḥullêtî conj.*; « *sur tes hauteurs est meurtri* » '*al-bâmôtêkâ ḥâlâl H, répétant le v.* 19.

a) Le butin distribué au retour des victoires de Saül, comp. Jg **5** 30.
b) Les « armes de guerre » sont Saül et Jonathan eux-mêmes.

IV

DAVID

I. David roi de Juda

**Sacre de David
à Hébron.**

2. ¹ Après cela, David consulta Yahvé en ces termes : « Monterai-je dans l'une des villes de Juda ? » et Yahvé lui répondit : « Monte ! » David demanda : « Où monterai-je ? » et la réponse fut : « A Hébron*ᵃ*. » ² David y monta et aussi ses deux femmes, Ahinoam de Yizréel et Abigayil, la femme de Nabal de Karmel. ³ Quant aux hommes qui étaient avec lui, David les fit monter chacun avec sa famille et ils s'établirent dans les villes d'Hébron*ᵇ*. ⁴ Les hommes de Juda vinrent et là ils oignirent David comme roi sur la maison de Juda*ᶜ*.

**Message aux gens
de Yabesh*ᵈ*.**

On apprit à David que les habitants de Yabesh de Galaad avaient donné la sépulture à Saül. ⁵ Alors David

---

2 3. « *Quant aux hommes* » G ; « *Quant à ses hommes* » H.

a) Hébron était la ville la plus importante de Juda. Lors de la conquête, elle avait été prise et occupée par les Calébites, Jos **15** 13 s ; Jg **1** 20, mais ceux-ci avaient bientôt été assimilés aux Judéens.

b) Le pluriel désigne les villages dépendant d'Hébron ou, peut-être, les quartiers de la ville, dont le nom ancien était Qiryat Arba, la « Ville des Quatre », qui s'appliquerait à une agglomération composite.

c) On a vu comment David avait gagné des sympathies en Juda, 1 S **27** 10-12 ; **30** 26-31. Plus tard, David sera oint par les anciens d'Israël, **5** 3, mais cette tradition ignore l'onction de David enfant par Samuel, 1 S **16** 1-13.

d) Suite du récit de 1 S **31** 11-13.

envoya des messagers aux gens de Yabesh et leur fit dire :
« Soyez bénis de Yahvé pour avoir accompli cette œuvre
de miséricorde envers Saül votre seigneur et pour l'avoir
enseveli. ⁶ Que Yahvé vous témoigne miséricorde et
bonté, moi aussi je vous ferai du bien parce que vous avez
agi ainsi. ⁷ Et maintenant prenez courage et soyez braves,
car Saül votre seigneur est mort. Quant à moi, la maison
de Juda m'a oint pour être son roi*a*. »

⁸ Abner, fils de Ner, le
Abner impose Ishbaal   chef d'armée de Saül, avait
comme roi d'Israël.   emmené Ishbaal*b*, fils de
                           Saül, et l'avait fait passer à
Mahanayim*c*. ⁹ Il l'avait établi roi sur Galaad, sur les Ashérites, sur Yizréel, Éphraïm, Benjamin, et sur Israël tout
entier. ¹⁰ Ishbaal, fils de Saül, avait quarante ans lorsqu'il
devint roi d'Israël et il régna deux ans*d*. Seule la maison
de Juda se rallia à David. ¹¹ Le temps que David régna à

---

6. « *du bien parce que* » haṭṭôbâh taḥat 'ăšèr *conj.*; « *ce bien que* » haṭṭôbâh
hazzo't 'ăšèr *H*.

9. « *les Ashérites* » *Targ cf. Jg* **1** 32; « *les Assyriens* » *H*.

---

a) David invite les Yabéshites à le reconnaître pour successeur de Saül.
Nous n'avons pas leur réponse, mais ils ne pouvaient que rester dans
l'orbite d'Israël.

b) C'est le même qui est appelé Ishyo, « l'homme de Yahvé », dans 1 S
14 49; le nom d'Ishbaal est équivalent, *ba'al* signifiant « Maître » et étant
un prédicat de Yahvé. Il est ainsi appelé dans 1 Ch **8** 33; **9** 39 et, ici, dans les
versions grecques d'Aquila, Symmaque, Théodotion, et dans l'ancienne
latine. Mais le texte massorétique, ici et dans la suite, a compris Baal
comme le nom du dieu cananéen et a corrigé en Ishbosheth, « l'homme de
la honte », par le même scrupule qui a fait changer Meribbaal en Mephi-
bosheth, **4** 4, et Yerubbaal en Yerubbèsheth, **11** 21.

c) Ville de Transjordanie, qui gardait le souvenir du passage de Jacob,
Gn **32** 3, et où David se réfugiera lors de la révolte d'Absalom, **17** 24.
On la localise ordinairement à Khirbet Mahné, au nord d'Adjlûn, mais
le site doit être plus proche du Yabboq, peut-être Tell Hedjadj, juste au
sud de ce fleuve.

d) Note rédactionnelle. En fait, Ishbaal avait sûrement moins de quarante ans et il a régné environ sept ans, voir **4** 5 s et **5** 4-5.

Hébron sur la maison de Juda fut de sept ans et six mois[a].

Guerre entre Juda et Israël.

Bataille de Gabaôn.

[12] Abner, fils de Ner, et la garde d'Ishbaal, fils de Saül, firent une campagne de Mahanayim vers Gabaôn.

[13] Joab, fils de Çeruya, et la garde de David se mirent en marche et les rencontrèrent près de l'étang de Gabaôn[b]. Ils firent halte, ceux-ci d'un côté de l'étang, ceux-là de l'autre côté.

[14] Abner dit à Joab : « Que les cadets se lèvent et luttent devant nous[c] ! » Joab répondit : « Qu'ils se lèvent ! » [15] Ils se levèrent et furent dénombrés : douze de Benjamin[d], pour Ishbaal, fils de Saül, et douze de la garde de David. [16] Chacun saisit son adversaire par la tête et lui enfonça son épée dans le flanc, en sorte qu'ils tombèrent tous ensemble. C'est pourquoi on a appelé cet endroit le Champ des Flancs; il se trouve à Gabaôn.

[17] Alors il y eut en ce jour une très dure bataille et Abner et les gens d'Israël furent battus devant la garde de David. [18] Il y avait là les trois fils de Çeruya, Joab, Abishaï et

---

13. *Après « Gabaôn », H ajoute « ensemble », qui exigerait « ils se rencontrèrent » au lieu de « ils les rencontrèrent » qui est dans le texte.*
16. *« des Flancs » haṣṣiddîm conj.; « des Rochers » haṣṣurîm H.*

---

a) Encore une note rédactionnelle tirée de **5** 5.
b) Aujourd'hui El-Djib, une dizaine de km. au nord de Jérusalem. L'étang est encore mentionné par Jr **41** 12; c'est peut-être la grande citerne antique qu'on voit maintenant comblée, à l'extérieur de la ville. Il ne paraît pas possible que ce soit le grand puits récemment découvert à l'intérieur des remparts.
c) Ce n'était pas, comme on l'interprète souvent, un jeu qui aurait fini tragiquement. Abner propose de régler l'affaire par un combat entre quelques guerriers choisis dans les deux camps, comp. le combat singulier de Goliath et de David, 1 S **17** 8-9. Mais, tous les champions étant tombés ensemble, v. 16, rien n'est décidé et une bataille générale s'engage, v. 17.
d) Les Benjaminites, auxquels Saül appartenait, 1 S **9** 1 s, étaient le principal soutien de sa famille, voir encore les vv. 25 et 31.

Asahel. Or Asahel était agile à la course comme une gazelle
sauvage. ¹⁹ Il se lança à la poursuite d'Abner, sans dévier
de sa trace à droite ni à gauche. ²⁰ Abner se retourna et dit :
« Est-ce toi, Asahel ? » et celui-ci répondit : « Oui. »
²¹ Alors Abner dit : « Détourne-toi à droite ou à gauche,
attrape l'un des cadets et empare-toi de ses dépouilles. »
Mais Asahel ne voulut pas s'écarter de lui. ²² Abner redit
encore à Asahel : « Écarte-toi de moi, que je ne t'abatte
pas à terre. Comment pourrais-je regarder en face ton
frère Joab[a] ? » ²³ Mais, comme il refusait de s'écarter,
Abner le frappa au ventre avec le talon[b] de sa lance et la
lance lui sortit par le dos : il tomba là et mourut, sur place.
En arrivant à l'endroit où Asahel était tombé et était mort,
tous s'arrêtaient.

²⁴ Joab et Abishaï se mirent à la poursuite d'Abner et,
au coucher du soleil, ils arrivèrent à la colline d'Amma,
qui est à l'est de Giah sur le chemin du désert de Gabaôn[c].
²⁵ Les Benjaminites se groupèrent derrière Abner en
formation serrée et firent halte au sommet d'une certaine
colline[d]. ²⁶ Abner appela Joab et dit : « L'épée dévorera-

---

a) Abner ne veut pas attirer sur lui la vengeance du sang. De fait, Joab
vengera Asahel en tuant Abner, **3** 27.

b) Litt. « l'arrière » de la lance. C'est l'armature de métal, qui chaussait
l'extrémité inférieure de la lance, pour équilibrer le poids et aussi pour
permettre de ficher la lance en terre, cf. 1 S **26** 7.

c) Nous gardons le texte hébreu parce qu'il est appuyé par le grec et
que les corrections proposées sont arbitraires. Mais ce texte n'est pas satis-
faisant : Amma et Giah ne paraissent qu'ici comme noms géographiques ;
'ammâh est ailleurs un nom commun « coudée » ; gîaḥ, d'après le sens de la
racine, peut être le nom d'une source bouillonnante, cf. la source de Gihôn
à Jérusalem ; on ne voit pas ce qu'est le « désert » ou la « steppe » de
Gabaôn et l'on est très tenté de corriger au moins ce nom en celui de
Géba, 8 km à l'est de Gabaôn et à l'orée du désert. De toute façon la
poursuite se fait vers l'est, les hommes d'Abner cherchant à rejoindre leur
base en Transjordanie, cf. v. 29.

d) On est tenté de corriger en « colline d'Amma » d'après le v. 24. Mais
cette correction n'a pas d'appui dans les versions et le texte du v. 24 est
incertain, cf. note précédente.

t-elle toujours ? Ne sais-tu pas que cela finira par un malheur ? Qu'attends-tu pour ordonner à ces gens d'abandonner la poursuite de leurs frères ? » ²⁷ Joab répondit : « Aussi vrai que Yahvé est vivant, si tu n'avais pas parlé, ce n'est qu'au matin que ces gens auraient renoncé à poursuivre chacun son frère ᵃ. » ²⁸ Joab fit sonner du cor et toute l'armée fit halte : on ne poursuivit plus Israël et on cessa le combat.

²⁹ Abner et ses hommes cheminèrent par la Araba ᵇ pendant toute cette nuit-là, ils passèrent le Jourdain et, après avoir marché toute la matinée ᶜ, ils arrivèrent à Mahanayim. ³⁰ Joab, ayant cessé de poursuivre Abner, rassembla toute l'armée : la garde de David avait perdu dix-neuf hommes, plus Asahel, ³¹ mais la garde de David avait tué à Benjamin, aux gens d'Abner, trois cent soixante hommes. ³² On emporta Asahel et on l'ensevelit dans le tombeau de son père, qui est à Bethléem. Joab et ses gens marchèrent toute la nuit et le jour se leva quand ils arrivaient à Hébron.

3. ¹ La guerre se prolongea entre la maison de Saül et celle de David, mais David allait se fortifiant, tandis que s'affaiblissait la maison de Saül.

Fils de David nés à Hébron.

² Des fils naquirent à David, à Hébron; ce furent : son aîné Amnon, né d'Ahinoam de Yizréel; ³ son cadet

---

27. « *Yahvé* » G ; « *Dieu* » H.
31. *A la fin,* H *ajoute* « *ils moururent* ».

---

a) Joab accepte la trève. On pourrait aussi comprendre — mais c'est moins probable — : « si tu n'avais pas parlé (v. 14), ces gens auraient renoncé dès ce matin à poursuivre leurs frères ».

b) La vallée du Jourdain.

c) Le sens du mot hébreu *bitrôn* est incertain. D'autres traduisent : « défilé » ou bien transcrivent : « le Bitrôn ».

Kiléab, né d'Abigayil, la femme de Nabal de Karmel; le
troisième Absalom, fils de Maaka, la fille de Talmaï roi
de Geshur[a]; [4] le quatrième Adonias, fils de Haggit; le
cinquième Shephatya, fils d'Abital; [5] le sixième Yitréam,
né d'Égla, femme de David. Ceux-là naquirent à David,
à Hébron[b].

**Rupture entre Abner
et Ishbaal.**

[6] Voici ce qui arriva pendant la guerre entre la maison de Saül et celle de David : Abner s'arrogeait tout
pouvoir dans la maison de Saül. [7] Il y avait une concubine
de Saül qui se nommait Riçpa, fille d'Ayya, et Abner la
prit[c]. Ishbaal dit à Abner : « Pourquoi t'es-tu approché de
la concubine de mon père[d] ? » [8] Aux paroles d'Ishbaal,
Abner entra dans une grande colère et dit : « Suis-je donc
une tête de chien ? Je suis plein de bienveillance pour la
maison de Saül, ton père, pour ses frères et ses amis, je
ne t'abandonne pas entre les mains de David, et maintenant tu me fais des reproches pour une histoire de femme !
[9] Que Dieu inflige tel mal à Abner et qu'il y ajoute tel
autre[e] si je n'accomplis pas ce que Yahvé a promis par
serment à David, [10] d'enlever la royauté à la maison de

3 3. « *Kiléab* » H ; « *Daluya* » G ; « *Daniel* » Ch.

7. « *et Abner la prit* » *Luc ; omis par H.* — « *Ishbaal* » *G Vulg ; omis
par H.*

8. *Après* « *chien* » H *ajoute* « *appartenant à Juda* » ; *omis par G.* — « *une
histoire de femme* » G ; « *l'histoire de cette femme* » H.

a) Principauté araméenne à l'est du lac de Tibériade. Absalom s'y
réfugiera après le meurtre d'Amnon, **13** 37; **15** 8.

b) La notice sera continuée à **5** 13-16, qui énumère les fils nés à Jérusalem. Les deux notices sont réunies dans 1 Ch **3** 1-9.

c) Voir **21** 8 s.

d) En s'appropriant l'une des concubines de Saül, Abner fait figure de
prétendant au trône, car le harem du roi défunt passait à son successeur,
voir **12** 8; **16** 20-22 et 1 R **2** 22.

e) Sur cette formule de serment, voir 1 S **3** 17.

Saül et d'établir le trône de David sur Israël et sur Juda
depuis Dan jusqu'à Bersabée*. » ¹¹ Ishbaal n'osa pas
répondre un mot à Abner parce qu'il avait peur de lui.

**Abner négocie
avec David.**

¹² Abner envoya des mes-
sagers dire à David : « ... Fais
alliance avec moi et je te
soutiendrai pour rallier au-
tour de toi tout Israël. » ¹³ David répondit : « Bien ! Je
ferai alliance avec toi. Il n'y a qu'une chose que j'exige de
toi : tu ne seras pas admis en ma présence à moins que tu
n'amènes Mikal, fille de Saül*, quand tu viendras me
voir. » ¹⁴ Et David envoya des messagers dire à Ishbaal,
fils de Saül : « Rends-moi ma femme Mikal, que je me suis
acquise pour cent prépuces de Philistins. » ¹⁵ Ishbaal
l'envoya prendre chez son mari Paltiel*, fils de Layish.
¹⁶ Son mari partit avec elle et la suivit en pleurant jusqu'à
Bahurim*. Alors Abner lui dit : « Retourne ! » et il s'en
retourna.

---

12. « ... » *quelques mots corrompus, litt.* « *à sa place pour dire : A qui le
pays ?* » *Les Vers. ne sont d'aucun secours et les conjectures modernes sont improbables.*

15. « *son mari* » (*son homme*) *G ;* « *un homme* » *H.*

---

a) Comp. v. 18; **5** 2 et 1 S **25** 30, mais on ne dit pas en quelle occasion
cette promesse fut faite à David.

b) Voir 1 S **18** 20-27. En reprenant la fille de Saül, David s'assure un
titre à la succession : il fait partie de la famille royale. Ce qui est étrange
est qu'il adresse la requête à Ishbaal, v. 14, et que celui-ci laisse partir
Mikal avec Abner, v. 15, bien qu'il mesure la portée politique de cette
demande et qu'il connaisse la trahison d'Abner, v. 10. On a donc proposé
de supprimer le v. 14 comme une addition et de lire « Abner » au lieu
d' « Ishbaal » au début du v. 15. Cependant, c'est bien à Ishbaal que
David devait s'adresser : c'est une affaire de justice et Ishbaal est roi et juge
en Israël; c'est une affaire familiale et Ishbaal est, depuis la mort de Saül,
chef de la famille et a autorité sur sa sœur. Le trait souligne encore la faiblesse d'Ishbaal, cf. v. 11 et **4** 1.

c) Comp. 1 S **25** 44 où le nom est donné sous la forme abrégée Palti.

d) Aujourd'hui Râs et-Tmîm, à l'est du mont des Oliviers, sur l'ancienne
voie de Jéricho, tout près de la frontière entre Benjamin et Juda.

[17a] Abner avait eu des pourparlers avec les anciens d'Israël et leur avait dit : « Voici longtemps que vous désirez avoir David pour votre roi. [18] Agissez donc maintenant, puisque Yahvé a dit ceci à propos de David : ' C'est par l'entremise de mon serviteur David que je délivrerai mon peuple Israël de la main des Philistins et de tous ses ennemis '. » [19] Abner parla aussi à Benjamin[b], puis il alla à Hébron pour exposer à David tout ce qu'avaient approuvé les Israélites et la maison de Benjamin.

[20] Abner, accompagné de vingt hommes, arriva chez David à Hébron et David offrit un festin à Abner et aux hommes qui étaient avec lui. [21] Abner dit ensuite à David : « Allons ! Je vais rassembler tout Israël auprès de Monseigneur le roi : ils concluront un pacte avec toi et tu régneras sur tout ce que tu souhaites. » David congédia Abner, qui partit en paix.

Meurtre d'Abner.

[22] Il se trouva que la garde de David et Joab revenaient alors de la razzia, ramenant un énorme butin, et Abner n'était plus auprès de David à Hébron, puisque David l'avait congédié et qu'il était parti en paix. [23] Lorsqu'arrivèrent Joab et toute la troupe qui le suivait, on prévint Joab qu'Abner, fils de Ner, était venu chez le roi et que celui-ci l'avait laissé repartir en paix. [24] Alors Joab entra chez le roi et dit : « Qu'as-tu fait ? Abner est venu chez toi, pourquoi donc l'as-tu

---

18. « *je délivrerai* » *plusieurs Mss Vers.*; « *il a délivré* » H.
22. « *revenaient* » *Targ G Syr Vulg*; « *revenait* » H.

---

a) Les vv. 17-19 sont d'une rédaction postérieure mais il est vraisemblable que bien des cœurs en Israël se tournaient vers David, déjà du vivant de Saül, 1 S **18** 7, 16, 28, et surtout sous son pâle héritier Ishbaal.

b) Le plus important, et le plus difficile, était de gagner Benjamin, la tribu de Saül.

laissé partir ? ²⁵ Tu connais Abner, fils de Ner. C'est pour
te tromper qu'il est venu, pour connaître tes allées et
venues, pour savoir tout ce que tu fais *ᵃ* ! »

²⁶ Joab sortit de chez David et envoya derrière Abner
des messagers qui le firent revenir depuis la citerne de Sira *ᵇ*,
à l'insu de David. ²⁷ Quand Abner arriva à Hébron *ᶜ*,
Joab le prit à l'écart vers le côté de la porte, sous prétexte
de parler tranquillement avec lui, et là il le frappa mortel-
lement au ventre, à cause du sang d'Asahel son frère.
²⁸ Lorsque David apprit ensuite la chose, il dit *ᵈ* : « Moi
et mon royaume nous sommes pour toujours innocents
devant Yahvé du sang d'Abner, fils de Ner : ²⁹ qu'il
retombe sur la tête de Joab et sur toute sa famille ! Qu'il
ne cesse d'y avoir dans la maison de Joab des gens atteints
d'écoulement *ᵉ* ou de lèpre, des hommes bons à tenir le
fuseau *ᶠ* ou qui tombent sous l'épée, ou qui manquent de
pain ! » ³⁰ (Joab et son frère Abishaï avaient assassiné
Abner parce qu'il avait fait mourir leur frère Asahel au
combat de Gabaôn *ᵍ*.) ³¹ David dit à Joab et à toute la
troupe qui l'accompagnait : « Déchirez vos vêtements,
mettez des sacs et faites le deuil devant Abner », et le roi
David marchait derrière la civière. ³² On ensevelit Abner

---

27. « *vers le côté* » 'èl-yèrèk *G* ; « *au milieu* » 'èl-tôk *H*.

---

a) Joab paraît défendre les intérêts de David, mais il enrage surtout de
n'avoir pas pu exercer sur Abner la vengeance du sang, voir le v. 27.
b) Peut-être Sirat al-Balla'a, 4 km. au nord d'Hébron.
c) Abner revient sans défiance, croyant qu'il est rappelé par David.
d) David prend grand soin de prouver qu'il est innocent de la mort
d'Abner, et il est sûrement sincère : l'acte de violence de Joab remettait
en question le rapprochement avec Israël. Ce souvenir poursuivra David
jusqu'à la veille de sa mort, 1 R **2** 5, 32.
e) La blennorragie, voir Lv **15**.
f) Des efféminés.
g) Le v. est une glose destinée au v. 27.

à Hébron; le roi éclata en sanglots sur la tombe et tout
le peuple pleura aussi.

[33] Le roi chanta cette complainte sur Abner :

> « Abner devait-il mourir comme meurt l'insensé ?
> [34] Tes mains n'étaient pas liées, tes pieds n'étaient pas
> [mis aux fers,
> Tu es tombé comme on tombe devant des malfai-
> [teurs[a] ! »

et les larmes de tout le peuple redoublèrent[b].

[35] Tout le monde vint inviter David à prendre de la
nourriture alors qu'il faisait encore jour, mais David fit
ce serment : « Que Dieu me fasse tel mal et qu'il y ajoute
tel autre[c] si je goûte à du pain ou à quoi que ce soit avant
le coucher du soleil[d]. » [36] Tout le peuple remarqua cela et
le trouva bien, car tout ce que faisait le roi était approuvé
par le peuple. [37] Ce jour-là, tout le peuple et tout Israël
comprirent que le roi n'était pour rien dans la mort
d'Abner, fils de Ner.

[38] Le roi dit à ses officiers : « Ne savez-vous pas qu'un
prince et un grand homme est tombé aujourd'hui en
Israël ? [39] Pour moi, je suis faible maintenant, tout roi que
je sois par l'onction[e], et ces hommes, les fils de Çeruya,

---

36. « *car tout ce que* » kî kol *conj.* ; « *comme tout ce que* » keˣkol *H.*

---

a) Abner est mort sans se défendre, tout libre qu'il fût de ses mouvements — ce qui prouverait un manque de sens, s'il n'avait pas été assassiné
par traîtrise.
b) La complainte a donc été improvisée au cours des funérailles.
c) Voir sur le v. 9.
d) Sur le jeûne pour les morts, voir 1 S **31** 13.
e) Le sens est incertain et le texte est probablement fautif. David
s'excuse de ne pouvoir pas, si tôt après son sacre, agir contre les meurtriers
et il remet le châtiment à Dieu. Il léguera finalement ce soin à Salomon,
1 R **2** 5-6, cf. 31-34.

sont trop violents pour moi. Que Yahvé rende au méchant selon sa méchanceté ! »

Meurtre d'Ishbaal.

4. ¹ Lorsque le fils de Saül apprit qu'Abner était mort à Hébron, les mains lui tombèrent et tout Israël fut consterné*a*. ² Or le fils de Saül avait deux chefs de bandes, qui s'appelaient l'un Baana et le second Rékab. Ils étaient les fils de Rimmôn de Béérôt*b* et Benjaminites, car Béérôt aussi est attribuée à Benjamin. ³ Les gens de Béérôt s'étaient réfugiés à Gittayim*c*, où ils sont demeurés jusqu'à ce jour comme résidents étrangers.

⁴*d* Il y avait un fils de Jonathan, fils de Saül, qui était boiteux. Il avait cinq ans lorsqu'arriva de Yizréel la nouvelle concernant Saül et Jonathan*e*. Sa nourrice l'emporta et s'enfuit, mais dans la précipitation de la fuite, l'enfant tomba et s'estropia. Il s'appelait Meribbaal*f*.

⁵ Les fils de Rimmôn de Béérôt, Rékab et Baana, s'étant

---

a) Abner avait fait Ishbaal roi, il commandait l'armée, il était l'homme le plus puissant d'Israël.

b) L'actuelle El-Biré, à 16 km. au nord de Jérusalem. C'était primitivement une ville de la tétrapole gabaonite, donc non israélite, Jos **9** 17, comptée parmi les villes de Benjamin, Jos **18** 25, après l'exode de ses habitants. Cela est expliqué par l'addition rédactionnelle des vv. 2ᵇ-3.

c) Gittayim ne se retrouve que dans Ne **11** 33 mais la même ville est appelée Gat (différente de Gat des Philistins) dans 1 Ch **7** 21; **8** 13; 2 Ch **26** 6, peut-être 1 S **7** 14; 2 S **6** 10 et 2 R **12** 18. Localisation probable à Tell Abû Hamîd, un peu au nord-est de Ramleh.

d) Cette notice est étrangère au contexte et se placerait mieux après **9** 3. Peut-être a-t-on voulu rappeler ici qu'en dehors d'Ishbaal il ne restait que cet infirme pour prendre la succession de Saül.

e) Le désastre de Gelboé, 1 S **31**.

f) C'est ainsi qu'il est appelé dans 1 Ch **8** 34; **9** 40 (où le texte hésite entre Meribbaal et Meribaal); le nom signifie « Baal est un champion » ou « Champion de Baal ». Pour n'y pas retrouver le nom de Baal (cf. la note sur **2** 8), le texte hébreu, ici et dans la suite du livre, a déformé le nom en Mephiboshet, sens incertain : « Celui qui répand (?) la honte ». Il est possible que, dans la tradition des livres de Samuel, le nom primitif ait été Mippibaal, « De la bouche de Baal ».

mis en route, arrivèrent à l'heure la plus chaude du jour
à la maison d'Ishbaal, quand celui-ci faisait la sieste. [6] La
portière, qui mondait du blé, s'était assoupie et dormait.
Rékab et son frère Baana se faufilèrent [7] et entrèrent dans
la maison, où Ishbaal était étendu sur son lit dans sa
chambre à coucher. Ils le frappèrent à mort et le décapi-
tèrent, puis, emportant sa tête, ils marchèrent toute la nuit
par la route de la Araba[a]. [8] Ils apportèrent la tête d'Ishbaal
à David, à Hébron, et dirent au roi : « Voici la tête d'Ishbaal, fils de Saül, ton ennemi qui en voulait à ta vie. Yahvé
a accordé aujourd'hui à Monseigneur le roi une vengeance
sur Saül et sur sa race. »

[9] Mais David, s'adressant à Rékab et à son frère Baana,
les fils de Rimmôn de Béérôt, leur dit : « Par la vie de
Yahvé, qui m'a délivré de toute détresse ! [10] Celui qui m'a
annoncé la mort de Saül croyait être porteur d'une bonne
nouvelle, et je l'ai saisi et exécuté à Çiqlag, pour le payer
de sa bonne nouvelle[b] ! [11] A plus forte raison lorsque des
bandits ont tué un homme honnête dans sa maison, sur
son lit ! Ne dois-je pas vous demander compte de son
sang et vous faire disparaître de la terre[c] ? » [12] Alors
David donna un ordre aux cadets et ceux-ci les mirent
à mort. On leur coupa les mains et les pieds et on les

---

4 6. *Le v. est traduit d'après G ; H est différent, litt.* « *Eux entrèrent jusqu'au
milieu de la maison prenant du blé et ils le frappèrent au ventre et Rékab et Baana
son frère s'enfuirent.* » *Ce texte paraît un doublet corrompu du v. 7. Le texte grec
ne peut pas en provenir et représente une tradition différente.*

10. « *pour le payer de sa bonne nouvelle* », *en supprimant* 'ăšèr; « *lui qu'il
aurait fallu payer ...* » H.

---

a) La vallée du Jourdain, comp. **2** 29.

b) Comp. **1** 1-16.

c) La colère de David n'est pas feinte : il est indigné de ce lâche assassinat. En fait, la mort d'Ishbaal, après celle d'Abner, va lui livrer le trône
d'Israël, **5** 1-3.

suspendit*ᵃ* près de l'étang d'Hébron. Quant à la tête
d'Ishbaal, on la prit et on l'ensevelit dans le tombeau
d'Abner à Hébron.

II. David roi de Juda et d'Israël

Sacre de David comme roi d'Israël.

5. ¹ Alors toutes les tribus d'Israël vinrent auprès
de David à Hébron et dirent :
« Vois ! Nous sommes de tes
os et de ta chair. ² Autrefois déjà, quand Saül régnait sur
nous, c'était toi qui dirigeais tous les mouvements
d'Israël*ᵇ*, et Yahvé t'a dit*ᶜ* : C'est toi qui paîtras mon
peuple Israël et c'est toi qui deviendras chef d'Israël. »
³ Tous les anciens d'Israël vinrent donc auprès du roi
à Hébron, le roi David conclut un pacte avec eux à Hébron,
en présence de Yahvé, et ils oignirent David comme roi
sur Israël*ᵈ*.

⁴ David avait trente ans à son avènement et il régna
pendant quarante ans. ⁵ A Hébron, il régna sept ans et six
mois sur Juda*ᵉ*; à Jérusalem, il régna trente-trois ans sur
tout Israël et sur Juda.

‖ 1 Ch **11** 1-3

= **2** 11
‖ 1 Ch **3** 4

---

a) Les cadavres mutilés sont exposés en public, comp. 1 S **31** 10 et
la loi de Dt **21** 22-23.

b) Voir 1 S **18** 16.

c) Comp. **3** 10.

d) David avait d'abord été sacré par les Judéens, **2** 4, il est maintenant
reconnu par les Israélites, mais les deux groupes resteront distincts : David
est roi « sur tout Israël *et* sur Juda », v. 5. C'est une monarchie dualiste,
un Royaume Uni, tiraillé par les luttes intérieures, jusqu'à la scission qui
se produira au lendemain de la mort de Salomon, 1 R **12**.

e) Voir **2** 11.

|| 1 Ch **11** 4-9

Prise de Jérusalemᵃ.

⁶ David avec ses gens marcha sur Jérusalem contre les Jébuséens ᵇ qui habitaient le pays, et ceux-ci dirent à David : « Tu n'entreras pas ici ! Les aveugles et les boiteux t'en écarteront ᶜ » (c'est-à-dire : David n'entrera pas ici). ⁷ Mais David s'empara de la forteresse de Sion; c'est la Cité de David. ⁸ Ce jour-là, David dit : « Quiconque frappera les Jébuséens et montera par le canal... ᵈ » Quant aux boiteux et aux aveugles, David les hait en son âme ᵉ. (C'est pourquoi on dit : Aveugle et boiteux n'entreront pas au Temple ᶠ.) ⁹ David s'installa dans la forteresse et l'appela Cité de David ᵍ. Puis David

---

5 8. « *et montera* » wᵉyaʻal *conj. cf. Ch* ; « *et frappera* » (*ou* « *atteindra* ») wᵉyigga' *H.*

a) Cette conquête, qui donne au peuple sa capitale civile et religieuse, se situe chronologiquement après les victoires sur les Philistins racontées aux vv. 17-25, voir la note sur le v. 17.

b) Les Jébuséens étaient les habitants de Jérusalem avant les Israélites, Jos **15** 63; cf. **15** 8; **18** 16; Jg **19** 11. Des gloses ou des textes tardifs, Jg **19** 10; 1 Ch **11** 4, en ont tiré le nom de Jébus pour la ville, laquelle au moins depuis 2.000 ans avant J. C. s'est toujours appelée Jérusalem.

c) La position est si forte, pensent-ils, que des infirmes suffiraient à la défendre.

d) On suppléera « recevra telle récompense ». Mais le texte est très incertain. Si « canal » est vraiment le sens de *ṣinnor*, comp. Ps **42** 8 et l'hébreu postérieur, il s'agit du tunnel creusé dans l'antique colline de Jérusalem pour descendre à la source de Gihôn sans sortir de la ville. Des hommes résolus pouvaient l'escalader et pénétrer ainsi dans la place. Le parallèle de 1 Ch **11** 6 a un texte simple, qui répond peut-être au même fait : « Quiconque frappera le premier les Jébuséens sera chef et prince. Le premier qui monta fut Joab. »

e) On ne voit pas comment se rattache au contexte cette phrase qui manque dans les Chroniques.

f) Glose qui se réfère à Lv **21** 18, où les aveugles et les boiteux sont, avec d'autres infirmes, exclus du service du Temple.

g) La ville primitive occupait la colline orientale, au sud de l'emplacement du futur Temple, entre les vallées du Cédron et du Tyropoeon. En baptisant l'acropole « Cité de David », le vainqueur affirmait ses droits sur Jérusalem qui était sa conquête personnelle et qui, n'appartenant à aucune tribu particulière et située géographiquement à la limite des deux fractions du peuple, pouvait favoriser l'unité de celui-ci.

construisit un mur sur son pourtour, depuis le Millo*ᵃ* vers l'intérieur. ¹⁰ David allait grandissant et Yahvé, Dieu Sabaot, était avec lui.

¹¹ Hiram, roi de Tyr, envoya une ambassade à David, avec du bois de cèdre, des charpentiers et des tailleurs de pierres, qui construisirent une maison pour David *ᵇ*. ¹² Alors David sut que Yahvé l'avait confirmé comme roi sur Israël et qu'il exaltait son règne à cause d'Israël son peuple.

|| 1 Ch 14 1-2

Fils de David à Jérusalem*ᶜ*.

¹³ Après son arrivée d'Hébron, David prit encore des concubines et des femmes à Jérusalem et il lui naquit des fils et des filles. ¹⁴ Voici les noms des enfants qu'il eut à Jérusalem : Shammua, Shobab, Natân, Salomon, ¹⁵ Yibhar, Élishua, Népheg, Yaphia, ¹⁶ Élishama, Baalyada, Éliphélet.

|| 1 Ch 14 3-7

|| 1 Ch 3 5-8

Victoires contre les Philistins*ᵈ*.

¹⁷ Lorsque les Philistins eurent appris qu'on avait oint David comme roi sur Israël, ils montèrent tous pour s'em-

|| 1 Ch 14 8-

---

9. « *un mur* » qîr, *accidentellement transporté au v.* 11, *cf.* hâ'îr « *la ville* » Ch.
11. *Après* « *pierres* », *le texte ajoute* « *mur* », *cf. v.* 9.
16. « *Baalyada* » Ch *cf.* G ; « *Éliyada* » H.

---

a) Le remblai de terre nivelant la colline rocheuse autour du Temple et du palais. Il sera construit par Salomon, 1 R **9** 15, et ne sert ici que de repère géographique. Ce mur « vers l'intérieur » semble être celui qui longeait la vallée du Tyropoeon et qui se trouvera bientôt à l'intérieur de la ville, agrandie vers l'ouest.

b) Comp. l'ambassade du même Hiram à Salomon, 1 R **5** 15. C'était l'usage entre cours amies au moment d'un changement de règne, cf. ci-dessous **10** 1. Mais il n'est pas possible que Hiram ait déjà été sur le trône de Tyr au début du règne de David sur tout Israël. Ou bien le nom de Hiram a été rajouté, ou bien cette ambassade se place plus tard dans le règne de David.

c) Suite de la notice de **3** 2-5.

d) Les Philistins avaient vu sans déplaisir le sacre de David à Hébron, car il restait nominalement leur vassal; maintenant, ils s'inquiétaient de son pouvoir grandissant et découvraient en lui un ennemi.

parer de lui. A cette nouvelle, David descendit au refuge*a*.
¹⁸ Les Philistins arrivèrent et se déployèrent dans le val
des Rephaïm*b*. ¹⁹ Alors David consulta Yahvé : « Dois-je
attaquer les Philistins ? demanda-t-il. Les livreras-tu entre
mes mains ? » Yahvé répondit à David : « Attaque ! Je
livrerai sûrement les Philistins entre tes mains. » ²⁰ Donc,
David se rendit à Baal-Peraçim et là il les battit. Et David
dit : « Yahvé m'a ouvert une brèche dans mes ennemis
comme une brèche faite par les eaux. » C'est pourquoi on appela cet endroit Baal-Peraçim*c*. ²¹ Ils avaient
abandonné sur place leurs dieux*d*; David et ses gens les
enlevèrent.

²² Les Philistins montèrent de nouveau et se déployèrent
dans le val des Rephaïm. ²³ David consulta Yahvé, et celui-
ci répondit : « Ne les attaque pas en face, tourne-les par
derrière et aborde-les vis-à-vis des micocouliers*e*. ²⁴ Quand
tu entendras un bruit de pas*f* à la cime des micocouliers,
alors dépêche-toi : c'est que Yahvé sort devant toi pour
battre l'armée philistine. » ²⁵ David fit comme Yahvé lui

---

21. « *leurs dieux* » G Ch ; « *leurs idoles* » H.
23. « *en face* » G ; omis par H.
25. « *Gabaôn* » G Ch ; « *Géba* » H.

---

a) Si Jérusalem avait été prise, il s'y serait retranché. Mais d'Hébron,
David « descend » à un « refuge », peut-être celui d'Adullam, 1 S **22** 1-5.
b) Plaine creuse au sud-ouest de Jérusalem, Jos **15** 8; **18** 16.
c) *Pèrès* signifie « brèche », comp. Gn **38** 29. « Le Seigneur des brèches
(de la montagne ?) » était le vieux nom d'une hauteur près de Jérusalem,
sans doute Râs-en-Nadir.
d) Les idoles qui les accompagnaient au combat, comme l'arche pour
les Israélites, 1 S **4**.
e) Traduction plus probable que celles de « mûriers » ou « baumiers »,
qui sont données ordinairement. Aux environs de Jérusalem, le Ps **84** 7
situe un Val des Micocouliers, probablement le Wady-el-Meis (c'est le nom
arabe du micocoulier), juste au nord-ouest de l'ancienne ville de Jérusalem.
f) Les pas de Yahvé qui s'avance sur les ailes du vent, **22** 11 et Ps **18** 11.

avait ordonné et il battit les Philistins depuis Gabaôn
jusqu'à l'entrée de Gézer[a].

L'arche à Jérusalem[b].

6. [1] David rassembla en-core toute l'élite d'Israël, trente mille hommes. [2] S'étant ‖ 1 Ch 13 1-14
mis en route, David et toute l'armée qui l'accompagnait
partirent pour Baala[c] de Juda, afin de faire monter de là
l'arche de Dieu, qui porte le nom de Yahvé Sabaot, sié-
geant sur les chérubins[d]. [3] On chargea l'arche de Dieu sur
un chariot neuf[e] et on l'emporta de la maison d'Abinadab,
qui est sur la colline. Uzza et Ahyo[f], les fils d'Abinadab,

---

6 1. « *rassembla* » wayyè'ĕsop *G* ; « *ajouta* » wayyosèp *H*.
  2. « *pour Baala* » ba'ălat *cf. Ch* ; « *des citoyens* » mibba'ălê *H*.

---

a) Gabaôn est el-Djib, au nord-ouest de Jérusalem. Gézer, aujourd'hui
Tell Djézer, se trouve 25 km. plus à l'ouest, à la limite des pays philistins :
l'ennemi est rejeté chez lui.

b) Ce récit reprend l'histoire de l'arche où l'avait laissé 1 S **7** 1, mais
il est d'une autre main : Qiryat-Yéarim y est appelée Baala, Éléazar est
remplacé par Uzza et Ahyo, v. 3. Le transfert de l'arche se déroule comme
une procession religieuse, coupée par l'incident de Péréç-Uzza et la station
chez Obed-Édom. On en conclut parfois que le texte décrit une liturgie
du Temple, qui commémorait le couronnement de David comme roi
à Jérusalem selon le mode cananéenne, ou bien l'intronisation de Yahvé
dans son sanctuaire, ou bien le choix que Yahvé avait fait de Sion pour
y résider et de la dynastie de David pour régner sur son peuple. Cette
liturgie aurait fait partie de la fête des Tentes. Ces interprétations ne sont
pas solidement fondées. Il est bien vrai que cette translation de l'arche est
commémorée par les Ps **24** et **132**, qui servaient au culte. Mais nous ne
savons pas à quelle occasion ils étaient chantés dans le Temple. Le caractère
du récit s'explique suffisamment si l'on considère que le transfert de l'arche
par David est lui-même un acte cultuel : c'est le rétablissement du sanctuaire
central des tribus. En installant l'arche à Jérusalem, David faisait de sa
« Cité », cf. **5** 9, la capitale religieuse en même temps que la capitale politique du Royaume Uni d'Israël et de Juda.

c) Ancien nom de Qiryat-Yéarim, Jos **15** 9, qui est appelée encore
Qiryat-Baal, Jos **15** 60 ; **18** 14. L'addition « de Juda » la distingue d'autres
villes du même nom.

d) Cf. les notes sur 1 S **1** 3 et **4** 4.

e) Car il est destiné à un usage sacré, comp 1 S **6** 7.

f) Au lieu d'Ahyo, le grec a lu 'èḥāyw « ses frères » et l'on corrige
parfois en 'āḥîw « son frère » ; on a proposé de reconnaître dans ce frère

conduisaient le chariot. ⁴ Uzza marchait à côté de l'arche
de Dieu et Ahyo marchait devant elle. ⁵ David et toute la
maison d'Israël dansaient devant Yahvé de toutes leurs
forces, en chantant au son des cithares, des harpes, des
tambourins, des sistres et des cymbales. ⁶ Comme on arrivait à l'aire de Nakôn*a*, Uzza étendit la main vers l'arche
de Dieu et la retint, car les bœufs la faisaient verser. ⁷ Alors
la colère de Yahvé s'enflamma contre Uzza : sur place,
Dieu le frappa pour cette faute*b*, et il mourut là, à côté de
l'arche de Dieu*c*. ⁸ David fut fâché de ce que Yahvé eût
foncé sur Uzza et on donna à ce lieu le nom de Péréç-
Uzza*d*, qu'il a gardé jusqu'à maintenant.

⁹ Ce jour-là, David eut peur de Yahvé et dit : « Comment

3-4. *« le chariot. Uzza marchait » conj.*; *« le chariot neuf. Et on l'emporta de la maison d'Abinadab qui est sur la colline » H, dittographie du v. 3ᵃ, omise par G.*

5. *« de toutes leurs forces en chantant »* bᵉkol 'oz ûbᵉšîrîm *cf. G Ch ;* *« avec tous les bois de cyprès »* bᵉkol 'ăṣê bᵉrôšîm *H.*

6. *« la main vers » Ch ; omis par H.* — *« la faisaient verser » G Targ VetLat ;* *« trébuchaient » H.*

---

anonyme le prêtre Sadoq, qui apparaît à Jérusalem à côté d'Ébyatar, **15** 24 s, etc. et qui restera seul en charge après la destitution d'Ébyatar, 1 R **2** 35. Cette hypothèse ne peut pas être prouvée, et Ahyo est un nom propre normal, 1 Ch **8** 31; **9** 37 et comp. Ishyo, 1 S **14** 49.

a) Site inconnu. Le texte est incertain : le grec a Nôdab, le parallèle de 1 Ch **13** 9 a Kîdon. En faveur de Nakôn de l'hébreu, on peut faire valoir le v. 7 : c'est l'endroit où Dieu a frappé (*nâkâh*) Uzza.

b) Sens très incertain : le mot est inconnu et probablement corrompu. Les Chroniques ont à la place : « parce qu'il avait porté la main sur l'arche », que beaucoup d'exégètes introduisent ici.

c) On avait vu que l'arche était terrible à ses ennemis, 1 S **5**, ou à ses contempteurs, 1 S **6** 19. Il y a plus ici : la sainteté de l'arche, sur laquelle trône Yahvé, la rend intangible. C'est une conception primitive du sacré, mais cela décèle un sens profond de la grandeur inaccessible et de la majesté redoutable de Dieu. La loi sacerdotale codifie ce sentiment : les lévites eux-mêmes ne peuvent, sans danger de mort, s'approcher de l'arche avant qu'elle ne soit couverte par les prêtres, Nb **4** 5, 15, 20. Ils ne la touchent pas, mais la portent avec des barres, qui ne la quittent pas, Ex **25** 15.

d) « La brèche d'Uzza », comp. **5** 20. Explication populaire et approchée : Yahvé a foncé sur Uzza, litt. « a fait brèche ».

l'arche de Yahvé entrerait-elle chez moi ? » [10] Ainsi David
ne voulut pas conserver l'arche de Yahvé chez lui, dans
la Cité de David, et la conduisit chez Obed-Édom[a] de
Gat. [11] L'arche de Yahvé demeura trois mois chez Obed-
Édom de Gat, et Yahvé bénit Obed-Édom et toute sa
famille.

[12] On rapporta au roi David que Yahvé avait béni la
famille d'Obed-Édom et tout ce qui lui appartenait à cause
de l'arche de Dieu. Alors David partit et fit monter l'arche
de Dieu de la maison d'Obed-Édom à la Cité de David en
grande liesse. [13] Quand les porteurs[b] de l'arche de Yahvé
eurent fait six pas, il sacrifia un bœuf et un veau gras[c].
[14] David dansait en tournoyant[d] de toutes ses forces devant
Yahvé, il avait ceint un pagne de lin[e]. [15] David et toute la
maison d'Israël faisaient monter l'arche de Yahvé en poussant des acclamations et en sonnant du cor. [16] Or, comme
l'arche de Yahvé entrait dans la Cité de David, la fille de
Saül, Mikal, regardait par la fenêtre, et elle vit le roi David
qui sautait et tournoyait devant Yahvé, et, dans son cœur,
elle le méprisa. [17] On introduisit l'arche de Yahvé et on la
déposa à sa place, sous la tente que David avait fait dresser
pour elle[f], et David offrit des holocaustes en présence de

|| 1 Ch **15** 1-29

|| 1 Ch **16** 1-3

---

a) Il porte un nom païen et il est de Gat, peut-être pas Gat des Philistins
mais Gat-Gittaïm de **4** 3, cf. la note, une ville seulement à moitié israélite.
Cette origine dicte le choix de David (comp. le dépôt de l'arche à la ville
gabaonite de Qiryat-Yéarim après l'aventure de Bet-Shémesh, 1 S **6** 20-21),
mais la faveur que Yahvé fera à Obed-Édom n'en sera que plus éclatante.

b) Non plus un chariot : on veut éviter un nouvel accident.

c) Rien ne s'est produit dans les premiers pas : c'est donc que Yahvé
permet le transport, et l'on offre un sacrifice d'actions de grâces.

d) Comme les derviches tourneurs. Les danses sacrées faisaient partie
des cultes orientaux, comp. 1 R **18** 26.

e) David, qui vient de sacrifier et qui va bénir, v. 18, porte un costume
de prêtre, voir 1 S **2** 18; **22** 18.

f) Ce n'est pas la tente du désert, la Tente de Réunion, malgré la glose
de 1 R **8** 4. Celle-ci avait disparu après l'entrée en Terre Promise. Mais

Yahvé, ainsi que des sacrifices de communion. ¹⁸ Lorsque David eut achevé d'offrir des holocaustes et des sacrifices de communion, il bénit le peuple au nom de Yahvé Sabaot. ¹⁹ Puis il fit une distribution à tout le peuple, à la foule entière des Israélites, hommes et femmes, pour chacun une couronne de pain, une masse de dattes*ᵃ* et un gâteau de raisins secs, puis tout le monde s'en alla chacun chez soi.

²⁰ Comme David s'en retournait pour bénir sa maisonnée, Mikal, fille de Saül, sortit à sa rencontre et dit : « Comme il s'est fait honneur aujourd'hui, le roi d'Israël, qui s'est découvert aujourd'hui au regard des servantes de ses serviteurs comme se découvrirait un homme de rien*ᵇ* ! » ²¹ Mais David répondit à Mikal : « C'est devant Yahvé que je danse ! Par la vie de Yahvé, qui m'a préféré à ton père et à toute sa maison pour m'instituer chef d'Israël, le peuple de Yahvé, je danserai devant Yahvé ²² et je m'abaisserai encore davantage. Je serai vil à tes yeux, mais auprès des servantes dont tu parles, auprès d'elles je serai en honneur*ᶜ*. » ²³ Et Mikal, fille de Saül, n'eut pas d'enfants jusqu'au jour de sa mort*ᵈ*.

---

21. « *que je danse ! Par la vie de Yahvé* » *Luc ; omis par H.*
22. « *à tes yeux* » *G ;* « *à mes yeux* » *H.*

David voulait rappeler ce souvenir et rattacher son nouveau sanctuaire à celui du désert. L'arche restera sous cette tente pendant tout le règne de David, 7 2, et elle est vraisemblablement celle où Salomon fut oint, 1 R **1** 39, et où Joab cherchera asile, 1 R **2** 28 s.

a) Sens incertain, mais plus vraisemblable que le « rôti » de la Vulgate.

b) En ne portant qu'un pagne. La loi sacerdotale a paré à ce danger d'indécence en imposant aux prêtres de porter des caleçons, Ex **28** 42-43, et a interprété dans le même sens la vieille interdiction des autels à degrés, Ex **20** 26.

c) Tout le récit révèle la simplicité et la profondeur de la religion de David.

d) Non parce que Dieu la frappa de stérilité — cela serait dit — mais parce que David se détourna d'elle, comme il fera de ses concubines

7. **Prophétie de Natân**[a]. ¹ Quand le roi habita ‖ 1 Ch **17** 1-15
sa maison et que Yahvé l'eut
débarrassé de tous les enne-
mis qui l'entouraient[b], ² le roi dit au prophète Natân :
« Vois donc ! J'habite une maison de cèdre et l'arche de
Dieu habite sous la tente ! » ³ Natân répondit au roi : « Va
et fais tout ce qui te tient à cœur, car Yahvé est avec toi. »
⁴ Mais, cette même nuit, la parole de Yahvé fut adressée
à Natân en ces termes :
⁵ « Va dire à mon serviteur David : Ainsi parle Yahvé.
Est-ce toi qui me construiras une maison pour ma résidence ? ⁶ Je n'ai jamais habité de maison depuis le jour où

---

souillées par Absalom, **20** 3. Mikal était la première femme de David et
elle aurait dû lui donner son fils aîné, naturellement désigné pour lui
succéder ; mais le sang de Saül ne se perpétuera pas dans la lignée davidique.
L'épisode de Mikal se rattache ainsi à l'histoire de la condamnation de la
maison de Saül, cf. **3** 10 et ailleurs, et elle prépare celle de la succession
au trône de David qui va commencer au ch. **9**.

a) La prophétie est construite sur une opposition : ce n'est pas David
qui fera une *maison* (un Temple) à Yahvé, v. 5, c'est Yahvé qui fera une
maison (une dynastie) à David, v. 11. La promesse concerne essentielle-
ment la permanence de la lignée davidique sur le trône d'Israël, vv. 12-16. C'est
ainsi que David la comprend, vv. 19, 25, 27, 29, comp. **23** 5. C'est en ce
sens qu'elle est prise par les Ps **89** 30-38 ; **132** 11-12. L'oracle dépasse donc
la personne du premier successeur de David, Salomon, à qui il est appliqué
par l'addition du v. 13, par 1 Ch **17** 11-14 ; **22** 10 ; **28** 6 et par 1 R **5** 19 ;
8 16-19. Mais le clair-obscur de la prophétie laisse entrevoir un descendant
privilégié en qui Dieu se complaira. C'est le premier chaînon des prophéties
sur le Messie fils de David, et Ac **2** 30 appliquera le texte au Christ.
L'oracle original était en vers, mais le rythme a été à peu près détruit par
les retouches postérieures. Le parallèle de 1 Ch **17** 1-15 donne une autre
recension de la même prophétie, parfois plus proche du texte grec que
du texte hébreu de Samuel. Ces deux recensions reflètent des interprétations un peu différentes de l'oracle primitif. Il serait donc imprudent
d'utiliser les Chroniques pour modifier le texte hébreu de Samuel, que l'on
garde ici, sauf quelques corrections qui semblent nécessaires. Un troisième
état de cet oracle dynastique est contenu dans Ps **89**, où il est indépendant
de la question du Temple. Mais il n'y a pas lieu de douter de l'oracle —
sous sa forme primitive — soit ancien et qu'il ait été prononcé dans les
circonstances que décrivent Samuel et les Chroniques.

b) Comp. 1 R **5** 4. C'est le style du Deutéronome, **12** 10 ; **25** 19.

j'ai fait monter d'Égypte les Israélites jusqu'aujourd'hui[a], mais j'étais en camp volant sous une tente et un abri. [7] Pendant tout le temps où j'ai voyagé avec tous les Israélites, ai-je dit à un seul des Juges d'Israël, que j'avais institués comme pasteurs de mon peuple Israël : ' Pourquoi ne me bâtissez-vous pas une maison de cèdre ? ' [8] Voici maintenant ce que tu diras à mon serviteur David : Ainsi parle Yahvé Sabaot. C'est moi qui t'ai pris au pâturage, derrière les brebis[b], pour être chef de mon peuple Israël. [9] J'ai été avec toi dans toutes tes entreprises, j'ai supprimé devant toi tous tes ennemis. Je te donnerai un grand nom[c] comme le nom des plus grands de la terre. [10] Je fixerai un lieu à mon peuple Israël, je l'y planterai, il demeurera en cette place, il ne sera plus ballotté et les méchants ne continueront pas à l'opprimer comme auparavant, [11] depuis le temps où j'instituais des juges sur mon peuple Israël; je te débarrasserai de tous tes ennemis[d]. Yahvé t'annonce qu'il te fera une maison. [12] Et quand tes jours seront accomplis et que tu seras couché avec tes pères, je maintiendrai après toi le lignage issu de tes entrailles et j'affermirai sa royauté. ([13] C'est lui qui construira une maison pour mon Nom et j'affermirai pour toujours son trône

---

7 7. « *juges* » šopṭē *Ch ;* « *tribus* » šibṭē *H.*

12. « *Et quand* » wᵉhâyâh kî *G Ch ;* « *Quand* » kî *H, par omission de* wᵉhâyâh *après* yhwh *qui termine le v. précédent.*

---

a) Il y avait eu cependant le sanctuaire de Silo, voir la note sur 1 S **1** 7. Mais l'auteur l'omet délibérément : Yahvé ne veut pas de temple construit, il veut le maintien des coutumes du désert, cf. la note sur le v. 13.

b) Comp. 1 S **16** 11; **17** 14, 20, 28, 34 s.

c) Allusion possible à l'imposition d'un nom de couronnement. L'expression serait empruntée à l'Égypte, où les Pharaons, à leur accession, recevaient une titulature, le « nom » ou le « grand nom ».

d) Les vv. 10-11ᵃ, qui élargissent la prophétie à tout Israël, semblent être une addition.

royal*ᵃ*.) ¹⁴ Je serai pour lui un père et il sera pour moi un fils *ᵇ* : s'il commet le mal, je le châtierai avec une verge d'homme et avec les coups que donnent les humains. ¹⁵ Mais ma faveur ne lui sera pas retirée comme je l'ai retirée à Saül, que j'ai écarté de devant toi *ᶜ*. ¹⁶ Ta maison et ta royauté subsisteront à jamais devant moi, ton trône sera affermi à jamais. »

¹⁷ Natân communiqua à David toutes ces paroles et toute cette révélation.

Prière de David *ᵈ*. ¹⁸ Alors le roi David entra et s'assit devant Yahvé *ᵉ*, et il dit : ‖ I Ch **17** 16-27

¹⁹ « Qui suis-je, Seigneur Yahvé, et quelle est ma maison, pour que tu m'aies mené

---

16. « *devant moi* » *quelques Mss Vers.*; « *devant toi* » H.

---

a) Référence évidente à Salomon, comp. I R **5** 19; **8** 16-20. Mais le v. détonne dans le contexte qui envisage toute la lignée davidique et obscurément le Messie à venir. Le v. a dû être ajouté et, si on l'omet, la prophétie exprime un attachement aux coutumes antiques du désert, vv. 6-7, et une désaffection à l'égard du Temple, qu'on retrouve dans l'addition de I R **8** 27, dans les Prophètes, Is **66** 1-2, et jusque dans le discours de saint Étienne, Ac **7** 48.

b) Ce n'est pas un titre messianique, c'est une formule d'adoption, comme dans les Psaumes royaux, Ps **2** 7 et **110** 3 (grec). Mais, de la même manière que ces Psaumes, le prophète Natân exprime — pour la première fois — le messianisme royal : chaque roi de la lignée davidique est une image et une annonce du roi idéal de l'avenir. Image imparfaite et, si le roi faillit, il sera châtié, cf. Ps **89** 31-34. Le Chroniste n'a pas admis la possibilité de cette défaillance et il a omis la seconde partie du v.

c) Cf. I S **13** 14; **15** 28. Le parallèle de I Ch **17** 13 a un texte différent : « je ne lui retirerai pas ma faveur comme je l'ai retirée à celui qui t'a précédé ».

d) C'est une prière de louanges et d'action de grâces en réponse à cette promesse inouïe : Dieu s'est définitivement lié à la race de David pour accomplir par elle ses grands desseins, et c'est une « alliance éternelle », comp. les dernières paroles de David, **23** 5.

e) David entre dans la tente où se trouvait l'arche, et il s'assied pour prier. Cette posture est l'une de celles de la prière orientale, attestée par les monuments anciens et par les usages modernes.

jusque là ? Mais cela est encore trop peu à tes yeux,
Seigneur Yahvé, et tu étends aussi tes promesses à la
maison de ton serviteur pour un lointain avenir. Voilà le
destin de l'homme*ᵃ*, Seigneur Yahvé. ²⁰ Que David
pourrait-il te dire de plus, alors que tu as toi-même
distingué ton serviteur, Seigneur Yahvé ! ²¹ A cause de
ta parole et selon ton cœur, tu as eu cette magnificence
d'instruire ton serviteur. ²² C'est pourquoi tu es grand,
Seigneur Yahvé : il n'y a personne comme toi et il n'y a
pas d'autre Dieu que toi seul, comme l'ont appris nos
oreilles *ᵇ*. ²³ Y a-t-il, comme ton peuple Israël, un autre
peuple sur la terre qu'un Dieu soit allé racheter pour en
faire son peuple, pour le rendre fameux, opérer en sa
faveur de grandes et terribles choses et chasser devant son
peuple des nations et des dieux *ᶜ* ? ²⁴ Tu as établi ton peuple
Israël pour qu'il soit à jamais ton peuple, et toi, Yahvé,
tu es devenu son Dieu *ᵈ*. ²⁵ Maintenant, Yahvé Dieu,
garde toujours la promesse que tu as faite à ton serviteur
et à sa maison et agis comme tu l'as dit. ²⁶ Ton nom sera
exalté à jamais et l'on dira : Yahvé Sabaot est Dieu sur
Israël. La maison de ton serviteur David susbistera en ta
présence. ²⁷ Car c'est toi, Yahvé Sabaot, Dieu d'Israël, qui
as fait cette révélation à ton serviteur : ' Je te bâtirai une

---

23. *Texte confus, corrigé ici d'après Vers. et Ch et par conjecture, voir la note.*

---

a) En comprenant *tôrat hâ'âdâm* comme la décision divine qui fixe
le sort des hommes, comme *terît nišê* en accadien; ce serait une glose.

b) Comp. Ps 44 2-3.

c) La tradition s'est offusquée de l'apparence de réalité que cette question donnerait aux faux dieux et a tout rapporté à Yahvé et à Israël. D'où
les modifications du texte : « Dieu » pour « un Dieu », « notre faveur »
pour « sa faveur », « ton peuple que tu as racheté d'Égypte » au lieu de
« son peuple ». Comp. Dt 4 7 et 34.

d) Comp. Ex 6 7; Dt 7 6; 26 18; 29 12. Rappel de l'alliance du Sinaï.

maison '. Aussi ton serviteur a-t-il trouvé le courage de te
faire cette prière. ²⁸ Oui, Seigneur Yahvé, c'est toi qui es
Dieu, tes paroles sont vérité et tu fais cette belle promesse
à ton serviteur. ²⁹ Consens donc à bénir la maison de ton
serviteur, pour qu'elle demeure toujours en ta présence.
Car c'est toi, Seigneur Yahvé, qui as parlé, et par ta bénédiction la maison de ton serviteur sera bénie à jamais. »

8. ¹ Il advint après cela ‖ ₁ Ch 18 ₁-₁₃
Les guerres de Davidᵃ.   que David battit les Philistins et les abaissa. David prit
des mains des Philistins... ᵇ ² Il battit aussi les Moabites et
les mesura au cordeau en les faisant coucher à terre : il en
mesura deux cordeaux à mettre à mort et un plein cordeau
à laisser en vie, et les Moabites devinrent sujets de David
et lui payèrent tribut.

³ David battit Hadadézer, fils de Rehob, roi de Çoba,
lorsque celui-ci alla pour étendre son pouvoir sur le
Fleuveᶜ. ⁴ David lui prit mille sept cents charriers et vingt
mille hommes de pied, et David coupa les jarrets de tous
les attelages, il n'en garda que centᵈ. ⁵ Les Araméens de

a) Résumé des campagnes militaires du règne avant que commence
le grand récit de **9-20** sur la famille de David et la succession au trône.
La guerre ammonite est omise car elle sera racontée aux ch. **10-12**, en
liaison avec l'histoire de Bethsabée.

b) Deux mots incompréhensibles, litt. « la bride de la coudée ». Une
traduction admise, « le contrôle de la métropole », est malaisée à justifier.
₁ Ch remplace par une leçon facile : « Gat et les villes de sa dépendance ».
L'expression cache probablement une indication géographique.

c) Le sens est incertain, nous comprenons ainsi : Hadadézer, chef de
la principauté de Çoba dans l'Antiliban, exerçait une hégémonie sur les
groupes araméens voisins et chercha à s'étendre vers l'Euphrate (le Fleuve
par excellence, comme l'explicitent le Qerê, le grec et le parallèle des
Chroniques), et David en profite pour attaquer ses arrières. Mais c'est
peut-être une autre version de la campagne de **10** ₁₅-₁₉.

d) L'armée israélite n'aura pas de charrerie avant Salomon, ₁ R **9** ₁₉;
10 ₂₆ s. Les chevaux épargnés par David sont destinés aux services civils
et à la parade, **15** ₁.

Damas vinrent au secours de Hadadézer, roi de Çoba, mais
David tua aux Araméens vingt-deux mille hommes. ⁶ Puis
David établit des gouverneurs dans l'Aram de Damas,
et les Araméens devinrent sujets de David et lui payèrent
tribut. Partout où David allait Yahvé lui donna la victoire.
⁷ David prit les rondaches d'or que portait la garde de
Hadadézer et les emporta à Jérusalem*a*. ⁸ De Tébah et
de Bérotaï*b*, villes de Hadadézer, le roi David enleva une
énorme quantité de bronze.

⁹ Lorsque Tôou, roi de Hamat*c*, apprit que David avait
défait toute l'armée de Hadadézer, ¹⁰ il dépêcha son fils
Hadoram au roi David pour le saluer et le féliciter d'avoir
fait la guerre à Hadadézer et de l'avoir vaincu, car Hadadézer était l'adversaire de Tôou. Hadoram apportait des
objets d'argent, d'or et de bronze. ¹¹ Le roi David les
consacra aussi à Yahvé, avec l'argent et l'or qu'il avait
consacrés, provenant de toutes les nations qu'il avait
subjuguées, ¹² Aram, Moab, les Ammonites, les Philistins,
Amaleq, provenant aussi du butin pris à Hadadézer, fils
de Rehob, roi de Çoba.

¹³ David acquit du renom et, à son retour, il battit les

8 8. « *Tébah* » *Luc Ch* ; « *Bétah* » *H.*

9. « *Tôou* » *Gᴮ Ch* ; « *Tôï* » *H.*

10. « *Hadoram* » *Ch cf. G* ; « *Yoram* » *H, transformant un nom païen en un nom yahviste.*

13. « *à son retour, il battit les Édomites* » *G Syr Ch, cf. le titre du Ps* **60** *et* 1 R **11** 15 ; « *à son retour de battre les Araméens* » *H.*

a) Comp. 2 R **11** 10.

b) Les deux villes se localisent entre le Liban et l'Antiliban, dans la Beqaʿ que contrôlait Hadadézer et qui était une riche région minière (il y eut là Chalcis du Liban).

c) Aujourd'hui Hama sur l'Oronte. Le royaume s'étendait au nord des territoires contrôlés par Hadadézer.

Édomites dans la vallée du Sel[a], au nombre de dix-huit
mille. [14] Il établit des gouverneurs en Édom et tous les
Édomites devinrent sujets de David. Partout où David
allait, Yahvé lui donna la victoire.

**L'administration
du royaume[b].**

[15] David régna sur tout
Israël, faisant droit et justice
à tout son peuple. [16] Joab,
fils de Çeruya, commandait
l'armée; Yehoshaphat, fils d'Ahilud, était héraut; [17] Sadoq
et Ébyatar, fils d'Ahimélek, fils d'Ahitub, étaient prêtres[c];

|| 1 Ch 18 14
17

---

14. *Après « Édom », le texte répète « dans tout Édom il établit des gouverneurs », omis par Ch et en partie par G.*
17. *« Sadoq et Ébyatar, fils d'Ahimélek, fils d'Ahitub » en partie Syr et
cf. 1 S 22 20; « Sadoq, fils d'Ahitub, et Ahimélek, fils d'Ébyatar » H. —
« Shusha » cf. Ch et 1 R 4 3; « Seraya » H ici, « Sheya » ou « Shewa » H
à 20 25.*

a) Vraisemblablement la Araba, la vallée qui prolonge au sud la mer
Morte, appelée mer du Sel dans Gn 14 3, comp. 2 R 14 7. Les suites
qu'eut cette campagne sont racontées dans 1 R 11 15 s.

b) La liste des grands officiers de David sera répétée, avec quelques
variantes, à 20 23-26. Comp. celle des grands de Salomon, 1 R 4 1-6.

c) Remarquer que ces deux chefs du sacerdoce sont comptés parmi
les fonctionnaires du roi. Ils gardent leur poste pendant tout le règne de
David. Ébyatar, descendant d'Éli, et prêtre de David depuis le début,
1 S 22 20, sera destitué par Salomon, 1 R 2 26-27, et la famille de Sadoq
aura le monopole du sacerdoce à Jérusalem, selon la prophétie contre les
Élides, 1 S 2 30-36. Ce Sadoq, qui apparaît pour la première fois, est donné
ici comme fils d'Ahitub et, d'après 1 Ch 5 29-34 et 6 35-38, il descend
ainsi d'Éléazar, fils d'Aaron. Mais ces généalogies paraissent factices :
Sadoq ne peut pas être le fils d'Ahitub, petit-fils d'Éli, 1 S 14 3, puisqu'il
supplante les Élides. D'autre part, la suite du texte hébreu (cf. la note
textuelle) est sûrement en désordre, car c'est Ébyatar qui est fils d'Ahimélek
et non pas le contraire. La version syriaque a déjà fait cette correction
nécessaire. De plus, Ahimélek est fils d'Ahitub, d'après 1 S 22 20, et il
semble que ce dernier nom ait été attaché à Sadoq soit accidentellement,
soit délibérément pour donner à Sadoq une ascendance, dont il était
dépourvu : il est un « homme nouveau ». On a voulu, sans preuve
suffisante, le reconnaître comme le « frère » d'Uzza, cf. la note sur 6 3,
ou en faire le prêtre du sanctuaire jébuséen de Jérusalem. Il vaut mieux
reconnaître que nous ignorons son origine.

Shusha était secrétaire; [18] Benayahu, fils de Yehoyada, commandait les Kerétiens et les Pelétiens[a]; les fils de David étaient prêtres[b].

III. LA FAMILLE DE DAVID
ET LES INTRIGUES POUR LA SUCCESSION[c]

1. MERIBBAAL

Bonté de David envers le fils de Jonathan.

9. [1] David demanda : « Est-ce qu'il y a encore un survivant de la famille de Saül, pour que je le traite avec bonté par égard pour Jonathan[d] ? » [2] Or la famille de Saül avait un serviteur,

---

18. « *commandait* » *Vers. Ch* ; *omis par H.*

a) Mercenaires étrangers qui composent la garde personnelle de David, **15** 18; **20** 7, 23; 1 R **1** 38, 44. Les Kerétiens étaient originaires de la région philistine, 1 S **30** 14 et la note, et sans doute aussi les Pelétiens, dont le nom est probablement dérivé de celui des Philistins.

b) Indication étrange, comme celle qui clôture la liste parallèle de **20** 26. Chapelains privés ? Ou plutôt assistants ou substituts de leur père dans les fonctions sacerdotales qui étaient légitimement exercées par le roi, cf. **6** 13-20. Les Chroniques s'en sont offusquées et ont paraphrasé « étaient les premiers à côté du roi ».

c) Les ch. **9-20**, qui se continuent par 1 R **1-2**, proviennent d'un admirable récit ancien, qui a été utilisé, presque sans retouches, par l'auteur des livres de Samuel. La prophétie de Natân, ch. **7**, dans sa forme primitive, lui servait peut-être de préface. On racontait comment la succession de David était finalement échue à Salomon, malgré la survivance d'un descendant de Saül, Meribbaal, ch. **9**, et l'opposition de Shéba, ch. **20**, à travers la tragique histoire de la famille royale : adultère de David et naissance de Salomon, ch. **10-12**, meurtre d'Amnon, ch. **13**, révolte d'Absalom, ch. **15-18**, intrigues d'Adonias, 1 R **1-2**.

d) David reste fidèle à son amitié pour Jonathan, 1 S **18** 1 s, etc. et au serment qu'elle a inspiré, 1 S **20** 15-17, 42. Mais la question de David suppose que les événements de **21** 1-14 sont déjà accomplis. Les deux récits, dans leur état primitif, s'enchaînaient directement, car « après cela » à la fin de **21** 14 était l'introduction de **9** 1.

qui se nommait Çiba[a]. On l'appela auprès de David et le
roi lui dit : « Tu es Çiba ? » Il répondit : « Pour te servir. »
[8] Le roi lui demanda : « Ne reste-t-il pas quelqu'un de la
famille de Saül, pour que je le traite avec une bonté comme
celle de Dieu ? » Çiba répondit au roi : « Il y a encore un
fils de Jonathan qui est boiteux[b]. » — [4] « Où est-il ? »
demanda le roi, et Çiba répondit au roi : « Il est dans la
maison de Makir, fils d'Ammiel, à Lo-Debar[c]. » [5] Le roi
l'envoya donc chercher à la maison de Makir, fils d'Ammiel, de Lo-Debar.

[6] En arrivant auprès de David, Meribbaal, fils de Jonathan, fils de Saül, tomba sur sa face et se prosterna. David
dit : « Meribbaal ! » Et il répondit : « C'est moi, pour te
servir. » [7] David lui dit : « N'aie pas peur, car je veux te
traiter avec bonté par égard pour ton père Jonathan. Je
te restituerai toutes les terres de Saül ton aïeul et tu man-
geras toujours à ma table[d]. » [8] Meribbaal se prosterna et dit :
« Qui est ton serviteur pour que tu fasses grâce à un chien
crevé tel que moi[e] ? »

[9] Puis le roi appela Çiba, le serviteur de Saül, et lui dit :

---

9 6 *et dans la suite.* « *Meribbaal* » *cf.* **4** 4; « *Mephiboshet* » H.

a) Il reparaîtra dans un rôle douteux, à **16** 1-4; cf. **19** 27-31.

b) C'est Meribbaal, nommé v. 6; comp. **4** 4 et, pour la suite de son
histoire, **16** 1-4 et **19** 25-31, enfin **21** 7.

c) En Transjordanie, associée à Mahanayim dans Jos **13** 26 (?) et 2 S
17 27, où l'on voit que Makir était un personnage important.

d) Dans les monarchies orientales, un changement de pouvoir s'accompagnait souvent de l'extermination de la famille déchue, cf. Jg **9** 5; 1 R **15**
29; **16** 11; 2 R **10** 6-7; **11** 1, pour ne citer que des exemples de la Bible.
Meribbaal avait donc quelque motif d'être inquiet. Il est, au contraire,
accueilli à la table royale, « comme l'un des fils du roi », v. 11, ce qui
paraît indiquer une faveur insigne, cf. Lc **20** 30, autre chose et plus que
la pension alimentaire que le roi accordait à ses clients, **19** 34; 1 R **2** 7;
18 19. Mais David pouvait ainsi surveiller un prétendant éventuel au trône,
cf. **16** 3.

e) Pour l'expression, cf. 1 S **24** 15; 2 S **16** 9.

« Tout ce qui appartient à Saül et à sa famille, je le donne au fils de ton maître. ¹⁰ Tu travailleras pour lui la terre, toi avec tes fils et tes esclaves, tu en récolteras le produit qui assurera à la famille de ton maître le pain qu'elle mangera; quant à Meribbaal, le fils de ton maître, il prendra toujours ses repas à ma table. » Or Çiba avait quinze fils et vingt esclaves. ¹¹ Çiba répondit au roi : « Ton serviteur fera tout ce que Monseigneur le roi a ordonné à son serviteur. »

Donc Meribbaal mangeait à la table de David, comme l'un des fils du roi. ¹² Meribbaal avait un petit garçon qui se nommait Mika[a]. Tous ceux qui habitaient chez Çiba étaient au service de Meribbaal. ¹³ Mais Meribbaal résidait à Jérusalem, puisqu'il mangeait toujours à la table du roi. Il était perclus des deux pieds[b].

2. LA GUERRE AMMONITE. NAISSANCE DE SALOMON

|| 1 Ch **19** 1-5

Insulte aux ambassadeurs de David.

10. ¹ Après cela, il advint que le roi des Ammonites[c] mourut et que son fils Hanûn régna à sa place. ² David se dit : « J'aurai pour Hanûn, fils de Nahash, les mêmes bontés que son père a eues pour moi[d] », et David envoya ses serviteurs lui pré-

---

10. « la famille » Luc ; « le fils » H.
11. « à la table de David » G ; « à ma table » H.

---

a) Il perpétuera la race de Saül, cf. 1 Ch **8** 34 s, mais ne jouera aucun rôle dans l'histoire.
b) Les vv. 12-13 paraissent une addition au récit primitif.
c) C'est Nahash, qui sera nommé au v. 2.
d) Ennemi de Saül, 1 S **11**, Nahash avait sans doute favorisé David, mais nous ne connaissons pas le détail.

senter des condoléances au sujet de son père[a]. Mais lorsque
les serviteurs de David arrivèrent au pays des Ammonites,
[3] les princes des Ammonites dirent à Hanûn leur maître[b] :
« T'imagines-tu que David veuille honorer ton père,
parce qu'il t'a envoyé des porteurs de condoléances ?
N'est-ce pas plutôt afin d'explorer la ville[c], pour en
connaître les défenses et la renverser, que David t'a
envoyé ses serviteurs ? » [4] Alors Hanûn se saisit des
serviteurs de David, il leur fit raser la moitié de la
barbe, et couper les vêtements à mi-hauteur jusqu'aux
fesses, puis il les congédia[d]. [5] Lorsque David en fut
informé, il envoya quelqu'un à leur rencontre, car ces
gens étaient couverts de honte, et le roi leur fit dire :
« Restez à Jéricho jusqu'à ce que votre barbe ait repoussé,
et vous reviendrez. »

**Première campagne
ammonite.**

[6] Les Ammonites virent
bien qu'ils s'étaient rendus
odieux[e] à David et ils envoyèrent des messagers pour
prendre à leur solde les Araméens de Bet-Rehob et les
Araméens de Çoba, vingt mille hommes de pied, le roi

|| 1 Ch **19** 6-15

a) C'était déjà une courtoisie normale entre souverains ; elle est attestée par des documents non bibliques ; cf. aussi 1 R **5** 15.

b) Ils jouent le même rôle que les conseillers d'Akish, 1 S **21** 12, et ceux de David, **3** 24 s. Dans ces petites cours en perpétuelle rivalité, l'arrivée d'un étranger était toujours suspecte.

c) C'est la capitale : Rabba, **11** 1, ou Rabba des Ammonites, **12** 26, aujourd'hui Amman, capitale de la Jordanie.

d) Ils sont ridicules et déshonorés : un Oriental porte sa dignité dans sa barbe et son vêtement.

e) C'est l'interprétation ordinaire, litt. « s'étaient rendus infects ». Mais les autres emplois de l'expression dans les livres de Samuel, 1 S **13** 4 ; **27** 12 ; 2 S **16** 21, semblent indiquer qu'elle avait un sens plus précis : c'est se déclarer comme ennemi, provoquer à la guerre ou faire acte de révolte. Comparer l'emploi de la racine *ḥrp* « mépriser, insulter » au sens de « lancer un défi », 1 S **17** 10, et la note sur 1 S **11** 2.

de Maaka, mille hommes, et le prince de Tob[a], douze mille hommes[b]. [7] L'ayant appris, David envoya Joab avec toute l'armée, les preux[c]. [8] Les Ammonites sortirent et se rangèrent en bataille à l'entrée de la porte, tandis que les Araméens de Çoba et de Rehob et les gens de Tob et de Maaka étaient à part en rase campagne. [9] Voyant qu'il avait un front de combat à la fois devant et derrière lui, Joab fit choix de toute l'élite d'Israël et la mit en ligne face aux Araméens. [10] Il confia à son frère Abishaï le reste de l'armée et le mit en ligne face aux Ammonites. [11] Il dit : « Si les Araméens l'emportent sur moi, tu viendras à mon secours; si les Ammonites l'emportent sur toi, j'irai te secourir. [12] Aie bon courage et montrons-nous forts pour notre peuple et pour les villes de notre Dieu[d]. Que Yahvé fasse ce qui lui semblera bon ! » [13] Joab et la troupe qui était avec lui engagèrent le combat contre les Araméens et ceux-ci s'enfuirent devant eux. [14] Quand les Ammonites virent que les Araméens avaient fui, ils lâchèrent pied devant Abishaï et rentrèrent dans la ville. Alors Joab revint de la guerre contre les Ammonites et rentra à Jérusalem.

---

a) Litt. « l'homme de Tob », pour désigner le roi ou le prince de la cité, selon un usage régulier des textes cunéiformes de Syrie et des lettres d'Amarna.

b) Sur Çoba, voir **8** 3; Bet-Rehob s'étendait au nord des sources du Jourdain, Jg **18** 28. Les deux principautés n'envoient qu'un contingent, le plus gros : elles étaient unies sous le pouvoir de Hadadézer, qui était originaire de Bet-Rehob (il est appelé « fils de Rehob », **8** 3). Maaka, Dt **3** 14; Jos **13** 11, était au nord de la Transjordanie ainsi que Tob, Jg **11** 3.

c) L'armée n'est pas ici le peuple levé en masse, comme au v. 17 et à **11** 1, 11; l'apposition indique que seules furent engagées les troupes mercenaires, les *gibbôrîm*, les preux de la garde royale. Les Israélites sont surpassés en nombre par leurs ennemis; ils seront enveloppés par eux et ne devront la victoire qu'à une stratégie habile, cf. la suite.

d) Expression étrange, mais soutenue par les versions et le parallèle des Chroniques. Peut-être y a-t-il une faute très ancienne, le texte primitif portant : « et pour notre Dieu » ou « et pour l'arche de notre Dieu », cf. **11** 11.

‖ ı Ch **19** ı6
ı9

**Victoire
sur les Araméens**ᵃ.

¹⁵ Voyant qu'ils avaient été battus devant Israël, les Araméens concentrèrent leurs forces. ¹⁶ Hadadézer envoya des messagers et mobilisa les Araméens qui sont de l'autre côté du Fleuve ᵇ. Ceux-ci arrivèrent à Hélam ᶜ, ayant à leur tête Shobak, le chef de l'armée de Hadadézer. ¹⁷ Cela fut rapporté à David, qui rassembla tout Israël, passa le Jourdain et arriva à Hélam. Les Araméens se rangèrent en face de David et lui livrèrent bataille. ¹⁸ Mais les Araméens lâchèrent pied devant Israël et David leur tua sept cents attelages et quarante mille hommes ; il abattit aussi Shobak, leur général, qui mourut sur les lieux. ¹⁹ Lorsque tous les rois vassaux de Hadadézer virent qu'ils avaient été battus devant Israël, ils firent la paix avec les Israélites et leur furent assujettis. Les Araméens craignirent de porter encore secours aux Ammonites.

**Seconde campagne
ammonite.
Faute de David**ᵈ.

11. ¹ Au retour de l'année ᵉ, au temps où les rois se mettent en campagne, David envoya Joab et avec lui sa garde et tout

‖ ı Ch **20** ı

10 18. « *quarante mille hommes* » Ch ; « *quarante mille charriers* » H.

a) Ce petit récit qui nomme Hadadézer et met David à la tête de l'expédition, paraît venir d'une source différente. De plus, il y a peu de place pour cette guerre entre les deux campagnes ammonites, voir **11** 1.
b) On a vu que Hadadézer cherchait à s'étendre sur l'Euphrate, **8** ₃, mais il est douteux que son pouvoir se soit exercé jusqu'en Assyrie. On peut comprendre qu'il y a seulement cherché des alliés. Peut-être est-ce un doublet du récit de **8** ₃-₈.
c) Peut-être Aléma de ı M **5** ₂₆, aujourd'hui Alma, dans la plaine du Hauran.
d) Pour l'auteur des ch. **9-20**, la guerre ammonite n'est que le cadre de l'histoire de David et de Bethsabée. Mais le Chroniste, par respect pour la mémoire de David, a omis toute cette histoire et n'a gardé des ch. **11-12** que **11** 1 et **12** 26-₃₁ (abrégés), comp. ı Ch **20** 1-₃.
e) Le « retour de l'année » est l'époque où l'année, au milieu de sa course,

Israël[a] : ils massacrèrent les Ammonites et mirent le siège
devant Rabba[b]. Cependant David restait à Jérusalem.

² Il arriva que, vers le soir, David, s'étant levé de sa
couche[c] et se promenant sur la terrasse du palais, aperçut,
de la terrasse, une femme qui se baignait. Cette femme
était très belle. ³ David fit prendre des informations sur
cette femme, et on répondit : « Mais c'est Bethsabée, fille
d'Éliam et femme d'Urie le Hittite[d] ! » ⁴ Alors David
envoya des émissaires et la fit chercher. Elle vint chez lui
et il coucha avec elle, alors qu'elle venait de se purifier
de ses règles[e]. Puis elle retourna dans sa maison. ⁵ La
femme conçut et elle envoya dire à David : « Je suis
enceinte ! »

⁶ Alors David expédia un message à Joab : « Envoie-
moi Urie le Hittite », et Joab envoya Urie à David. ⁷ Lorsqu'Urie fut arrivé auprès de lui, David demanda comment
allaient Joab et l'armée et la guerre. ⁸ Puis David dit à
Urie : « Descends dans ta maison[f] et lave-toi les pieds. »
Urie sortit du palais, suivi d'un présent de la table royale.
⁹ Mais Urie coucha à la porte du palais avec tous les gardes
de son maître et ne descendit pas dans sa maison.

¹⁰ On en informa David : « Urie, lui dit-on, n'est pas

---

paraît revenir sur elle-même, le printemps d'une année commençant à
l'automne. C'est le début de la belle saison, où « les rois partent en guerre »;
en fait, presque toutes les campagnes assyriennes, qui peuvent être datées
avec précision, ont commencé entre avril et juin.

a) La garde, litt. « les serviteurs », est le corps des mércenaires; « tout
Israël » est le ban.

b) Voir la note sur **10** 3.

c) Il avait fait la sieste.

d) « Hittite » est une désignation des éléments non sémitiques de Palestine : Urie porte un nom hurrite. C'était un mercenaire étranger.

e) La rapidité de la conception est ainsi expliquée, et aussi le bain du
v. 2, cf. Lv **15** 19 s.

f) Urie habitait en contrebas du palais, v. 2. David ne pense pas encore
au meurtre : il veut, en rendant admissible une paternité d'Urie, cacher
sa faute et sauver la femme.

descendu dans sa maison. » David demanda à Urie :
« N'arrives-tu pas de voyage ? Pourquoi n'es-tu pas descendu dans ta maison ? » [11] Urie répondit à David :
« L'arche[a], Israël et Juda logent sous les huttes[b], mon
maître Joab et la garde de Monseigneur campent en rase
campagne, et moi j'irais dans ma maison pour manger et
boire et coucher avec ma femme[c] ! Aussi vrai que Yahvé
est vivant et que tu vis toi-même, je ne ferai pas une chose
pareille ! » [12] Alors David dit à Urie : « Reste encore
aujourd'hui ici, et demain je te donnerai congé. » Urie
resta donc à Jérusalem ce jour-là. Le lendemain, [13] David
l'invita à manger et à boire en sa présence et il l'enivra[d].
Le soir Urie sortit et s'étendit sur sa couche avec les
gardes de son maître, mais il ne descendit pas dans sa
maison.

[14] Le matin suivant, David écrivit une lettre à Joab et
la fit porter par Urie. [15] Il écrivait dans la lettre : « Mettez
Urie au plus fort de la mêlée et reculez derrière lui : qu'il
soit frappé et qu'il meure. » [16] Joab, qui bloquait la ville,
plaça Urie à l'endroit où il savait que se trouvaient de
vaillants guerriers. [17] Les gens de la ville firent une sortie
et attaquèrent Joab. Il y eut des tués dans l'armée, parmi
les gardes de David, et Urie le Hittite mourut aussi.

[18] Joab envoya à David un compte rendu de tous les

---

11 11. *« Aussi vrai que Yahvé est vivant »* conj.; *« Aussi vrai que tu es vivant »* H.
13. *« ce jour-là. Le lendemain »* Luc Syr ; *« ce jour-là et le lendemain »* H.

a) L'arche est partie avec l'armée, comp. 1 S 4 3 s.
b) En hébreu *bassukkôt*. Au lieu d'un nom commun, on a proposé
récemment d'y reconnaître Sukkot, ville de la vallée du Jourdain à l'em-
bouchure du Yabboq, qui aurait servi de base stratégique à David pour
sa campagne contre les Ammonites.
c) La continence était une loi religieuse de la guerre, comp. 1 S 21 6.
d) Seconde tentative pour qu'Urie rompe la continence. Elle va échouer,
et David se résoudra au crime.

détails du combat. ¹⁹ Il donna cet ordre au messager :
« Quand tu auras fini de raconter au roi tous les détails
du combat, ²⁰ si la colère du roi s'élève et qu'il te dise :
' Pourquoi vous êtes-vous approchés de la ville pour
livrer bataille ? Ne saviez-vous pas qu'on tire du haut des
remparts ? ²¹ Qui a tué Abimélek, le fils de Yerubbaal[a] ?
N'est-ce pas une femme, qui a lancé une meule sur lui, du
haut du rempart, et il est mort à Tébèç[b] ? Pourquoi vous
êtes-vous approchés du rempart ? ', tu diras : Ton serviteur Urie le Hittite est mort lui aussi. »

²² Le messager partit et, à son arrivée, il rapporta à
David tout le message dont Joab l'avait chargé. David
s'emporta contre Joab et dit au messager : « Pourquoi
vous êtes-vous approchés du rempart ? Qui a tué Abimélek, le fils de Yerubbaal ? N'est-ce pas une femme qui a jeté
une meule sur lui du haut du rempart, et il est mort à
Tébèç ? Pourquoi vous êtes-vous approchés du rempart ? »
²³ Le messager répondit à David : « C'est que ces gens
avaient fait un coup de force contre nous et étaient sortis
vers nous en rase campagne, nous les avons refoulés jusqu'à l'entrée de la porte ²⁴ mais les archers ont tiré sur
tes gardes du haut des remparts, certains des gardes du
roi ont péri et ton serviteur Urie le Hittite est mort lui
aussi. »

²⁵ Alors David dit au messager : « Voici ce que tu diras
à Joab : ' Que cette affaire ne t'afflige pas : l'épée dévore

---

21. « *Yerubbaal* » *G cf. Jg* **7** 1 *s ;* « *Yerubbéshet* » *H.*
22. « *David s'emporta...* » *jusqu'à la fin du v. G ; omis par H.*

---

a) Voir les notes sur **2** 8 ; **4** 4.
b) Voir Jg **9** 50-54. Joab ne pouvait pas prévoir aussi exactement la
réponse de David, mais de telles anticipations ne sont pas étrangères
à l'ancien style narratif. Il faut, en tout cas, maintenir la répétition de ces
paroles dans l'entrevue avec David, au v. 22, avec la version grecque.

tantôt celui-ci et tantôt celui-là[a]. Force ton attaque contre la ville et détruis-la. ' Ainsi tu lui rendras courage. » [26] Lorsque la femme d'Urie apprit que son époux, Urie, était mort, elle fit le deuil pour son mari. [27] Quand le deuil fut achevé[b], David l'envoya chercher et la recueillit chez lui, et elle devint sa femme. Elle lui enfanta un fils. Mais l'action que David avait commise déplut à Yahvé.

Reproches de Natân.
Repentir de David[c].

12. [1] Yahvé envoya le prophète Natân vers David. Il entra chez lui et lui dit[d] :

« Il y avait deux hommes dans la même ville,
l'un riche et l'autre pauvre.
[2] Le riche avait petit et gros bétail
en très grande abondance.
[3] Le pauvre n'avait rien du tout qu'une brebis,
une seule petite qu'il avait achetée.

Il la nourrit et elle grandissait avec lui et avec ses
mangeant son pain, buvant dans sa coupe,   [enfants,
dormant dans son sein : c'était comme sa fille.
[4] Un hôte se présenta chez l'homme riche
qui épargna de prendre sur son petit ou son gros bétail

---

12 1. « *le prophète* » *quelques Mss G Syr ; omis par H.*

---

a) Comme l'avait prévu Joab, l'annonce de la mort d'Urie suffit à calmer la colère de David. Le messager ignore tout du crime de David et de la complicité de Joab.

b) Il durait sept jours, 1 S **31** 13.

c) Il est vraisemblable que l'intervention de Natân ne figurait pas dans le récit primitif qui, de **11** 27, se continuait par **12** 15[b] et s : David paraîtra ignorer que l'enfant est condamné, v. 22. Mais les deux traditions sont également anciennes et témoignent d'un même sens religieux : le crime odieux de David est flétri, mais son repentir sincère lui vaut le pardon de Dieu.

d) C'est une parabole simple et belle comme celles de l'Évangile. Sur cette manière de faire entendre raison au roi en feignant de lui soumettre un cas de justice, comp. l'histoire de la femme de Teqoa, **14** 4-17.

de quoi servir au voyageur arrivé chez lui.

Il vola la brebis de l'homme pauvre

et l'apprêta pour son visiteur. »

⁵ David entra en grande colère contre cet homme et dit à Natân : « Aussi vrai que Yahvé est vivant, l'homme qui a fait cela mérite la mort ! ⁶ Il remboursera la brebis au quadruple *ᵃ*, pour avoir commis cette action et n'avoir pas eu de pitié. »

⁷ Natân dit alors à David : « Cet homme c'est toi ! Ainsi parle Yahvé, Dieu d'Israël : Je t'ai oint comme roi d'Israël, je t'ai sauvé de la main de Saül, ⁸ je t'ai livré la maison de ton maître, j'ai mis dans tes bras les femmes de ton maître *ᵇ*, je t'ai donné la maison d'Israël et de Juda et, si ce n'est pas assez, j'ajouterai pour toi n'importe quoi *ᶜ*. ⁹ Pourquoi as-tu méprisé Yahvé et fait ce qui lui déplaît ? Tu as frappé par l'épée Urie le Hittite, sa femme tu l'as prise pour ta femme, lui tu l'as fait périr par l'épée des Ammonites. ¹⁰ Maintenant l'épée ne se détournera plus jamais de ta maison *ᵈ*, parce que tu m'as méprisé et que tu as pris la femme d'Urie le Hittite pour qu'elle devienne ta femme.

¹¹ « Ainsi parle Yahvé : Je vais, de ta propre maison, faire surgir contre toi le malheur. Je prendrai tes femmes

---

9. « *Yahvé* » *Luc Theod* ; « *la parole de Yahvé* » H.

---

a) Cela est conforme à la loi d'Ex **21** 37. Le grec a « le scrupule », chiffre proverbial que beaucoup de critiques préfèrent lire ici. Mais l'hébreu est soutenu par les autres versions.

b) Le harem d'un roi passait à son successeur, voir la note sur **3** 7.

c) Le texte n'est pas absolument sûr : le syriaque a lu « les filles de ton maître » (allusion à Mikal), et « les filles d'Israël et de Juda », et l'on resterait ainsi au plan du présent litige. Mais le texte hébreu paraît préférable : il rappelle toutes les faveurs divines faites à David.

d) Allusion à la mort sanglante d'Amnon, d'Absalom, d'Adonias, les trois fils de David. Il est possible que le rappel du meurtre d'Urie et l'annonce du châtiment correspondant soient ajoutés à l'oracle primitif qui dans la ligne de la parabole des vv. 1-4, ne visait que l'adultère.

sous tes yeux et je les livrerai à ton prochain, qui couchera avec tes femmes à la vue de ce soleil. [12] Toi, tu as agi dans le secret, mais moi j'accomplirai cela à la face de tout Israël et à la face du soleil[a] ! »

[13] David dit à Natân : « J'ai péché contre Yahvé[b] ! » Alors Natân dit à David : « De son côté, Yahvé pardonne ta faute, tu ne mourras pas. [14] Seulement, parce que tu as outragé Yahvé en cette affaire, l'enfant qui t'est né mourra. » [15] Et Natân s'en alla chez lui.

Mort de l'enfant de Bethsabée. Naissance de Salomon.

Yahvé frappa l'enfant que la femme d'Urie avait donné à David, et il tomba gravement malade. [16] David implora Dieu pour l'enfant : il jeûnait strictement, rentrait chez lui et passait la nuit couché sur la terre nue. [17] Les dignitaires de sa maison se tenaient debout autour de lui pour le relever de terre, mais il refusa et ne prit avec eux aucune nourriture. [18] Le septième jour, l'enfant mourut. Les officiers de David avaient peur de lui apprendre que l'enfant était mort. Ils se disaient en effet : « Quand l'enfant était vivant, nous lui avons parlé et il ne nous a pas écoutés. Comment pourrons-nous lui dire que l'enfant est mort ? Il fera un malheur ! » [19] David s'aperçut que les officiers chuchotaient entre eux, et il comprit que l'enfant était mort. David demanda à ses officiers : « L'enfant est-il mort ? » et ils répondirent : « Oui. »

---

14. « *outragé Yahvé* » conj.; « *outragé les ennemis de Yahvé* » H, *pour éviter un blasphème.*

a) Les vv. 11-12 semblent encore être une addition, qui annonce la souillure des concubines de David par Absalom, **16** 22.

b) Aveu sans réticence, d'autant plus émouvant s'il n'est pas provoqué par l'annonce d'un châtiment, voir les notes précédentes.

²⁰ Alors David se leva de terre, se baigna, se parfuma
et changea de vêtements. Puis il entra dans le sanctuaire^d
de Yahvé et se prosterna. Rentré chez lui, il demanda qu'on
lui servît de la nourriture et il mangea. ²¹ Ses officiers lui
dirent : « Que fais-tu là ? Tant que l'enfant était vivant,
tu as jeûné et pleuré, et maintenant que l'enfant est mort,
tu te relèves et tu prends de la nourriture^b ! » ²² Il répondit : « Tant que l'enfant était vivant, j'ai jeûné et j'ai pleuré,
car je me disais : Qui sait ? Yahvé aura peut-être pitié
de moi et l'enfant vivra. ²³ Maintenant qu'il est mort, pourquoi jeûnerais-je ? Pourrais-je le faire revenir ? C'est moi
qui m'en vais le rejoindre^c, mais lui ne reviendra pas vers
moi. »

²⁴ David consola Bethsabée, sa femme. Il alla vers elle
et coucha avec elle. Elle conçut et mit au monde un fils
auquel elle donna le nom de Salomon. Yahvé l'aima ²⁵ et
le fit savoir par le prophète Natân^d. Celui-ci le nomma
Yedidya, suivant la parole de Yahvé^e.

21. « *Tant que l'enfant était vivant* » beʿôd *Luc Targ cf. v.* 22 ; « *A cause de
l'enfant vivant* » baʿâbûr *H*.

24. « *Elle conçut* » *G ; omis par H.* — « *elle donna* » *Qer Targ Syr ;* « *il
donna* » *Ket.*

25. « *suivant la parole de Yahvé* » bidbar *Luc VetLat Theod ;* « *à cause de
Yahvé* » baʿâbûr *H*.

a) Litt. « la maison », ici la tente qui abritait l'arche, 6 17, mais celle-ci
est avec l'armée, 11 11.

b) David manque en effet à tous les usages et il en donne la raison au
v. suivant : c'est l'expression d'une religion personnelle, non conformiste,
comp. 6 21-22.

c) Au séjour des morts, le shéol.

d) Cette naissance de Salomon, fils de Bethsabée, aimé de Yahvé, est
l'assurance du pardon de Dieu. Et nous devinons déjà que c'est cet enfant
qui, au terme d'une longue et tragique histoire, succédera à son père,
contre les héritiers mieux pourvus de titres : signe de la gratuité des choix
divins.

e) Yedidya signifie précisément « aimé de Yahvé ». Notice énigmatique,
car ce nom ne sera jamais employé. C'est peut-être le souvenir d'un double

Prise de Rabba.

²⁶ Joab donna l'assaut à Rabba des Ammonites et il s'empara de la ville royale[a]. ‖ 1 Ch **20** 1ᵇ⁻³ ²⁷ Joab envoya alors des messagers à David pour dire : « J'ai attaqué Rabba, je me suis même emparé de la ville des eaux[b]. ²⁸ Maintenant, rassemble le reste de l'armée, dresse ton camp contre la ville et prends-la, pour que ce ne soit pas moi qui conquière la ville et lui donne mon nom[c]. » ²⁹ David rassembla toute l'armée et alla à Rabba, il donna l'assaut à la ville et s'en empara. ³⁰ Il enleva de la tête de Milkom[d] la couronne qui pesait un talent d'or[e]; elle enchâssait une pierre précieuse qui devint l'ornement

---

30. « *Milkom* » G cf. 1 R **11** 5 etc.; « *leur roi* » malkâm H. — « *elle enchâssait une pierre* » *Vers. Ch* ; « *et une pierre* » H.

---

nom, l'un donné à la naissance (Yedidya), l'autre au couronnement (Salomon), comp. Is **9** 5 ; le successeur de Josias, appelé Joachaz dans 2 R **23** 30 s, mais Shallum dans Jr **22** 11 et 1 Ch **3** 15 ; le roi appelé Azarias dans les récits de 2 R **14** 21-15 34, mais Ozias dans 2 Ch **26** et dans les Prophètes; et les changements de nom des derniers rois de Juda, Élyaqim-Joiaqîm, 2 R **23** 34; Mattanya-Sédécias, 2 R **24** 17.

a) On est très tenté de corriger en « ville des eaux » d'après le v. 27, mais la correction se justifie mal paléographiquement et n'est soutenue par aucune des versions. Cependant, il s'agit bien, dans les deux cas, de la même partie de la ville, peut-être appelée « ville royale », parce que le roi y avait des propriétés, comp. le « jardin du roi », à Jérusalem, dans la vallée au pied de la forteresse de Sion, 2 R **25** 4; Jr **52** 7; Ne **3** 15.

b) La ville basse, entassée dans la vallée supérieure du Nahr ez-Zerqa (le Yabboq) et dominée au nord par l'acropole à laquelle David donnera l'assaut.

c) Comme Jérusalem conquise fut appelée « Cité de David » : c'est un titre de propriété. L'expression a été transférée à Yahvé, maître du Temple, 1 R **8** 43; Jr **7** 10, d'Israël, Dt **28** 10; Jr **14** 9, des nations, Am **9** 12.

d) L'idole des Ammonites, 1 R **11** 5.

e) Le poids du talent israélite est incertain, peut-être entre 34 et 36 kilos. Conformément à son nom, qui signifie « roi », le dieu Milkom porte les insignes royaux : la couronne où est enchâssée une pierre précieuse, comp., dans Si hébr. **40** 4, le turban royal et la « fleur » qui l'orne; dans Za **3** 5 et 9, le turban et la pierre destinés au premier grand prêtre d'après l'Exil, Josué, qui revêt ainsi une dignité royale. En mettant à son front la gemme qui signifiait la royauté de Milkom, David manifeste qu'il a subjugué le dieu-roi et son peuple.

de la tête de David. Il emporta le butin de la ville en énorme quantité. [31] Quant à sa population, il la fit sortir, la mit à manier la scie, les pics ou les haches de fer et l'employa au travail des briques[a]; il agissait de même pour toutes les villes des Ammonites. David et toute l'armée revinrent à Jérusalem.

3. Histoire d'Absalom[b]

**Amnon outrage
sa sœur Tamar.**

13. [1] Voici ce qui arriva ensuite. Absalom, fils de David, avait une sœur qui était belle et qui se nommait Tamar, et Amnon, fils de David, s'éprit d'elle[c]. [2] Amnon était tourmenté au point de se rendre malade à cause de sa sœur Tamar, car elle était vierge et Amnon ne voyait pas la possibilité de lui rien faire[d]. [3] Mais Amnon avait un ami

---

31. « *l'employa* » wᵉhèᶜᵉbîd *conj.*; « *la fit passer* » wᵉhèᶜᵉbîr *H.*

---

a) On a compris longtemps, et déjà le texte massorétique de 1 Ch **20** 3, que David avait torturé les Ammonites en les sciant, les déchirant, les faisant passer (voir la note textuelle) au four à briques. Il ne s'agit pas de cela, mais on peut hésiter entre une réduction en esclavage — les prisonniers de guerre fournissaient aux anciens États orientaux leurs esclaves publics — ou un assujettissement à la corvée — comme les Hébreux en Égypte, Ex **1** 11-14.

b) Les ch. **13-20** relatent le grand drame de la famille de David. Le personnage central en est Absalom, assassin de son frère, révolté contre son père. Ce drame provoque une série de crises politiques, qui mettent à vif les dissentiments de la nation et compromettent l'avenir du royaume.

c) Amnon était le fils d'Ahinoam de Yizréel et le premier-né de David. Absalom était né de Maaka, fille de Talmaï, roi de Geshur, **3** 2-3. Tamar était sœur d'Absalom et demi-sœur d'Amnon, voir le v. 13.

d) Il n'est pas arrêté par la gravité et les conséquences d'une faute, mais par la difficulté de rencontrer Tamar : les filles du roi vivaient au palais, v. 7, les fils adultes avaient chacun leur maison, vv. 8, 20.

nommé Yonadab, fils de Shiméa, frère de David[a], et Yonadab était un homme très avisé. [4] Il lui dit : « D'où vient, fils du roi, que tu sois si languissant chaque matin ? Ne m'expliqueras-tu pas ? » Amnon lui répondit : « C'est que j'aime Tamar, la sœur de mon frère Absalom. » [5] Alors Yonadab lui dit : « Mets-toi au lit, fais le malade et quand ton père viendra te voir, tu lui diras : Permets que ma sœur Tamar vienne me donner à manger; elle apprêtera le plat sous mes yeux pour que je le voie et je mangerai de sa main. » [6] Donc, Amnon se coucha et fit le malade. Le roi vint le voir et Amnon dit au roi : « Permets que ma sœur Tamar vienne et que, sous mes yeux, elle prépare une paire de beignets[b], et je me restaurerai de sa main. » [7] David envoya dire à Tamar au palais : « Va donc chez ton frère Amnon et prépare-lui un plat[c]. » [8] Tamar se rendit à la maison de son frère Amnon. Il était couché. Elle prit de la pâte, la pétrit, façonna des beignets sous ses yeux et fit cuire les beignets. [9] Puis elle prit la poêle et la vida devant lui, mais il refusa de manger. Il dit : « Faites sortir tout le monde d'auprès de moi. » Et tout le monde sortit d'auprès de lui[d]. [10] Alors Amnon dit à Tamar : « Apporte le plat dans l'alcôve, que je me restaure de ta main. » Et Tamar prit les beignets qu'elle avait faits et les apporta à son frère Amnon dans l'alcôve. [11] Comme elle lui présentait à manger, il la saisit et lui dit :

---

a) Yonadab est donc le cousin d'Amnon. Son père est appelé Shamma à 1 S **16** 9; **17** 13.

b) Le mot n'apparaît que dans ce récit et suggère une pâtisserie en forme de cœur.

c) La faiblesse de David à l'égard de ses enfants, voir le v. 21 et plus tard avec Absalom, humanise son caractère, et c'est un trait oriental.

d) Si le v. est original, il faut, pour l'accorder avec la suite, supposer que Tamar avait déposé les gâteaux à l'entrée de l'alcôve, mais Amnon veut l'attirer jusqu'à son lit, et être seul avec elle.

« Viens, couche avec moi, ma sœur ! » ¹² Mais elle lui répondit : « Non, mon frère ! Ne me violente pas, car on n'agit pas ainsi en Israël, ne commets pas cette infamie[a]. ¹³ Moi, où irais-je porter ma honte ? Et toi, tu serais comme un infâme en Israël ! Maintenant parle donc au roi : il ne refusera pas de me donner à toi[b]. » ¹⁴ Mais il ne voulut pas l'entendre, il la maîtrisa et, lui faisant violence, il coucha avec elle.

¹⁵ Alors Amnon se prit à la haïr très fort — la haine qu'il lui voua surpassait l'amour dont il l'avait aimée[c] — et Amnon lui dit : « Lève-toi ! Va-t'en ! » ¹⁶ Elle lui dit : « Non, mon frère, me chasser serait pire que l'autre mal que tu m'as fait. » Mais il ne voulut pas l'écouter. ¹⁷ Il appela le garçon qui le servait et lui dit : « Débarrasse-moi de cette fille, jette-la dehors et verrouille la porte derrière elle ! » ¹⁸ (Elle portait une tunique à longues manches, car c'était autrefois le vêtement des filles de roi qui n'étaient pas mariées.[d]) Le serviteur la mit dehors et verrouilla la porta derrière elle.

¹⁹ Tamar, prenant de la poussière, la jeta sur sa tête, elle déchira la tunique à longues manches qu'elle portait, mit la main sur sa tête et s'en alla, poussant des cris en mar-

---

13 16. « *Non, mon frère... m'as fait* » *d'après Luc VetLat ; H corrompu.*

17. « *Débarrasse* » *conj.*; « *Débarrassez* » H.

18. « *autrefois* » mé'ôlâm *conj.*; « *manteaux* » me'îlîm H.

---

a) La coutume condamne les fautes contre les mœurs, ce sont des « infamies en Israël », comp. Gn **34** 7; Dt **22** 21; Jg **20** 6, 10; Jr **29** 23.

b) D'après l'usage ancien, comp. Gn **20** 12, Amnon pouvait épouser Tamar qui n'était que sa demi-sœur et le mariage ne dépendait que du consentement de David. Ces unions furent interdites par les lois de Lv **18** 9; **20** 17; Dt **27** 22.

c) Ce retournement d'une passion assouvie est un trait vécu et poignant.

d) La parenthèse est une glose destinée au v. 19. « Tunique à longues manches » n'est qu'une interprétation probable; Joseph portait le même vêtement, Gn **37** 3.

chant*a*. **20** Son frère Absalom lui dit : « Serait-ce que ton frère Amnon*b* a été avec toi ? Maintenant, ma sœur, tais-toi; c'est ton frère : ne prends pas cette affaire à cœur*c*. » Tamar demeura abandonnée*d*, dans la maison de son frère Absalom.

21 Lorsque le roi David apprit toute cette histoire, il en fut très irrité, mais il ne voulut pas faire de peine à son fils Amnon, qu'il aimait parce que c'était son premier-né. **22** Quant à Absalom, il n'adressa pas la parole*e* à Amnon, car Absalom s'était pris de haine pour Amnon à cause de la violence qu'il avait faite à sa sœur Tamar.

Absalom fait assassiner Amnon et prend la fuite.

23 Deux ans plus tard, comme Absalom avait les tondeurs à Baal-Haçor, qui est près d'Éphraïm*f*, il invita tous les fils du roi*g*. **24** Absalom se rendit auprès du roi et dit : « Voici que ton serviteur a les tondeurs. Que le roi et ses officiers daignent venir avec ton serviteur. » **25** Le roi répondit à Absalom : « Non, mon fils, il ne faut pas que nous allions tous et te

---

21. « *mais il ne voulut pas... premier-né* » G VetLat Vulg ; omis par H.

---

a) Gestes de deuil et de douleur, **1** 2; Est **4** 1; Jr **2** 37.
b) L'hébreu a ici 'amînôn, qui peut être une déformation méprisante du nom d'Amnon.
c) Le silence est le seul moyen d'apaiser la victime et de cacher la honte de la famille, mais la vengeance viendra.
d) Le même terme, pour signifier une épouse délaissée, dans Is **54** 1.
e) Litt. « il ne parla ni en mal ni en bien », absolument rien. Ce n'est pas qu'il cache son jeu : il rompt toute relation avec son frère.
f) Baal Haçor est le sommet d'El-Açur, point culminant des montagnes de Judée; Éphraïm est le village où Jésus se retirera avec ses disciples, Jn **11** 54, aujourd'hui Taiyibeh, au sud-est d'El-Açur et à 25 km. au nord-nord-est de Jérusalem.
g) La tonte du troupeau était une occasion de fête, comp. 1 S **25** 4 s.

soyons à charge. » Absalom insista, mais il ne voulut pas venir et lui donna congé. [26] Absalom reprit : « Permets du moins que mon frère Amnon vienne avec nous. » Et le roi dit : « Pourquoi irait-il avec toi[a] ? » [27] Mais Absalom insista et il laissa partir avec lui Amnon et tous les fils du roi.

Absalom prépara un festin de roi [28] et il donna cet ordre aux serviteurs : « Faites attention ! Lorsque le cœur d'Amnon sera mis en gaîté par le vin et que je vous dirai : ' Frappez Amnon ! ' vous le mettrez à mort. N'ayez pas peur ; n'est-ce pas moi qui vous l'ai ordonné ? Prenez courage et montrez-vous vaillants. » [29] Les serviteurs d'Absalom agirent à l'égard d'Amnon comme Absalom l'avait ordonné. Alors tous les fils du roi se levèrent, enfourchèrent chacun son mulet[b] et s'enfuirent.

[30] Comme ils étaient en chemin, cette rumeur parvint à David : « Absalom a tué tous les fils du roi, il n'en reste pas un seul ! » [31] Le roi se leva, déchira ses vêtements et se coucha par terre ; tous ses officiers se tenaient debout, les vêtements déchirés[c]. [32] Mais Yonadab, le fils de Shiméa, frère de David, prit ainsi la parole : « Que Monseigneur ne dise pas qu'on a fait périr tous les jeunes gens, les fils du roi, car seul Amnon est mort : l'air d'Absalom

---

27. « *Absalom prépara un festin de roi* » G *Vet* Lat *Vulg ; omis par* H

---

a) Amnon, le fils aîné, était tout désigné pour venir à la place de son père. La demande d'Absalom paraissait naturelle, et cependant David a un pressentiment. Mais il va céder, comme toujours avec ses enfants, cf. le v. 7.

b) C'est une monture de prince, **18** 9 ; I R **1** 33. Dans les textes de Mari, au début du IIe millénaire av. J. C., une lettre adressée au roi dit : « Que Monseigneur ne monte pas de chevaux, que ce soit dans un char ou sur des mules seulement qu'il monte et qu'il honore sa tête royale ! »

c) Cf. v. 19 et **1** 11.

faisait présager le malheur[a] depuis le jour où Amnon a
outragé sa sœur Tamar. ³³ Que maintenant Monseigneur
le roi ne se mette pas dans l'idée que tous les fils du roi
ont péri. Non, Amnon seul est mort ³⁴ et Absalom s'est
enfui[b]. »

Le cadet qui était en sentinelle, levant les yeux, aperçut
une troupe nombreuse qui s'avançait sur le chemin de
Bahurim[c], au flanc de la montagne. ³⁵ Alors Yonadab
dit au roi : « Voici que les fils du roi sont arrivés : il
en a été comme ton serviteur l'avait dit. » ³⁶ Il achevait à
peine de parler que les fils du roi entrèrent, et ils se mirent
à crier et à pleurer; le roi aussi et tous ses officiers pleurèrent très fort. ³⁷ Absalom s'était enfui et s'était rendu
chez Talmaï, fils d'Ammihud, roi de Geshur[d]; le roi garda
tout le temps le deuil de son fils.

³⁸ Absalom s'était enfui et s'était rendu à Geshur; il y
resta trois ans[e].

---

34. « *de Bahurim* » baḥurîm *conj.*; « *de derrière lui* » 'aḥărâyw H.
37. « *Ammihud* » beaucoup de Mss et Vers.; « *Ammihur* » H. — « le roi »
suppléé cf. G.

---

a) Sens probable d'une expression unique.
b) Ce début du v. 34 est probablement une glose anticipée du v. 37.
A moins que ce ne soit la correction inintelligente d'un texte que certains
exégètes restituent ainsi : « et le reste de ses frères est sain et sauf ».
c) Bahurim, voir la note textuelle, est à l'est du Mont des Oliviers,
cf. **3** 16; **16** 5. C'est un chemin possible pour venir de Baal Haçor par
Béthel et Anatôt. Au contraire, Horônaïm (même interprété comme « les
deux Bet-Horôn ») que certains tirent de la version grecque, n'est pas en
situation. Le texte grec est d'ailleurs plus long : « Le cadet qui était en
sentinelle, levant les yeux, aperçut une troupe nombreuse qui s'avançait
sur le chemin derrière lui au flanc de la montagne, à la descente. La
sentinelle vint informer le roi et dit : J'ai vu des hommes par le chemin
de l'Orônên, sur la partie de la montagne. »
d) Absalom s'enfuit chez son grand-père maternel, voir sur le v. 1.
Geshur était un petit État araméen à l'est du lac de Tibériade.
e) Le v. 38 est un doublet du v. 37 ou bien il est une introduction au
récit suivant.

Joab négocie le retour d'Absalom.

³⁹ L'esprit du roi cessa de s'emporter contre Absalom, car il s'était consolé de la mort d'Amnon. **14.** ¹ Joab, fils de Çeruya, reconnut que le cœur du roi se retournait vers Absalom. ² Alors Joab envoya chercher à Teqoa[a] une femme avisée et lui dit : « Je t'en prie, feins d'être en deuil, mets des habits de deuil, ne te parfume pas, sois comme une femme qui, depuis bien des jours, porte le deuil d'un mort. ³ Tu iras chez le roi et tu lui tiendras ce discours. » Joab lui mit dans la bouche les paroles qu'il fallait[b].

⁴ La femme de Teqoa alla donc chez le roi, elle tomba la face contre terre et se prosterna, puis elle dit : « Au secours, ô roi[c] ! » ⁵ Le roi lui demanda : « Qu'as-tu ? » Elle répondit : « Hélas ! je suis veuve. Mon mari est mort ⁶ et ta servante avait deux fils. Ils se sont querellés ensemble dans la campagne, il n'y avait personne pour les séparer, l'un a frappé l'autre et l'a tué. ⁷ Voilà que tout le clan s'est dressé contre ta servante et dit : ' Livre le fratricide : nous le mettrons à mort pour prix de la vie de son frère qu'il a tué, et nous détruirons en même temps l'héritier[d]. '

---

39. « *L'esprit du roi* » Luc ; « *David le roi* » H, *qui ne s'accorde pas en genre avec le verbe.*

---

a) Patrie du prophète Amos, aujourd'hui un site ruiné à 18 km. au sud de Jérusalem.
b) Comme avait fait Natân, **12** 1 s, Joab va amener le roi à se prononcer en simulant une affaire de justice.
c) C'est une formule de l'appel au roi, comp. 2 R **6** 26 s ; une autre formule dans 1 R **3** 17. Le roi est le juge de son peuple, cf. **15** 2. On peut faire appel à lui d'un jugement porté par un tribunal inférieur, comme ici, on peut aussi recourir directement à lui, même pour des causes mineures, cf. 2 S **12** 1-6 ; 1 R **3** 16 s ; 2 R **8** 3.
d) La femme prête à ses parents l'intention de s'emparer de l'héritage que laisserait vacant la mort du meurtrier.

Ils vont ainsi éteindre la braise qui me reste, pour ne plus laisser à mon mari ni nom ni survivant sur la face de la terre. » [8] Le roi dit à la femme : « Va à ta maison, je donnerai moi-même des ordres à ton sujet[a]. » [9] La femme de Teqoa dit au roi : « Monseigneur le roi ! Que la faute retombe sur moi et sur ma famille; le roi et son trône en sont innocents[b]. » [10] Le roi reprit : « Celui qui t'a menacée, amène-le moi et il ne reviendra plus te faire du mal. » [11] Elle dit : « Que le roi daigne prononcer le nom de Yahvé son Dieu[c], afin que le vengeur du sang[d] n'augmente pas la ruine et ne fasse pas périr mon fils ! » Il dit alors : « Aussi vrai que Yahvé est vivant, il ne tombera pas à terre un seul cheveu de ton fils ! »

[12] La femme reprit : « Qu'il soit permis à ta servante de dire un mot à Monseigneur le roi », et il répondit : « Parle. » [13] La femme dit[e] : « Et alors, pourquoi le roi — en prononçant cette sentence, il se reconnaît coupable — a-t-il eu contre le peuple de Dieu cette pensée de ne pas faire revenir celui qu'il a banni ? [14] Nous sommes mortels et comme les eaux qui s'écoulent à terre et qu'on ne peut recueillir, et Dieu ne relève pas un cadavre : que le roi fasse

***

14 14. « *que le roi fasse* » *Luc* ; « *et il (Dieu) fait* » H.

a) Réponse vague qui ne satisfait pas la femme.
b) C'est une instance de la femme : s'il y a faute à ne pas poursuivre le meurtrier, elle en prend la responsabilité, cf. Jos **2** 19; Mt **27** 25.
c) La femme n'est pas encore satisfaite : elle veut que le roi s'engage par serment.
d) Le vengeur du sang est celui qui venge le meurtre d'un de ses parents en tuant le meurtrier, ainsi Joab a tué Abner pour venger le sang de son frère Asahel, **3** 27. Mais le terme semble impropre ici : la vengeance du sang ne s'exerce pas à l'intérieur du groupe familial, il n'y a place que pour le châtiment du coupable (ce que le clan a décidé, v. 7) ou pour son exclusion (c'est le cas d'Absalom).
e) Le roi s'étant prononcé sur le cas fictif, la femme se dévoile et fait l'application au cas d'Absalom.

donc des plans pour que le banni ne reste pas exilé loin
de lui[a].

15[b] « Maintenant, si je suis venue parler de cette affaire
à Monseigneur le roi, c'est que les gens m'ont fait peur
et ta servante s'est dit : Je parlerai au roi et peut-être le
roi exécutera-t-il la parole de sa servante. 16 Car le roi
consentira à délivrer sa servante des mains de l'homme
qui cherche à nous retrancher, moi et mon fils ensemble,
de l'héritage de Dieu. 17 Ta servante a dit : Puisse la parole
de Monseigneur le roi donner l'apaisement. Car Monseigneur le roi est comme l'Ange de Dieu[c] pour saisir le bien
et le mal[d]. Que Yahvé ton Dieu soit avec toi ! »

18 Alors le roi, prenant la parole, dit à la femme : « Je
t'en prie, ne te dérobe pas à la question que je vais te
poser. » La femme répondit : « Que Monseigneur le roi
parle ! » 19 Le roi demanda : « La main de Joab n'est-elle
pas avec toi en tout cela ? » La femme répliqua : « Aussi
vrai que tu es vivant, Monseigneur le roi, on ne peut pas
aller à droite ni à gauche de tout ce qu'a dit Monseigneur
le roi[e] : oui, c'est ton serviteur Joab qui m'a donné l'ordre,
c'est lui qui a mis toutes ces paroles dans la bouche de ta

---

16. « *qui cherche* » *G Vulg ; omis par H.*

---

a) Le sens et le texte du v. sont incertains. Il paraît signifier : on
ne peut plus rien faire pour Amnon, qui est mort; il convient donc
qu'Absalom revienne.
b) On a proposé d'insérer les vv. 15-17 entre les vv. 7 et 8, car ils continuent l'histoire inventée par Joab. Mais la femme, après avoir ouvert les
yeux du roi, reprend son rôle. Le v. 17 s'applique également au cas fictif
et au cas réel.
c) Dans les textes anciens, l'Ange de Dieu, Gn 21 17; 31 11, etc., ou
l'Ange de Yahvé, Gn 16 7; Ex 3 2; Jg 2 1, etc., c'est Dieu lui-même,
dans la forme visible où il apparaît aux hommes : David a une sagesse
divine, de même au v. 20.
d) C'est-à-dire absolument tout, cf. 13 22.
e) On ne peut pas éviter de reconnaître que c'est la vérité.

servante. ²⁰ C'est pour déguiser l'affaire que ton serviteur Joab a agi ainsi, mais Monseigneur a la sagesse de
l'Ange de Dieu, il sait tout ce qui se passe sur la terre. »

²¹ Le roi dit alors à Joab*a* : « Eh bien, je fais la chose :
Va, ramène le jeune homme Absalom. » ²² Joab tomba la
face contre terre, il se prosterna et bénit le roi, puis il dit :
« Ton serviteur sait aujourd'hui qu'il a trouvé grâce à tes
yeux, Monseigneur le roi, puisque le roi a exécuté la parole
de son serviteur. » ²³ Joab se mit en route, il alla à Geshur
et ramena Absalom à Jérusalem. ²⁴ Cependant le roi dit :
« Qu'il se retire dans sa maison, il ne sera pas reçu par
moi. » Absalom se retira dans sa maison et ne fut pas reçu
par le roi*b*.

**Quelques détails
sur Absalom*c*.**

²⁵ Dans tout Israël, il n'y
avait personne d'aussi beau
qu'Absalom, à qui on pût
faire tant d'éloges : de la
plante des pieds au sommet de la tête, il était sans défaut.
²⁶ Lorsqu'il se rasait la tête, — il se rasait chaque année
parce que c'était trop lourd, alors il se rasait, — il pesait
sa chevelure : soit deux cents sicles, poids du roi*d*. ²⁷ Il
naquit à Absalom trois fils*e* et une fille, qui se nommait
Tamar; c'était une belle femme.

**Absalom obtient
son pardon.**

²⁸ Absalom demeura deux
ans à Jérusalem, sans être
reçu par le roi. ²⁹ Absalom
convoqua Joab pour l'en-

a) Comme l'un des ministres du roi, il assistait à l'audience.
b) Litt. « il ne vit pas la face du roi »; celui-ci a rappelé le banni mais il
ne lui a pas encore pardonné et il l'exclut de sa présence.
c) Les vv. 25-27 interrompent le récit et sont d'une autre source.
d) On a trouvé à Gézer un poids marqué *lmlk,* qui serait un « poids du
roi », c'est-à-dire conforme à l'étalon officiel. Deux cents sicles faisaient
plus de 2 kilos.
e) Cependant, d'après **18** 18, Absalom ne laissa pas de fils.

voyer chez le roi, mais il ne consentit pas à venir chez lui,
il le convoqua encore une seconde fois, mais il ne consentit pas à venir[a]. 30 Absalom dit à ses serviteurs : « Voyez
le champ de Joab qui est à côté du mien et où il y a de
l'orge, allez-y mettre le feu. » Les serviteurs d'Absalom
mirent le feu au champ[b]. 31 Joab vint trouver Absalom
dans sa maison et lui dit : « Pourquoi tes serviteurs ont-il
mis le feu au champ qui m'appartient ? » 32 Absalom répondit à Joab : « Voilà ce que je t'avais fait dire : Viens ici,
je veux t'envoyer auprès du roi avec ce message : ' Pourquoi suis-je revenu de Geshur ? Il vaudrait mieux pour moi
y être encore '. Je veux maintenant être reçu par le roi et,
si je suis coupable, qu'il me mette à mort ! » 33 Joab se
rendit près du roi et lui rapporta ces paroles. Puis il appela
Absalom. Celui-ci alla chez le roi, se prosterna devant lui
et se jeta la face contre terre devant le roi. Et le roi embrassa
Absalom[c].

**Les intrigues
d'Absalom.**

15. 1 Il arriva après cela
qu'Absalom se procura un
char et des chevaux, et cinquante hommes couraient
devant lui[d]. 2 Levé de bonne heure, Absalom se tenait au
bord du chemin qui mène à la porte, et chaque fois qu'un
homme, ayant un procès, devait venir au tribunal du roi,
Absalom l'interpellait et lui demandait : « De quelle ville
es-tu ? » Il répondait : « Ton serviteur est de l'une des

---

33. « *et se jeta* » G ; *omis par* H.

---

a) Joab estime sans doute qu'il a déjà assez fait pour Absalom.
b) Absalom est un violent devant qui tout doit plier. Il n'implorera pas
sa rentrée en grâce, il l'exigera, v. 32.
c) Le baiser de paix qui scelle le pardon.
d) Comme plus tard Adonias, 1 R **1** 5, Absalom adopte un train royal,
comp. 1 S **8** 11, et fait figure de prétendant.

tribus d'Israël[a]. » ³ Alors Absalom lui disait : « Vois ! Ta cause est bonne et juste, mais tu n'auras personne qui t'écoute de la part du roi. » ⁴ Absalom continuait : « Ah ! qui m'établira juge dans le pays ? Tous ceux qui ont un procès et un jugement viendraient à moi et je leur rendrais justice[b] ! » ⁵ Et lorsque quelqu'un s'approchait pour se prosterner devant lui, il tendait la main, l'attirait à lui et l'embrassait[c]. ⁶ Absalom agissait de la sorte envers tous les Israélites qui en appelaient au tribunal du roi et Absalom séduisait le cœur des gens d'Israël.

⁷ Au bout de quatre ans,

Révolte d'Absalom. Absalom dit au roi : « Permets que j'aille à Hébron[d] accomplir le vœu que j'ai fait à Yahvé. ⁸ Car, lorsque j'étais à Geshur en Aram[e], ton serviteur a fait ce vœu : Si Yahvé me ramène à Jérusalem, je rendrai un culte à Yahvé à Hébron[f]. » ⁹ Le roi lui dit : « Va en paix[g]. » Il se mit donc en route et alla à Hébron.

¹⁰ Absalom dépêcha des émissaires à toutes les tribus d'Israël pour dire : « Quand vous entendrez le son du cor,

---

15 7. « *quatre* » *Luc Syr* ; « *quarante* » *H*.
    8. « *à Hébron* » *Luc* ; *omis par H*.

a) Sans doute ici les tribus du Nord par opposition à Juda. Absalom exploite l'opposition latente des deux groupes qui composaient la nation, voir **19** 42 s.

b) La première fonction du roi est de rendre la justice, cf. la note sur **14** 4; 1 S **8** 5, 6, etc. En demandant d'être établi juge du pays, cf. Mi **4** 14, c'est la royauté qu'Absalom demande.

c) Allures de prince, v. 1, de redresseur de torts, vv. 2-4, de démagogue, v. 5, Absalom emploie tous les appâts.

d) Après avoir travaillé le Nord, Absalom cherche des appuis dans le Sud : Hébron, la première capitale, **2** 1 s, pouvait garder rancune à David de lui avoir préféré Jérusalem.

e) Voir **13** 37.

f) Comp. le vœu de Jacob, Gn **28** 20-22.

g) Comme toujours, David est aveuglé par l'affection paternelle.

vous direz : Absalom est devenu roi à Hébron^a. » ¹¹ Avec
Absalom étaient partis deux cents hommes de Jérusalem;
c'étaient des invités^b, qui étaient venus en toute innocence,
n'étant au courant de rien. ¹² Absalom envoya chercher
de sa ville de Gilo^c Ahitophel le Gilonite, conseiller de
David, et l'eut avec lui en offrant les sacrifices. La conju-
ration était puissante et la foule des partisans d'Absalom
allait en augmentant.

Fuite de David.

¹³ Quelqu'un vint infor-
mer David : « Le cœur des
gens d'Israël, dit-il, est passé
à Absalom. » ¹⁴ Alors David dit à tous ses officiers qui
étaient avec lui à Jérusalem : « En route, et fuyons ! Autrement nous n'échapperons pas à Absalom. Hâtez-vous de
partir, de crainte qu'il ne se presse et ne nous attaque, qu'il
ne nous inflige le malheur et ne passe la ville au fil de
l'épée^d. » ¹⁵ Les officiers du roi lui répondirent : « Quelque
choix que fasse Monseigneur le roi, nous sommes à ton
service. » ¹⁶ Le roi sortit à pied avec toute sa famille;
cependant le roi laissa dix concubines pour garder le
palais^e. ¹⁷ Le roi sortit à pied avec tout le peuple et ils
s'arrêtèrent à la dernière maison. ¹⁸ Tous ses officiers se

---

12. « *chercher* » Luc cf. Syr ; omis par H.

a) Cela suppose un réseau de conspirateurs transmettant le signal de
village en village. La sonnerie du cor est un appel aux armes, 1 S **13** 3
et cf. Jg **3** 27; **6** 34; Jr **51** 27.

b) Invités à la fête religieuse qui marquerait l'accomplissement du vœu,
comp. les invités de Samuel, 1 S **9** 22 s.

c) Aujourd'hui Kh. Djala, au nord-ouest d'Hébron. Ahitopel était
peut-être le grand-père de Bethsabée, comp. **11** 3 et **23** 34, et cela pourrait
expliquer son animosité contre David.

d) David ne croit pas que tout soit perdu puisqu'il laisse dans la place
des partisans qui doivent rester en liaison avec lui, vv. 27-28 et 34-36.
Mais, pris entre les révoltés du Nord et ceux du Sud, il opère une retraite
stratégique.

e) Prépare le récit de **16** 21-22, cf. **20** 3.

tenaient à ses côtés. Tous les Kerétiens, tous les Pelétiens[a], Ittaï[b] et tous les Gittites qui étaient venus de Gat à sa suite, six cents hommes, défilaient devant le roi. [19] Celui-ci dit à Ittaï le Gittite : « Pourquoi viens-tu aussi avec nous ? Retourne et demeure avec le roi[c], car tu es un étranger, tu es même exilé de ton pays. [20] Tu es arrivé d'hier, et aujourd'hui je te ferais errer avec nous, quand je m'en vais à l'aventure ! Retourne et remmène tes frères avec toi, et que Yahvé te fasse miséricorde et grâce. » [21] Mais Ittaï répondit au roi : « Par la vie de Yahvé et par la vie de Monseigneur le roi, partout où sera Monseigneur le roi, pour la mort et pour la vie, là aussi sera ton serviteur. » [22] David dit alors à Ittaï : « Va et passe. » Et Ittaï de Gat passa avec tous ses hommes et toute sa smala. [23] Tout le monde pleurait à grands sanglots. Le roi se tenait dans le torrent du Cédron[d] et tout le peuple défilait devant lui en direction du désert.

Le sort de l'arche. [24] On vit aussi Sadoq et tous les lévites portant l'arche de Dieu. On déposa l'arche de Dieu auprès d'Ébyatar jusqu'à ce que tout le peuple

---

18. « *se tenaient* » 'om^edîm *conj.*; « *passaient* » 'ob^erîm *H.* — « *Ittaï* » *d'après la suite ; omis par H.*

19. « *de ton pays* » *G Vulg* ; « *pour ton pays* » *H.*

20. « *et que Yahvé te fasse* » *G* ; *omis par H.*

23. *Avant* « *Le roi* », *le texte ajoute* « *Et tout le peuple défilait* » *répété à la fin du v.* — « *se tenait* » 'oméd *conj.*; « *passait* » 'obér *H.* — « *devant lui... désert* » *d'après une partie de G* ; « *devant le (ou : à l'est du) chemin près du désert* » *H.*

24. « *l'arche de Dieu* » (1°) *conj. cf. la suite* ; « *l'arche de l'alliance de Dieu* » *H.* — « *on déposa* » wayyaṣṣigû *conj.*; « *on versa* » wayyaṣṣiqû *H.* — « *auprès d'* » 'al *conj.*; « *et monta* » wayya'al *H. Le texte de tout le v. est incertain.*

---

a) La garde royale, voir **8** 18.

b) Un *condottiere* philistin en difficulté avec son pays, v. 19, et passé avec sa bande au service de David.

c) Avec amertume, David donne à Absalom le titre qu'il a usurpé.

d) Entre Jérusalem et le Mont des Oliviers.

eût fini de défiler hors de la ville. ²⁵ Le roi dit à Sadoq :
« Rapporte en ville l'arche de Dieu*a*. Si je trouve grâce
aux yeux de Yahvé, il me ramènera et me permettra de
la revoir ainsi que sa demeure*b*, ²⁶ et s'il dit : ' Tu me
déplais ', me voici : qu'il me fasse comme bon lui semble. »
²⁷ Le roi dit au prêtre Sadoq : « Voyez, toi et Ébyatar
retournez en paix à la ville, et vos deux fils avec vous,
Ahimaaç ton fils et Yehonatân le fils d'Ébyatar. ²⁸ Voyez,
moi je m'attarderai dans les passes du désert*c* jusqu'à ce
que vienne un mot de vous qui m'apporte des nouvelles. »
²⁹ Sadoq et Ébyatar ramenèrent donc l'arche de Dieu à
Jérusalem et ils y demeurèrent.

                             ³⁰ David gravissait en pleu-

David s'assure   rant la Montée des Oliviers,
le concours de Hushaï.   la tête voilée et les pieds

                               nus*d*, et tout le peuple qui
l'accompagnait avait la tête voilée et montait en pleurant.
³¹ On avertit alors David qu'Ahitophel était parmi les
conjurés avec Absalom, et David dit : « Rends fous,
Yahvé, les conseils d'Ahitophel ! »

---

27. « *Voyez, toi et Ébyatar, retournez* » conj. *d'après les pluriels qui suivent ;*
« *Vois-tu ? Retourne* » H.
31. « *On avertit... David* » G ; « *David avertit* » H.

a) Si l'on se souvient de ce que l'arche représentait pour David, ch. **6**,
on mesure la grandeur de son abandon à la volonté de Dieu.

b) Sion, résidence de l'arche ou celle de Yahvé, mais c'est la même chose,
comp. **7** 2 et 5.

c) La région inculte entre Jérusalem et le Jourdain. David y attendra
d'être informé sur les progrès de la révolte. Le texte et les versions, de
même à **17** 16, hésitent entre '*ab*^e*rôt* « les passes » et '*ar*^e*bôt* « les steppes »;
mais ce serait une tautologie de parler des « steppes du désert ». Les
« passes » sont les ravins encaissés qui descendent vers la vallée du Jour-
dain, comme prendra David, **17** 5 ; cf. le « défilé » de 1 S **14** 4. Il ne peut pas s'agir des gués du Jourdain.
ma^c*âbâr*, de 1 S **14** 4. Il ne peut pas s'agir des gués du Jourdain.

d) Deux coutumes de deuil, **19** 5 et Ez **24** 17, devenues des marques de
douleur, Est **6** 12; Mi **1** 8.

[32] Comme David arrivait au sommet, là où l'on adore Dieu[a], il vit venir à sa rencontre Hushaï l'Arkite[b], le familier[c] de David, avec la tunique déchirée et de la terre sur la tête[d]. [33] David lui dit : « Si tu pars avec moi, tu me seras à charge. [34] Mais si tu retournes en ville et si tu dis à Absalom : ' Je serai ton serviteur, Monseigneur le roi; auparavant je servais ton père, maintenant je te servirai ', alors tu déjoueras à mon profit les conseils d'Ahitophel. [35] Sadoq et Ébyatar, les prêtres, ne seront-ils pas avec toi ? Tout ce que tu entendras du palais, tu le rapporteras aux prêtres Sadoq et Ébyatar. [36] Il y a avec eux leurs deux fils, Ahimaaç pour Sadoq, et Yehonatân pour Ébyatar : vous me communiquerez par leur intermédiaire tout ce que vous aurez appris. » [37] Hushaï, le familier de David, rentra en ville au moment où Absalom arrivait à Jérusalem.

David et Çiba.

16. [1] Lorsque David eut un peu dépassé le sommet, Çiba, le serviteur de Meribbaal[e], vint à sa rencontre avec une paire d'ânes bâtés qui portaient deux cents pains, cent grappes de raisins secs, cent fruits de saison et une outre de vin[f]. [2] Le roi demanda à Çiba : « Que veux-tu faire de cela ? » Et Çiba répondit : « Les ânes serviront de monture à la famille du roi, le pain

---

32. « *le familier de David* » G *cf. v.* 37; *omis par* H.
34. « *Monseigneur* » 'ădonî *conj.*; « *moi* » 'ănî H.
16 1. « *Meribbaal* » *cf.* **4** 4; « *Mephisboshet* » H.
2. « *le pain* » wᵉhallèḥèm *nombreux Mss et Qer* ; « *et pour combattre* » ûlᵉhillâḥèm *Ket.*

a) Peut-être le sanctuaire de Nob, 1 S **21** 2.
b) D'un clan fixé au sud-ouest de Béthel, Jos **16** 2.
c) L'hébreu est la transcription d'un titre honorifique égyptien, qui signifie « connu » du roi, de même au v. 37 et à **16** 16 s; comp. 1 R **4** 5.
d) Autres gestes de deuil et de douleur, comp. Jos **7** 6 et ici **13** 19.
e) Çiba et Meribbaal, le fils de Jonathan, ont déjà été présentés, **4** 4 et **9** 1-13.
f) Comp. 1 S **25** 18.

et les fruits de nourriture pour les cadets, et le vin servira
de breuvage pour qui sera fatigué dans le désert. » ³ Le
roi demanda : « Où donc est le fils de ton maître*a*? » Et
Çiba dit au roi : « Voici qu'il est resté à Jérusalem, car
il s'est dit : Aujourd'hui la maison d'Israël me restituera
le royaume de mon père*b*. » ⁴ Le roi dit alors à Çiba :
« Tout ce que possède Meribbaal est à toi. » Çiba dit : « Je
me prosterne ! Puissé-je être digne de faveur à tes yeux,
Monseigneur le roi ! »

**Shiméï
maudit David.**

⁵ Comme David atteignait
Bahurim*c*, il en sortit un
homme du même clan que
la famille de Saül. Il s'appe-
lait Shiméï, fils de Géra*d*, et il sortait en proférant des malédictions. ⁶ Il lançait des pierres à David et à tous les officiers du roi David, et pourtant toute l'armée et tous les
preux*e* encadraient le roi à droite et à gauche. ⁷ Voici ce
que Shiméï disait en le maudissant : « Va-t'en, va-t'en,
homme de sang, vaurien ! ⁸ Yahvé a fait retomber sur toi
tout le sang de la maison de Saül*f*, dont tu as usurpé la
royauté, aussi Yahvé a-t-il remis la royauté entre les mains
de ton fils Absalom. Te voilà livré à ton malheur, parce
que tu es un homme de sang. » ⁹ Abishaï, fils de Çeruya*g*,

---

a) Çiba était au service de la famille de Saül, voir **9** 2 et 9.
b) Est-ce une calomnie ? Car Meribbaal racontera une tout autre
histoire, **19** 27-28. Cependant David refusera de se prononcer entre eux,
19 30, et il est possible que Meribbaal, malgré son infirmité, ait espéré
un retour en faveur de la dynastie de Saül, voir l'épisode suivant.
c) Voir sur **3** 16. David suit l'ancienne route de Jéricho qu'utilisera
la voie romaine.
d) Nom d'un clan de Benjamin, Gn **46** 21 ; Jg **3** 15.
e) Voir **10** 7.
f) Probablement une allusion au massacre raconté au ch. **21** 1-14, qui
est du début du règne, cf. déjà la note sur **9** 1.
g) Et frère de Joab, 1 S **26** 6 ; 2 S **2** 18 ; **10** 10 ; **19** 22 s.

dit au roi : « Faut-il que ce chien crevé[a] maudisse Monseigneur le roi ? Laisse-moi traverser et lui trancher la tête. » [10] Mais le roi répondit : « Qu'ai-je à faire avec vous, fils de Çeruya[b] ? S'il maudit et si Yahvé lui a ordonné : ' Maudis David ', qui donc pourrait lui dire : ' Pourquoi as-tu agi ainsi[c] ? ' » [11] David dit à Abishaï et à tous ses officiers : « Voyez : le fils qui est sorti de mes entrailles en veut à ma vie. A plus forte raison maintenant ce Benjaminite[d] ! Laissez-le maudire, si Yahvé le lui a commandé. [12] Peut-être Yahvé considérera-t-il ma misère et me rendra-t-il le bien au lieu de sa malédiction d'aujourd'hui. » [13] David et ses hommes continuèrent leur route. Quant à Shiméï, il s'avançait au flanc de la montagne, parallèlement à lui, et tout en marchant il proférait des malédictions, lançait des pierres et jetait de la terre[e]. [14] Le roi et tout le peuple qui l'accompagnait arrivèrent exténués à ...[f] et là, on reprit haleine.

Hushaï rejoint Absalom. [15] Absalom entra à Jérusalem avec tous les hommes d'Israël et Ahitophel se trouvait avec lui. [16] Lorsque Hushaï l'Arkite, familier de David[g], arriva auprès d'Absalom, Hushaï dit à Absalom :

---

12. « *ma misère* » beʿonyî *Vers.*; « *ma faute* » beʿăwonî *H Ket ;* « *mon œil* » beʿênî *H Qer*.

13. *Après* « *lançait des pierres* », *le texte ajoute* « *parallèlement à lui* ».

15. *Avant* « *les hommes d'Israël* », *H ajoute* « *le peuple* »; *omis par G.*

a) Voir **9** 8.

b) David s'adresse à Abishaï et à Joab, deux violents. Comp. **19** 23.

c) La même résignation qu'à **15** 25-26.

d) Un membre de la tribu de Saül !

e) On retrouvera Shiméï à **19** 19 s.

f) Un nom géographique a disparu du texte. La traduction grecque supplée « près du Jourdain », ce qui peut s'accorder avec **17** 21-22 mais pas avec l'interprétation que nous donnons de **15** 28 ; **17** 16.

g) Voir **15** 32.

« Vive le roi ! Vive le roi ! » [17] Et Absalom dit à Hushaï :
« C'est toute l'affection que tu as pour ton ami ? Pourquoi
n'es-tu pas parti avec ton ami[a] ? » [18] Hushaï répondit
à Absalom : « Non, celui que Yahvé et ce peuple et tous
les gens d'Israël ont choisi, c'est à lui que je veux être et
avec lui que je demeurerai ! [19] En second lieu, qui vais-je
servir ? N'est-ce pas son fils ? Comme j'ai servi ton père,
ainsi je te servirai[b]. »

**Absalom
et les concubines
de David.**

[20] Absalom dit à Ahito-
phel : « Consultez-vous :
qu'allons-nous faire ? » [21] Ahitophel répondit à Absalom :
« Approche-toi des concu-
bines de ton père, qu'il a laissées pour garder le palais[c] :
tout Israël apprendra que tu t'es rendu odieux[d] à ton père
et le courage de tous tes partisans en sera affermi[e]. » [22] On
dressa donc pour Absalom une tente[f] sur la terrasse et
Absalom s'approcha des concubines de son père à la vue
de tout Israël[g]. [23] Le conseil que donnait Ahitophel en
ce temps-là était comme un oracle qu'on aurait obtenu
de Dieu; tel était, tant pour David que pour Absalom,
tout conseil d'Ahitophel.

---

18. « *à lui* » lô *Qer ;* « *non* » lo' *Ket.*

---

a) Absalom joue sur les mots : Hushaï est le « familier » du roi, son
ré'èb (transcription de l'égyptien *rḫ)),* et il abandonne son « ami », son *réa'.*
b) La conduite de Hushaï nous paraît immorale. C'est celle de tous les
agents secrets et le texte la relate sans l'excuser.
c) Voir **15** 16.
d) Cf. I S **27** 12 et la note sur 2 S **10** 6.
e) L'action d'Absalom est beaucoup plus qu'une parade impure : en
prenant possession du harem de son père, il affirme son droit à la succession, comp. **3** 7 et la note.
f) La tente des épousailles, Jl **2** 16; Ps **19** 6.
g) Comp. **12** 11-12.

17. ¹ Ahitophel dit à Ab-
Hushaï déjoue les plans salom : « Laisse-moi choisir
d'Ahitophel. douze mille hommes et me
lancer, cette nuit même, à la
poursuite de David[a]. ² Je tomberai sur lui quand il sera
fatigué et sans courage, je l'épouvanterai et tout le peuple
qui est avec lui prendra la fuite. Alors je frapperai le roi
seul ³ et je ramènerai à toi tout le peuple, comme la fiancée
revient à son époux : tu n'en veux qu'à la vie d'un seul
homme et tout le peuple sera sauf. » ⁴ La proposition plut
à Absalom et à tous les anciens d'Israël.

⁵ Cependant Absalom dit : « Appelez encore Hushaï
l'Arkite, que nous entendions ce qu'il a à dire lui aussi. »
⁶ Hushaï arriva auprès d'Absalom, et Absalom lui dit :
« Ahitophel a parlé de telle manière. Devons-nous faire
ce qu'il a dit ? Sinon parle toi-même. » ⁷ Hushaï répondit
à Absalom : « Pour cette fois le conseil qu'a donné Ahitophel n'est pas bon. » ⁸ Et Hushaï poursuivit[b] : « Tu sais
que ton père et ses gens sont des preux et qu'ils sont exas-
pérés, comme une ourse sauvage à qui on a ravi ses
petits. Ton père est un homme de guerre, il ne laissera
pas l'armée se reposer la nuit. ⁹ Il se cache maintenant
dans quelque creux ou dans quelque place. Si, dès l'abord,
il y a des victimes dans notre troupe, la rumeur se
répandra d'un désastre dans l'armée qui suit Absalom.

---

17 3. « *comme la fiancée... un seul homme* » G ; « *comme revient le tout, l'homme que tu cherches* » H.
9. « *dans notre troupe* » bâ'âm *d'après* G ; « *parmi eux* » bâhèm H.

---

a) Ahitophel préconise une action immédiate : en faisant disparaître David, on évitera la guerre civile.
b) Le discours habile de Hushaï est un mélange de fausse prudence, vv. 8-10, et de fanfaronnade, vv. 12-13. Le personnage continue de jouer admirablement son rôle, comp. **16** 16-19.

¹⁰Alors même le brave qui a un cœur semblable à celui du lion perdra courage, car tout Israël sait que ton père est un preux et que ceux qui l'accompagnent sont braves. ¹¹ Pour moi, je donne le conseil suivant : que tout Israël, depuis Dan jusqu'à Bersabée, se rassemble autour de toi*ᵃ*, aussi nombreux que les grains de sable au bord de la mer, et tu marcheras en personne*ᵇ* au milieu d'eux. ¹² Nous l'atteindrons en quelque lieu qu'il se trouve, nous nous abattrons sur lui comme la rosée tombe sur le sol et nous ne laisserons subsister ni lui ni personne de tous les hommes qui l'accompagnent. ¹³ Que s'il se retire dans une ville, tout Israël apportera des cordes à cette ville et nous la traînerons au torrent, jusqu'à ce qu'on n'en trouve plus un caillou*ᶜ*. » ¹⁴ Absalom et tous les gens d'Israël dirent : « Le conseil de Hushaï l'Arkite est meilleur que celui d'Ahitophel. » Yahvé avait décidé de faire échouer le plan habile d'Ahitophel, afin d'amener le malheur sur Absalom.

¹⁵ Hushaï dit alors aux prêtres Sadoq et Ébyatar : « Ahitophel a donné tel et tel conseil à Absalom et aux anciens d'Israël, mais c'est telle et telle chose que moi, j'ai conseillée. ¹⁶ Maintenant, envoyez vite avertir David*ᵈ* et dites-lui : ' Ne bivouaque pas cette nuit dans les passes du désert, mais traverse d'urgence de l'autre côté,

---

10. « *Alors* » wᵉhâyâh *Luc* ; « *Et lui* » wᵉhû' *H.*

11. « *Pour moi* » 'ânokî *conj.*; « *Car* » kî *H.* — « *au milieu d'eux (Israël)* » bᵉqirbô *Vers.*; « *au combat* » baqrab *(aramaïsme) H.*

13. « *apportera* » wᵉhébî'û *Luc* ; « *fera lever* » wᵉhiśśî'û *H.* — « *la traîneront* » *Vers.*; « *le traîneront* » *H.*

a) Cela imposera un délai et c'est ce qu'il faut, pour que David, qui attend, **15** 28, puisse se mettre en sûreté.

b) Litt. « ta face », expression emphatique pour dire « toi-même », cf. à propos de Yahvé, Ex **33** 14 et 15; Dt **4** 37 et ailleurs.

c) Il termine par un trait de bravoure.

d) Voir **15** 27-28.

de crainte que ne soient anéantis le roi et toute l'armée qui l'accompagne[a] '. »

David, informé, passe le Jourdain.

[17] Yehonatân et Ahimaaç[b] étaient postés à la source du Foulon[c] : une servante viendrait les avertir et eux-mêmes iraient avertir le roi David, car ils ne pouvaient pas se découvrir en entrant dans la ville. [18] Mais un jeune homme les aperçut et porta la nouvelle à Absalom. Alors ils partirent tous deux en hâte et arrivèrent à la maison d'un homme de Bahurim[d]. Il y avait dans sa cour une citerne où ils descendirent. [19] La femme prit une bâche, elle l'étendit sur la bouche de la citerne et étala dessus du grain concassé, de sorte qu'on ne remarquait rien[e].

[20] Les serviteurs d'Absalom entrèrent chez cette femme dans la maison et demandèrent : « Où sont Ahimaaç et Yehonatân ? » et la femme leur répondit : « Ils ont passé outre allant d'ici vers l'eau[f]. » Ils cherchèrent et, ne trouvant rien, revinrent à Jérusalem. [21] Après leur départ, Ahimaaç et Yehonatân remontèrent de la citerne et allèrent avertir le roi David : « Mettez-vous en route et hâtez-vous de passer l'eau, car voilà le conseil qu'Ahitophel a donné à votre propos. » [22] David et toute l'armée qui l'accompagnait se mirent donc en route et passèrent

---

18. « *citerne* bôr *conj.*; « *puits* » be'ér H, *de même vv.* 19, 21.
19. « *la bouche* » pî *certains Mss et Sebir* ; « *le dessus* » penê *texte reçu.*
20. « *d'ici vers l'eau* » mikkoh 'èl-hammâyim *conj. cf. Syr* ; mîkal hammâyim H, *intraduisible.*

---

a) Hushaï craint qu'Absalom ne se ravise.
b) Voir **15** 27.
c) En-Rogel, aujourd'hui Bir Ayyûb, dans le lit du Cédron, 1 R **1** 9, etc.
d) Ils suivent la même route que David, voir **16** 5.
e) Pas même qu'il y avait une citerne.
f) Sans doute le Jourdain, comme au v. 21, cf. le v. 22.

le Jourdain; à l'aube, il ne manquait personne qui n'eût passé le Jourdain.

²³ Quant à Ahitophel, lorsqu'il vit que son conseil n'était pas suivi, il sella son âne et se mit en route pour aller chez lui dans sa ville. Il mit ordre à sa maison, puis il s'étrangla et mourut*a*. On l'ensevelit dans le tombeau de son père.

Absalom franchit le Jourdain. David à Mahanayim.

²⁴ David était arrivé à Mahanayim*b* lorsqu'Absalom franchit le Jourdain avec tous les hommes d'Israël. ²⁵ Absalom avait mis Amasa à la tête de l'armée à la place de Joab. Or Amasa était le fils d'un homme qui s'appelait Yitra l'Ismaélite et qui s'était uni à Abigayil, fille de Jessé et sœur de Çeruya, la mère de Joab*c*. ²⁶ Israël et Absalom dressèrent leur camp au pays de Galaad.

²⁷ Lorsque David arriva à Mahanayim, Shobi, fils de Nahash, de Rabba des Ammonites*d*, Makir, fils d'Ammiel, de Lo-Debar*e*, et Barzillaï le Galaadite, de Roglim*f*, ²⁸ apportèrent des matelas de lit, des tapis, des coupes et

---

25. « *l'Ismaélite* » G cf. 1 Ch **2** 17; « *l'Israélite* » H. — « *Jessé* » Luc cf. 1 Ch **2** 16; « *Nahash* » H, dittographie du v. 27.

---

a) C'est le seul cas de suicide mentionné dans l'Ancien Testament, en dehors de ceux où un guerrier se donne la mort pour échapper à l'ennemi, Jg **9** 54; 1 S **31** 4-6; 1 R **16** 18; 2 M **14** 41-46.
b) Là même où s'était réfugié le fils de Saül quand David avait pris la royauté, **2** 8. Retour du sort.
c) Amasa est donc le cousin de Joab. Ils sont tous deux les cousins d'Absalom et neveux de David. Sur Amasa, voir encore **19** 14; **20** 4-13.
d) Voir la note sur **10** 3. Nahash est sans doute l'ancien roi des Ammonites, **10** 2.
e) Voir **9** 4.
f) Ici seulement et **19** 32. Le nom est peut-être conservé par le Wady er-Rudjeilé, près d'Irbid.

de la vaisselle. Il y avait aussi du froment, de l'orge, de la
farine, du grain grillé, des fèves, des lentilles, [29] du miel,
du lait caillé et des fromages de vache et de brebis, qu'ils
offrirent à David et au peuple qui l'accompagnait pour
qu'ils s'en nourrissent. En effet, ils s'étaient dit : « L'armée
a souffert de la faim, de la fatigue et de la soif dans le
désert. »

Défaite du parti d'Absalom.

18. [1] David passa en revue les troupes qui étaient avec lui et il mit à leur tête des chefs de mille et des chefs de cent[a]. [2] David divisa l'armée en trois corps[b] : un tiers aux mains de Joab, un tiers aux mains d'Abishaï, fils de Çeruya et frère de Joab, un tiers aux mains d'Ittaï de Gat. Puis David dit aux troupes : « Je partirai en guerre avec vous moi aussi. » [3] Mais les troupes répondirent : « Tu ne dois pas partir. Car, si nous prenions la fuite, on n'y ferait pas attention, et si la moitié d'entre nous mourait, on n'y ferait pas attention, tandis que toi tu es comme dix mille d'entre nous. Et puis, il vaut mieux que tu nous sois un secours prêt à venir de la ville[c]. » [4] David leur dit : « Je ferai ce qui vous semble bon. » Le roi se tint à côté de la porte, tandis que l'armée sortait par unités de cent et de

28. « matelas » G ; omis par H. — « des tapis » G ; omis par H. — Après « lentilles », H répète « grillé » ; omis par G.
29. « du lait caillé et des fromages de vache et de brebis » en transposant w^eṣo'n. Ou bien : « du lait caillé de brebis et des fromages de vache » en lisant w^eḥèm'at ṣo'n. H : « du lait caillé, du petit bétail et des fromages de vache » qui est soutenu par G, mais l'ordre est étrange.
18 2. « divisa... en trois » way^ešalléš Luc ; « envoya » way^ešallaḥ H.
3. « toi » 'attâh G Sym Vulg ; « maintenant » 'attâh H.

a) Il s'agit des hommes qui se sont ralliés à David; la garde royale avait ses cadres permanents.
b) Tactique courante, voir 1 S **11** 11 et la note.
c) Mahanayim.

mille. [5] Le roi fit un commandement à Joab, à Abishaï et
à Ittaï : « Par égard pour moi, ménagez le jeune Absalom ! »
et toute l'armée entendit que le roi donnait à tous les chefs
cet ordre concernant Absalom[a]. [6] L'armée sortit en pleine
campagne à la rencontre d'Israël et la bataille eut lieu dans
la forêt d'Éphraïm[b]. [7] L'armée d'Israël y fut battue devant
la garde de David, et ce fut ce jour-là une grande défaite,
qui frappa vingt mille hommes. [8] Le combat s'éparpilla
dans toute la région et, ce jour-là, la forêt fit dans l'armée
plus de victimes que l'épée[c].

Mort d'Absalom.
[9] Absalom se heurta par
hasard à des gardes de David.
Absalom montait un mulet[d]
et le mulet s'engagea sous la ramure d'un grand chêne.
La tête d'Absalom se prit dans le chêne et il resta suspendu
entre ciel et terre tandis que continuait le mulet qui était
sous lui. [10] Quelqu'un l'aperçut et prévint Joab : « Je
viens de voir, dit-il, Absalom suspendu à un chêne. »
[11] Joab répondit à l'homme qui portait cette nouvelle :
« Puisque tu l'as vu, pourquoi ne l'as-tu pas tué sur place
et couché à terre ? J'aurais pris sur moi de te donner dix
sicles d'argent et une ceinture ! » [12] Mais l'homme répondit
à Joab : « Quand même je soupèserais dans mes paumes
mille sicles d'argent, je ne porterais pas la main sur le fils
du roi ! C'est à nos oreilles que le roi t'a donné cet ordre

---

7. *Après « ce fut »*, H *répète « là » ; omis par* G. — « *hommes* » G ; *omis par* H.
9. « *et il resta suspendu* » wayyittâl G *Targ Syr* ; « *et il fut mis* » wayyuttan H.
12. « *par égard pour moi* » lî *Vers.* ; « *quiconque* » mî H.

---

a) Prépare le v. 12.
b) Vraisemblablement la région au sud de Mahanayim, qui était ancien-
nement boisée et où il reste quelques bouquets d'arbres.
c) A cause des embûches que la forêt tendait aux fuyards, v. qui prépare
le récit suivant.
d) Voir **13** 29.

ainsi qu'à Abishaï et à Ittaï : ' Par égard pour moi, épar-
gnez le jeune Absalom. ' [13] Que si je m'étais menti à moi-
même, rien ne reste caché au roi, et toi, tu te serais tenu
à distance[a]. » [14] Alors Joab dit : « Je ne vais pas ainsi
perdre mon temps avec toi[b]. » Il prit en mains trois javelots
et les planta dans le cœur d'Absalom encore vivant au sein
du chêne. [15] Puis s'approchèrent dix cadets, les écuyers
de Joab, qui frappèrent Absalom et l'achevèrent[c].

[16] Joab fit alors sonner du cor et l'armée cessa de poursuivre Israël, car Joab retint l'armée. [17] On prit Absalom,
on le jeta dans une grande fosse en pleine forêt et on dressa
sur lui un énorme monceau de pierres[d]. Tous les Israélites
s'étaient enfuis, chacun à ses tentes.

[18] De son vivant, Absalom avait entrepris de s'ériger
la stèle qui est dans la vallée du Roi, car il s'était dit : « Je
n'ai pas de fils pour commémorer mon nom », et il avait
donné son nom à la stèle. On l'appelle encore aujourd'hui
le monument d'Absalom[e].

---

13. « *à moi-même* » *Qer* ; « *à lui-même* » *Ket*.
14. « *javelots* » šᵉlâḥîm *G* ; « *bâtons* » šᵉbâṭîm *H*.

a) Joab n'aurait pas défendu son subordonné.
b) Nous gardons l'hébreu. D'autres traduisent d'après le grec : « Je vais
donc commencer avant toi. »
c) Il n'en était guère besoin après trois coups au cœur, mais c'était un
rite et la fonction des écuyers, comp. 1 S **14** 13.
d) Les monceaux de pierres qui signalent la sépulture d'Akân, Jos **7** 26,
et du roi de 'Aï, Jos **8** 29, pourraient indiquer que ce traitement est réservé
aux ennemis ou aux criminels, mais il y a un rapport probable entre ces
monceaux et les *bâmôt*, entendus de « tertres funéraires », Ez **43** 7 (cf. Is
53 9; Jb **27** 15, corrigés). Aux *bâmôt* sont associées les *maṣṣébôt* « stèles »,
cf. encore Ez **43** 7 (avec un mot différent); précisément ici, après le monceau
de pierres qui marque la sépulture d'Absalom dans la forêt, est mentionnée
la *maṣṣébâh*, la stèle funéraire près de Jérusalem.
e) Souvenir d'un monument, litt. « la main » ou « le bras » d'Absalom,
qu'on connaissait dans la « vallée du Roi », site non identifié près de Jérusalem, Gn **14** 17. Ce n'est pas le « tombeau d'Absalom » qu'on montre,
d'après une tradition récente, dans la vallée du Cédron. D'après **14** 27,
Absalom avait trois fils et une fille.

Les nouvelles
sont portées à David.

¹⁹ Ahimaaç, fils de Sadoq, dit : « Je vais courir et annoncer au roi cette bonne nouvelle que Yahvé lui a rendu justice en le délivrant de ses ennemis. » ²⁰ Mais Joab lui dit : « Tu ne serais pas un porteur d'heureux message aujourd'hui, tu le seras un autre jour; mais aujourd'hui tu ne porterais pas une bonne nouvelle, puisque le fils du roi est mort. » ²¹ Et Joab dit au Kushite*ª* : « Va rapporter au roi tout ce que tu as vu. » Le Kushite se prosterna devant Joab et partit en courant. ²² Ahimaaç, fils de Sadoq, insista encore et dit à Joab : « Advienne que pourra, je veux courir moi aussi derrière le Kushite. » Joab dit : « Pourquoi courrais-tu, mon fils, tu n'en tireras aucune récompense*ᵇ*. » ²³ Il reprit : « Advienne que pourra, je courrai ! » Joab lui dit : « Cours donc. » Et Ahimaaç partit en courant par le chemin de la plaine*ᶜ* et il dépassa le Kushite.

²⁴ David était assis entre les deux portes*ᵈ*. Le guetteur étant monté à la terrasse de la porte, sur le rempart, leva les yeux et aperçut un homme qui courait seul. ²⁵ Le guetteur cria et avertit le roi, et le roi dit : « S'il est seul, c'est qu'il a une bonne nouvelle sur les lèvres*ᵉ*. » Comme celui-là continuait d'approcher, ²⁶ le guetteur vit un autre

---

22. « *tu n'en tireras* » litt. « *étant versée* » muṣé't *conj.*; « *trouvant* » môṣé't H.
26. « *sur la porte* » G Syr ; « *au portier* » H. — « *autre* » *Vers.*; *omis par H.*

---

a) Un esclave éthiopien (Kush est l'Éthiopie, mentionnée avec l'Égypte Is **20** 3-5 ; Ez **30** 4, etc.), donc un noir, Jr **13** 23.

b) Le porteur d'une bonne nouvelle reçoit une gratification, **4** 10.

c) En hébreu, le *kikkâr,* terme qui désigne spécialement la large vallée du Jourdain, Gn **13** 10 s; **19** 28 s, etc.

d) Dans l'espace couvert entre la porte extérieure et la porte intérieure qui donnait accès à la ville.

e) Un désastre serait annoncé par une bande de fuyards.

homme qui courait, et le guetteur qui était sur la porte cria : « Voici un autre homme, qui court seul. » Et David dit : « Celui-ci est encore un messager de bon augure. » [27] Le guetteur dit : « Je reconnais la façon de courir du premier, c'est la façon de courir d'Ahimaaç, fils de Sadoq[a]. » Le roi dit : « C'est un homme de bien, il vient pour une bonne nouvelle[b]. »

[28] Ahimaaç s'approcha du roi et dit : « Salut ! » Il se prosterna face contre terre devant le roi et poursuivit : « Béni soit Yahvé ton Dieu qui a livré les hommes qui avaient levé la main contre Monseigneur le roi ! » [29] Le roi demanda : « En va-t-il bien pour le jeune Absalom ? » Et Ahimaaç répondit : « J'ai vu un grand tumulte au moment où Joab, serviteur du roi, envoyait ton serviteur, mais je ne sais pas ce que c'était[c]. » [30] Le roi dit : « Range-toi et tiens-toi là. » Il se rangea et attendit.

[31] Alors arriva le Kushite et il dit : « Que Monseigneur le roi apprenne la bonne nouvelle. Yahvé t'a rendu justice aujourd'hui en te délivrant de tous ceux qui s'étaient dressés contre toi. » [32] Le roi demanda au Kushite : « En va-t-il bien pour le jeune Absalom ? » Et le Kushite répondit : « Qu'ils aient le sort de ce jeune homme, les ennemis de Monseigneur le roi et tous ceux qui se sont dressés contre toi pour le mal ! »

---

28. « s'approcha » wayyiqrab Luc ; « cria » wayyiqrâ' H.
29. « au moment... ton serviteur » conj.; « au moment d'envoyer le serviteur du roi Joab et ton serviteur » H.

---

a) Comp. 2 R **9** 20.
b) Comp. 1 R **1** 42. La nature du messager présage a qualité de la nouvelle. L'esclave noir avait été choisi par Joab comme messager de mauvais augure.
c) Mensonge prudent : Ahimaaç laisse la mauvaise nouvelle pour le second messager.

33

Douleur de David[a].

19. [1b] Alors le roi frémit. Il monta dans la chambre supérieure de la porte et se mit à pleurer; il disait en sanglotant : « Mon fils Absalom ! mon fils ! mon fils Absalom ! que ne suis-je mort à ta

19. [1] place ! Absalom mon fils ! mon fils ! » [2] On prévint Joab : « Voici que le roi pleure et se lamente sur Absalom. »

[2] [3] La victoire, ce jour-là, se changea en deuil pour toute l'armée, car l'armée apprit ce jour-là que le roi était dans

[3] l'affliction à cause de son fils. [4] Et ce jour-là, l'armée rentra furtivement dans la ville, comme se dérobe une armée qui s'est couverte de honte en fuyant durant la bataille.

[4] [5] Le roi s'était voilé le visage[c] et poussait de grands cris : « Mon fils Absalom ! Absalom mon fils ! mon fils ! »

[5] [6] Joab se rendit auprès du roi à l'intérieur et dit[d] : « Tu couvres aujourd'hui de honte le visage de tous tes serviteurs qui ont sauvé aujourd'hui ta vie, celle de tes fils et de tes filles, celle de tes femmes et celle de tes concubines,

[6] [7] parce que tu aimes ceux qui te haïssent et que tu hais ceux qui t'aiment. En effet, tu as manifesté aujourd'hui que chefs et soldats n'étaient rien pour toi, car je sais maintenant que, si Absalom vivait et si nous étions tous morts

[7] aujourd'hui, tu trouverais cela très bien. [8] Allons, je t'en prie, sors et rassure tes soldats, car, je le jure par Yahvé, si

---

19 1. « *en sanglotant* » bibkotô *Luc ;* « *en marchant* » b^elèktô *H.*

---

a) Tout le récit de **18** 1-**19** 9 qui pourrait être une froide chronique devient le drame de l'amour paternel. David semble ne s'inquiéter que du sort de son fils révolté.

b) Les versions rattachent le v. 1 au ch. précédent. Tout le ch. **19** est ainsi décalé d'un verset.

c) Voir **15** 30.

d) Joab est un soldat au cœur dur mais il voit juste. Avec une étonnante liberté de langage, il montre au roi l'effet désastreux que son attitude aura sur les troupes.

tu ne sors pas, il n'y aura personne qui passe cette nuit avec toi, et ce sera pour toi un malheur plus grand que tous les malheurs qui te sont advenus depuis ta jeunesse jusqu'à présent. » 8 9 Le roi se leva et vint s'asseoir à la porte. On l'annonça à toute l'armée : « Voici, dit-on, que le roi est assis à la porte », et toute l'armée se rendit devant le roi.

9   **On prépare le retour de David.**   Israël s'était enfui chacun à ses tentes. 10 Dans toutes les tribus d'Israël, tout le monde se querellait. On disait : « C'est le roi qui nous a délivrés de la main de nos ennemis, c'est lui qui nous a sauvés de la main des Philistins et maintenant il a dû s'enfuir du pays, loin d'Absa- 10 lom. 11 Quant à Absalom que nous avions oint pour qu'il régnât sur nous, il est mort dans la bataille. Alors pourquoi ne faites-vous rien pour ramener le roi ? »

11   12 b Ce qui se disait dans tout Israël arriva jusqu'au roi. 12 a Alors le roi David envoya dire aux prêtres Sadoq et Ébyatar : « Parlez ainsi aux anciens de Juda*a* : ʿ Pourquoi 12 seriez-vous les derniers à ramener le roi chez lui ? 13 Vous êtes mes frères, vous êtes de ma chair et de mes os, pour- 13 quoi seriez-vous les derniers à ramener le roi ? ʾ 14 Et vous direz à Amasa*b* : ʿ N'es-tu pas de mes os et de ma chair ? Que Dieu me fasse ce mal et qu'il ajoute cet autre si tu n'es pas pour toujours à mon service comme chef de l'armée

---

12b *transposé, sauf les deux derniers mots, avec Syr et une partie de G et Vulg.*

---

a) David veut être rappelé d'abord par sa tribu : c'est la voix du sang qui parle, mais c'est aussi le pressentiment que sa dynastie ne peut compter que sur la fidélité de Juda.

b) Le neveu de David et le chef militaire de la révolte, **17** 25 : après la mort d'Absalom, c'était lui surtout qu'il fallait gagner.

14 à la place de Joab[a] ’. » 15 Alors tous les hommes de Juda
se rallièrent d'un cœur unanime et envoyèrent dire au roi :
« Reviens, toi et tous tes serviteurs. »

15   16 Le roi revint donc et

Épisodes du retour :   atteignit le Jourdain. Juda
Shiméï[b].   était arrivé à Gilgal, venant
                     à la rencontre du roi, pour

16 aider le roi à passer le Jourdain. 17 En hâte, Shiméï, fils de
Géra, le Benjaminite de Bahurim, descendit avec les gens

17 de Juda au-devant du roi David. 18 Il avait avec lui mille
hommes de Benjamin. Çiba, le serviteur de la maison de
Saül[c], ses quinze fils et ses vingt serviteurs avec lui

18 devancèrent le roi au Jourdain 19 et ils mirent tout en
œuvre pour faire traverser la famille du roi et satisfaire
son bon plaisir.

Shiméï fils de Géra se jeta aux pieds du roi quand il

19 traversait le Jourdain, 20 et il dit au roi : « Que Monseigneur ne m'impute pas de faute ! Ne te souviens pas du
mal que ton serviteur a commis le jour où Monseigneur
le roi est sorti de Jérusalem. Que le roi ne le prenne pas

20 à cœur ! 21 Car ton serviteur reconnaît qu'il a péché, et
voici que je suis venu le premier de toute la maison

---

15. « *se rallièrent* » Targ ; « *il rallia* » H.
19. « *et ils mirent tout en œuvre* » wayya'abdû hâ'âbodâh *G* ; « *et elle avait passé la passe* » we'âbrâh hâ'âbârâh *H. On a proposé aussi :* wayya'abru hâ'âbârâh « *et ils avaient passé le gué* ».

---

a) David supporte mal les violences de Joab et voudrait l'écarter, mais Joab se débarrassera de son rival, **20** 8-13, et restera à son poste jusqu'à la mort de David, 1 R **2** 5 s et 28 s.

b) Avec un art consommé, le narrateur met sur le chemin du retour la contre-partie des épisodes de l'aller : le repentir de Shiméï, vv. 16-24, cf. **16** 5-13 ; la mauvaise excuse de Meribbaal, vv. 25-31, cf. **16** 1-4 ; la récompense du fidèle Barzillaï, vv. 32-40, cf. **17** 27.

c) Agit-il par reconnaissance, **16** 1-4 ? Ou plutôt, ne veut-il pas prévenir l'intervention de Meribbaal, vv. 25-31 ?

de Joseph[a] pour descendre au-devant de Monseigneur
le roi. »

21   [22] Abishaï fils de Çeruya prit alors la parole et dit :
« Shiméï ne mérite-t-il pas la mort pour avoir maudit
22   l'oint de Yahvé ? » [23] Mais David dit : « Qu'ai-je à faire
avec vous, fils de Çeruya, pour que vous deveniez aujourd'hui mes adversaires[b] ? Quelqu'un pourrait-il aujourd'hui être mis à mort en Israël[c] ? N'ai-je pas l'assurance
23   qu'aujourd'hui je suis roi sur Israël ? » [24] Le roi dit à
Shiméï : « Tu ne mourras pas », et le roi lui prêta serment[d].
24

           [25] Meribbaal, le fils de Saül,
     Meribbaal[e].   était descendu aussi au-devant du roi. Il n'avait soigné
ni ses pieds ni ses mains[f], il n'avait pas taillé sa moustache,
il n'avait pas lavé ses vêtements depuis le jour où le roi
25   était parti jusqu'au jour où il revint en paix. [26] Lorsqu'il
arriva de Jérusalem au-devant du roi, celui-ci lui demanda :
26   « Pourquoi n'es-tu pas venu avec moi, Meribbaal ? » [27] Il
répondit : « Monseigneur le roi, mon serviteur m'a trompé.
Ton serviteur lui avait dit : ' Selle-moi l'ânesse, je la mon-

---

25. « *ni ses mains* » *G ; omis par* H.
26. « *de Jérusalem* » *quelques Mss de G* ; « *à Jérusalem* » H.
27. « *lui avait dit... l'ânesse* » *Vers.* ; « *Je m'étais dit : Je me ferai seller
l'ânesse* » H.

---

a) Shiméï est de Benjamin, **16** 5, alors que la « maison de Joseph » ne
comprend strictement que les tribus d'Éphraïm et de Manassé, Jos **17**
17, etc. Mais les trois tribus sont parfois réunies sous la même dénomination, comp. Nb **2** 18-24 ; **10** 22 s, soit en considération de leur proximité
territoriale, soit en souvenir d'une origine commune, Joseph et Benjamin
étant les deux fils de Rachel
b) C'est le parallèle de **16** 9-10.
c) Comp. 1 S **11** 13.
d) Mais il se réserve une vengeance posthume, 1 R **2** 8 s et 36-46.
e) Voir **16** 1-4.
f) Il ne s'était pas coupé les ongles, comp. Dt **21** 12. C'est un rite de
deuil, comme les actes suivants.

terai et j'irai avec le roi ', car ton serviteur est infirme.
27 ²⁸ Il a calomnié ton serviteur auprès de Monseigneur le
roi. Mais Monseigneur le roi est comme l'Ange de Dieu :
28 agis comme il te semble bon. ²⁹ Car toute la famille de
mon père méritait seulement la mort de la part de Monseigneur le roi, et pourtant tu as admis ton serviteur parmi
ceux qui mangent à ta table ᵃ. Quel droit puis-je avoir
29 d'implorer encore le roi ? » ³⁰ Le roi dit : « Pourquoi conti-
nuer de parler ? Je décide que toi et Çiba vous partagerez les
30 terres ᵇ. » ³¹ Meribbaal dit au roi : « Qu'il prenne donc tout
puisque Monseigneur le roi est rentré en paix chez lui ! »
31   ³² Barzillaï le Galaadite

Barzillaï.   était descendu aussi de Ro-
                             glim et avait continué avec
32 le roi pour le reconduire au Jourdain. ³³ Barzillaï était
très âgé, il avait quatre-vingts ans. Il avait pourvu à l'entretien du roi pendant son séjour à Mahanayim, car c'était
33 un homme très riche ᶜ. ³⁴ Le roi dit à Barzillaï : « Continue
avec moi et je pourvoirai aux besoins de tes vieux jours
34 auprès de moi à Jérusalem. » ³⁵ Mais Barzillaï répondit au
roi : « Combien d'années me reste-t-il à vivre, pour que
35 je monte avec le roi à Jérusalem ? ³⁶ J'ai maintenant quatre-
vingts ans : puis-je distinguer ce qui est bon et ce qui est
mauvais ? Ton serviteur a-t-il le goût de ce qu'il mange

---

29. « *d'implorer* » cf. *Luc* ; « *et d'implorer* » H.
32. *On suit G ; H surchargé.*
33. « *pendant son séjour* » bᵉšibtô *Vers.*; bᵉšîbâtô H, *incorrect.*

---

a) Voir **9** 10.
b) Les excuses de Meribbaal sont assez embarrassées et David ne veut
pas prendre parti entre lui et Çiba. David agit en maître sur les biens de
Saül : après les avoir restitués à Meribbaal, **9** 7 s, puis les lui avoir retirés,
16 4, il les partage entre Meribbaal et Çiba. Le domaine du roi, comme
son harem, cf. **12** 8, passe à son successeur.
c) Voir **17** 27-29.

et de ce qu'il boit ? Puis-je entendre encore la voix des chanteurs et des chanteuses ? Pourquoi ton serviteur

36 serait-il encore à charge à Monseigneur le roi ? ³⁷ Ton serviteur passera tout juste le Jourdain avec le roi*, mais pourquoi le roi m'accorderait-il une telle récompense ?

37 ³⁸ Permets à ton serviteur de s'en retourner : je mourrai dans ma ville près du tombeau de mon père et de ma mère. Mais voici ton serviteur Kimhân*, qu'il continue avec Monseigneur le roi, et agis comme bon te semble à son

38 égard. » ³⁹ Le roi dit : « Que Kimhân continue donc avec moi, je ferai pour lui ce qui te plaira et tout ce que tu sol-

39 liciteras de moi, je le ferai pour toi. » ⁴⁰ Tout le peuple passa le Jourdain, le roi passa, il embrassa Barzillaï et le bénit, et celui-ci s'en retourna chez lui.

40

Juda et Israël se disputent le roi.

⁴¹ Le roi continua vers Gilgal* et Kimhân continua avec lui. Tout le peuple de Juda accompagnait le roi,

41 et aussi la moitié du peuple d'Israël. ⁴² Et voici que tous les hommes d'Israël vinrent auprès du roi et lui dirent : « Pourquoi nos frères, les hommes de Juda, t'ont-ils enlevé et ont-ils fait passer le Jourdain au roi et à sa famille,

---

41. « *accompagnait* » G ; « *fit passer* » H.

a) Traduction incertaine; d'autres corrigent : « Ton serviteur continuera un peu avec le roi », ou : « Ton serviteur n'a rendu qu'un petit service au roi ».

b) Le fils de Barzillaï.

c) Gilgal avait été aussi la première étape des Israélites après le Jourdain lors de la conquête, Jos **4** et cf. ici le v. 16, et était resté un grand centre religieux sous Saül, cf. la note sur 1 S **11** 15. C'était là que, selon une tradition, Saül avait été proclamé roi, 1 S **11** 15, et aussi que Samuel lui avait annoncé son remplacement par David, 1 S **15** 28. C'est là maintenant qu'Israël et Juda se disputent le roi qu'ils avaient abandonné et auquel ils sont revenus.

⁴² et à tous les hommes de David avec lui ? » ⁴³ Tous les hommes de Juda répondirent aux hommes d'Israël : « C'est que le roi m'est plus apparenté ! Pourquoi t'irriter à ce propos ? Avons-nous mangé aux dépens du roi ou nous a-t-il apporté quelque portion ? » ⁴⁴ Les hommes d'Israël répliquèrent aux hommes de Juda et dirent : « J'ai dix parts *a* sur le roi et de plus je suis ton aîné *b*, pourquoi m'as-tu méprisé ? N'ai-je pas parlé le premier de faire revenir mon roi ? » Mais les propos des hommes de Juda furent plus violents que ceux des hommes d'Israël.

20. ¹ Or, il se trouvait

Révolte de Shéba*c*.   là un vaurien, qui s'appelait Shéba, fils de Bikri, un Benjaminite. Il sonna du cor et dit :

« Nous n'avons pas de part avec David,
nous n'avons pas d'héritage sur le fils de Jessé !
Chacun à ses tentes, Israël *d* ! »

² Tous les hommes d'Israël abandonnèrent David et suivirent Shéba fils de Bikri, mais les hommes de Juda

---

43. « *portion* » maśé't Targ. ; « *levée, portée* » ? niśśé't *H*.
44. « *ton aîné* » bᵉkôr *Luc VetLat* ; « *en David* » bᵉdâwid *H, glose de* bammèlèk *qui précède ?*

---

a) Les dix tribus du Nord, comp. 1 R **11** 31 ; déjà le schisme se prépare.
b) Cela n'indique pas qu'une tradition ait fait d'Israël (= Jacob) le frère de Juda, mais signifie qu'Israël s'attribuait la prééminence soit parce qu'il incluait Ruben, le premier-né de Jacob, soit simplement parce qu'il était plus nombreux.
c) Dans cette révolte soulevée par un Benjaminite, il n'y a pas seulement la rancune de la tribu à laquelle appartenait Saül, le premier roi. En elle éclate l'inimitié entre Israël et Juda, qui conduira au schisme, 1 R **12**. L'unité politique ne fut jamais complète et le pouvoir de David était un régime d'union personnelle, cf. la note sur **5** 3.
d) Au moment du schisme, le même cri sera poussé par les dissidents du Nord, 1 R **12** 16.

s'attachèrent aux pas de leur roi, depuis le Jourdain jusqu'à Jérusalem.

³ David rentra dans son palais à Jérusalem. Le roi prit les dix concubines qu'il avait laissées pour garder le palais et les mit sous surveillance[a]. Il pourvut à leur entretien mais il n'approcha plus d'elles et elles furent séquestrées jusqu'à leur mort, comme les veuves d'un vivant[b].

Assassinat d'Amasa.

⁴ Le roi dit à Amasa[c] : « Convoque-moi les hommes de Juda, je te donne trois jours pour te présenter ici. » ⁵ Amasa partit pour convoquer Juda, mais il tarda au delà du terme que David lui avait fixé. ⁶ Alors David dit à Abishaï[d] : « Shéba fils de Bikri est désormais plus dangereux pour nous qu'Absalom. Toi, prends les gardes de ton maître et pourchasse-le de peur qu'il n'atteigne des villes fortes et ne nous échappe. » ⁷ Derrière Abishaï, partirent en campagne Joab, les Kerétiens, les Pelétiens et tous les preux[e]; ils quittèrent Jérusalem à la poursuite de Shéba fils de Bikri.

---

20 6. « *et ne nous échappe* » wᵉḥuṣṣal mimmènnû *Luc* ; « *et délivre nos yeux* » ? wᵉḥiṣṣil 'énénû *H*.

7. « *Derrière Abishaï* » 'aḥărê 'abîšay *cf. G* ; « *Derrière lui* (*partirent les hommes* (*de Joab*)) » 'aḥărâw 'anŝê *H*.

---

a) Litt. « il les mit dans une maison de garde ». Il y a un jeu de mots : ces femmes qui avaient été laissées pour « garder » le palais, sont maintenant « gardées ».

b) C'est la suite de **16** 20-22.

c) En exécution de la promesse de **19** 14, Amasa est chargé de lever le ban.

d) A défaut du ban, David met en campagne la troupe permanente de ses gardes et, brouillé avec Joab, **19** 14, il en confie le commandement au frère de celui-ci, Abishaï.

e) Sur ces corps de la garde royale, voir **8** 18 et la note, et, sur les preux, **23** 8 s; I R **8** 10.

⁸ Ils étaient près de la grande pierre qui se trouve à Gabaôn*, quand Amasa arriva en face d'eux. Or Joab était vêtu de sa tenue militaire sur laquelle il avait ceint une épée attachée à ses reins dans son fourreau; celle-ci sortit et tomba. ⁹ Joab demanda à Amasa : « Tu vas bien, mon frère ? » Et, de la main droite, il saisit la barbe*b* d'Amasa pour l'embrasser. ¹⁰ Amasa ne prit pas garde à l'épée que Joab avait en main, et celui-ci l'en frappa au ventre et répandit ses entrailles à terre*c*. Il n'eut pas à lui donner un second coup et Amasa mourut, tandis que Joab et son frère Abishaï se lançaient à la poursuite de Shéba fils de Bikri.

¹¹ L'un des cadets de Joab resta en faction près d'Amasa et il disait : « Quiconque aime Joab et est pour David, qu'il suive Joab ! » ¹² Cependant Amasa s'était roulé dans son sang au milieu du chemin. Voyant que tout le monde s'arrêtait, cet homme tira Amasa du chemin dans le champ et jeta un vêtement sur lui, parce qu'il voyait s'arrêter tous ceux qui arrivaient près de lui. ¹³ Lorsqu'Amasa eut été écarté du chemin, tous les hommes passèrent outre, suivant Joab*d* à la poursuite de Shéba fils de Bikri.

---

8. « *vêtu de sa tunique militaire* » lâbûš middô *conj.*; « *ceint de sa tunique militaire, son vêtement* » ḥâgûr middô lᵉbušô H, *influencé par la suite*. — « *celle-ci sortit* » G ; « *il sortit* » H.

13. « *eut été écarté* » hugâh *conj.*; hogâh H, *corrompu*.

---

a) Voir **2** 13, etc.
b) En témoignage d'affection, comme font encore les Arabes.
c) Il apparaît, vv. 8-10, que Joab a ramassé de la main gauche l'épée glissée à terre et en a frappé Amasa. Mais le texte est incertain. D'autres le corrigent plus radicalement et imaginent une seconde épée cachée sous le vêtement de Joab.
d) Par son prestige, Joab s'impose comme chef contre la volonté du roi et le ban se rallie à lui.

Fin de la révolte.   ¹⁴ Celui-ci parcourut toutes les tribus d'Israël jusqu'à
Abel Bet-Maaka*ᵃ* et tous les
Bikrites... *ᵇ* Ils se rassemblèrent et entrèrent aussi derrière
lui*ᶜ*. ¹⁵ On vint l'assiéger dans Abel Bet-Maaka et on
entassa contre la ville un remblai qui s'adossait à l'avant-
mur*ᵈ*, et toute l'armée qui accompagnait Joab creusait des
sapes pour faire tomber le rempart. ¹⁶ Une femme avisée
cria de la ville : « Écoutez ! Écoutez ! Dites à Joab :
Approche ici, que je te parle. » ¹⁷ Il s'approcha et la femme
demanda : « Est-ce toi Joab ? » Il répondit : « Oui. »
Elle lui dit : « Écoute la parole de ta servante. » Il répondit : « J'écoute. » ¹⁸ Elle parla ainsi : « Jadis, on avait
coutume de dire*ᵉ* : Que l'on demande à Abel et à Dan
s'il en est fini ¹⁹ de ce qu'ont établi les fidèles d'Israël.
Et toi tu cherches à ruiner une ville et une métropole en

---

14. *Texte incertain* : « *Abel Bet-Maaka, cf. v.* 15; « *Abel et Bet-Maaka* »
H. — « *Bikrites* » *conj. cf. v.* 1; « *Bérites* » ? H. — « *ils se rassemblèrent* »
wayyiqqâhâlû *Qer* ; « *ils le méprisèrent* » wayᵉqilluhû *Ket.*
18-19. « *à Abel et à Dan... les fidèles d'Israël* » G (*qui a une double traduction*); *omis par* H.
19. « *ruiner* » lᵉhašḥît *conj. cf. v.* 20; « *faire mourir* » lᵉhâmît H.

---

a) Ville forte voisine de Dan, v. 18, à l'extrême nord du territoire
israélite, aujourd'hui Tell Abil.
b) Un intervalle laissé dans les manuscrits suggère que quelques mots
sont tombés.
c) Dans la ville.
d) Le rempart, *ḥômâh,* est protégé par un avant-mur, *ḥél ;* le remblai,
solᵉlâh, est entassé entre l'avant-mur et le rempart et sert de rampe d'accès
aux sapeurs qui vont ouvrir la brèche. La femme, v. 16, se tient sur le
rempart.
e) La femme cite un dicton qui faisait des villes d'Abel Bet-Maaka et
de Dan (aujourd'hui Tell el-Qadi près d'une des sources du Jourdain) les
gardiennes des traditions d'Israël et les arbitres de ses conflits; cela suppose
l'existence de sanctuaires vénérés, et celui de Dan est bien connu, Jg **18**;
1 R **12** 30.

Israël. Pourquoi veux-tu anéantir l'héritage de Yahvé ? »
²⁰ Joab répondit : « Loin, loin de moi ! Je ne veux ni
anéantir ni ruiner. ²¹ Il ne s'agit pas de cela, mais un homme
de la montagne d'Éphraïm, du nom de Shéba fils de Bikri,
s'est insurgé contre le roi, contre David. Livrez-le tout
seul et je lèverai le siège de la ville. » La femme dit à Joab :
« Eh bien, on va te jeter sa tête par-dessus la muraille. »
²² La femme alla parler à tout le peuple comme lui dictait
sa sagesse : on trancha la tête de Shéba fils de Bikri et on
la jeta à Joab. Celui-ci fit sonner du cor et on s'éloigna de
la ville, chacun vers ses tentes. Quant à Joab, il revint à
Jérusalem auprès du roi.

Les grands officiers de David[a].   ²³ Joab commandait à toute l'armée; Benayahu fils de Yehoyada commandait les Kerétiens et les Pelétiens; ²⁴ Adoram était chef de la corvée[b]; Yehoshaphat fils d'Ahilud était héraut; ²⁵ Shusha était secrétaire; Sadoq et Ébyatar étaient prêtres. ²⁶ De plus, Ira le Yaïrite[c] était prêtre de David.

---

22. « *parler* » *d'après G, qui a une double traduction ; omis par H.*
23. *Après* « *armée* », *le texte ajoute* « *Israël* », *sans liaison grammaticale.*

---

a) Les vv. 23-26 sont un doublet de la liste donnée à 8 16-18, avec quelques différences.
b) Peut-être une anticipation. La corvée ne paraît avoir été organisée que sous Salomon, 1 R 9 15 s et la liste de 1 R 4 6.
c) D'un clan de Manassé établi en Galaad, Nb 32 41; 1 R 4 13 et comp. Jg 10 3 s. Sur sa qualité de « prêtre », voir la note à 8 18.

V

SUPPLÉMENTS[a]

La grande famine
et l'exécution
des descendants
de Saül[b].

21. [1] Au temps de David, il y eut une famine pendant trois ans de suite. David s'enquit auprès de Yahvé[c], et Yahvé dit : « Il y a du sang sur Saül et sur sa famille, parce qu'il a mis à mort les Gabaonites. » [2] Le roi convoqua les Gabaonites et leur dit. — Ces Gabaonites

---

21 1. « *du sang sur Saül et sa famille* » G ; « *sur sa famille et sur la maison de sang* » H.

a) Interrompant la grande histoire de la famille de David et de la succession au trône, qui reprendra à 1 R **1**, les ch. **21-24** contiennent six appendices allant par paires : d'abord **21** 1-14 (famine de trois ans) et **24** (peste de trois jours). Ce groupe a été disjoint par l'insertion de deux séries d'anecdotes héroïques : **21** 15-22 (les quatre géants philistins) et **23** 8-39 (les preux de David). Les deux séries ont enfin été séparées par deux pièces poétiques : **22** (cantique de David) et **23** 1-7 (dernières paroles de David).

b) Récit important pour l'histoire du sentiment religieux de l'ancien Israël. Yahvé punit par une famine la violation par Saül du serment fait aux Gabaonites. En expiation, les descendants de Saül sont exécutés, la famine cesse et Yahvé est apaisé. Les Gabaonites font de cette vengeance du sang un sacrifice destiné à amener la fertilité, selon un rite de Canaan, cf. les notes sur les vv. 6 et 9. Quant à David, même s'il n'a pas provoqué cette exécution, v. 1, il en a profité, étant ainsi débarrassé de concurrents au trône, cf. la note sur **9** 7. Dans ces récits anciens, le caractère de David présente un mélange, déconcertant pour nous, de foi simple et certainement sincère en Yahvé, ainsi **6** 21-22 ; **12** 22-23 ; **15** 25-26 ; **16** 10, et de rouerie politique, ainsi 1 S **27** 8-12 ; 2 S **11** ; **13** 23-24 comparé à 1 R **2** 8-9. Cette exécution des descendants de Saül doit se placer au début du règne, avant le ch. **9**, qui paraît avoir été sa suite immédiate dans un récit primitif, cf. notes sur **9** 1 et **16** 8.

c) Litt. « recherche la face de Yahvé », comme on demande audience à un roi, 1 R **10** 24. David a demandé un oracle, peut-être au sanctuaire même de Gabaôn, cf. 1 R **3** 4 s.

n'étaient pas des Israélites, ils étaient un reste des Amorites, envers qui les Israélites s'étaient engagés par serment.
Mais Saül avait cherché à les abattre dans son zèle pour
les Israélites et pour Juda[a]. — [3] Donc David dit aux
Gabaonites : « Que faut-il vous faire et comment réparer,
pour que vous bénissiez[b] l'héritage de Yahvé ? » [4] Les
Gabaonites lui répondirent : « Il ne s'agit pas pour nous
d'une affaire d'argent ou d'or avec Saül et sa famille, et il
ne s'agit pas pour nous d'un homme à tuer en Israël[c]. »
David dit : « Ce que vous direz, je le ferai pour vous. »
[5] Ils dirent alors au roi : « L'homme qui nous a exterminés
et qui avait projeté de nous anéantir, pour que nous ne
subsistions plus dans tout le territoire d'Israël, [6] qu'on
nous livre sept de ses fils[d] et nous les démembrerons[e]

---

5. « de nous anéantir » G Syr ; « nous aurions été anéantis » H.
6. « à Gabaôn sur la montagne (bᵉhar) de Yahvé » d'après une partie des
témoins grecs ; « à Gibéa de Saül, l'élu (bᵉḥîr) de Yahvé » H.

---

a) Cette addition explicative se réfère à Jos 9 3 s et à des violences
de Saül, dont le récit n'a pas été conservé. Il est possible que Saül ait
cherché à supprimer brutalement les enclaves étrangères en Israël, cf. v. 5.
La politique de David et de Salomon sera toute différente, celle d'une
assimilation progressive, même au prix de compromissions dangereuses
pour le Yahvisme.

b) Les Gabaonites offensés ont proféré une malédiction contre Israël.
Il faut qu'ils la barrent par une bénédiction, comp. Jg 17 2 ; 1 R 2 33,44-45.

c) Les Gabaonites refusent une compensation pécuniaire. Ils rejettent
aussi une victime prise indifféremment en Israël, ou bien ils soulignent que,
comme minorité asservie, ils ne peuvent pas exercer eux-mêmes la loi du
talion.

d) A défaut de Saül, la vengeance du sang s'exerce sur ses descendants,
qui porteront le poids de sa faute. De même dans le droit bédouin. Le
chiffre « sept » symbolise un total, cf. Caïn vengé sept fois, Gn 4 24, les
sept animaux de l'arche, Gn 7 2, les sept victimes immolées à certaines
fêtes, Nb 28 11, 19, 27 ; 29 2, 8, 32.

e) Ou « nous les disloquerons », cf. le même verbe à Nb 25 4 pour
châtier des transgresseurs religieux devant Yahvé et l'apaiser (comme ici),
et l'emploi de la même racine dans Gn 32 26 : la hanche de Jacob est
« démise ».

devant Yahvé à Gabaôn sur la montagne de Yahvé[a]. »
Et le roi dit : « Je les livrerai. » [7] Le roi épargna Meribbaal
fils de Jonathan fils de Saül, à cause du serment par Yahvé
qui les liait, David et Jonathan fils de Saül[b]. [8] Le roi prit
les deux fils que Riçpa[c], fille d'Ayya, avait donnés à Saül,
Armoni et Meribbaal, et les cinq fils que Mérab fille de
Saül avait donnés à Adriel fils de Barzillaï, de Mehola[d].
[9] Il les livra aux mains des Gabaonites et ceux-ci les
démembrèrent sur la montagne devant Yahvé. Les sept
succombèrent ensemble; ils furent mis à mort aux premiers
jours de la moisson, au début de la moisson des orges[e].

[10] Riçpa, fille d'Ayya, prit le sac[f] et l'étendit pour elle
sur le rocher, depuis le début de la moisson des orges
jusqu'à ce que l'eau tombât du ciel sur eux[g], et elle ne

---

7. « *Meribbaal* » *cf.* **4** 4; « *Mephiboshet* » *H.*
8. « *Meribbaal* » *cf. v. préc.* — « *Mérab* » *Luc Syr cf.* 1 *S* **18** 19; « *Mikal* » *H.*
9. « *les sept* » *šibʿâtâm Vers.*; « *sept fois* » *šibʿâtâym H Ket.*

a) Le haut lieu de Gabaôn, sans doute l'actuelle hauteur de Néby Samwil
au sud d'el-Djib. Il apparaît clairement que, dans l'esprit des Gabaonites,
ce n'est pas seulement une vengeance du sang : l'exécution se fait dans
un sanctuaire, « devant Yahvé », v. 9, c'est un rite religieux, cf. la note
sur le v. 9.

b) Voir 1 S **20** 15-17 et 42. Ce v. paraît être une glose introduite quand
le récit eut été détaché de son contexte. Il figurait primitivement avant **9** 1
où David demande s'il reste encore des descendants de Saül.

c) Voir **3** 7.

d) Voir 1 S **18** 19.

e) Au mois de mai. L'exécution est un acte religieux, v. 6, elle est
consécutive à une famine, v. 1, et elle a lieu au temps de la moisson, elle
amènera la fin de la sécheresse, v. 10, cf. v. 14 fin. Les Gabaonites, avec
l'assentiment de David, ont pratiqué un rite cananéen de fertilité qu'un
poème de Râs Shamra transpose sur le plan mythologique : le dieu Môt
est mis en pièces par Anat et ses débris sont semés dans les champs et
exposés aux oiseaux, que l'on retrouve ici au v. 10.

f) Au lieu de son manteau, Ex **22** 25 s; Dt **24** 13, Riçpa prend pour
couverture le sac qui est son vêtement de deuil, **3** 31; **12** 16.

g) Le retour de la pluie annonce que la famine va cesser et que l'expiation a été agréée par Dieu. Alors seulement, David fera enlever les cadavres.
Le cas est particulier; d'après Dt **21** 22-23, cf. Jos **8** 29; **10** 27, les suppliciés
devaient être dépendus avant la nuit.

laissa pas s'abattre sur eux les oiseaux du ciel pendant le jour ni les bêtes sauvages pendant la nuit. [11] On informa David de ce qu'avait fait Riçpa, fille d'Ayya, la concubine de Saül. [12] Alors David alla réclamer les ossements de Saül et ceux de son fils Jonathan aux notables de Yabesh de Galaad. Ceux-ci les avaient enlevés de l'esplanade de Bet-Shân, où les Philistins les avaient suspendus, quand les Philistins avaient vaincu Saül à Gelboé[a]. [13] David emporta de là les ossements de Saül et ceux de son fils Jonathan et les réunit aux ossements des suppliciés. [14] On ensevelit les ossements de Saül, ceux de son fils Jonathan et ceux des suppliciés au pays de Benjamin, à Çéla[b], dans le tombeau de Qish, père de Saül. On fit tout ce que le roi avait ordonné et, après cela, Dieu eut pitié du pays.

Exploits contre les Philistins[c].

[15] Il y eut encore une guerre des Philistins contre Israël. David descendit avec sa garde. Ils combattirent les Philistins, et David était fatigué[d]. [16] Il y avait un champion[e]

14. « *et ceux des suppliciés* » *G ; omis par H.*
16. « *un champion* » 'îš bénayim *conj.*; yišbî benob *H, corrompu.* — « *sicles* » šèqèl *Luc* ; « *poids* » mišqal *H.* — « *d'une épée* » *Sym Vulg ; omis par H.*

a) Voir 1 S **31** 10-13. L'esplanade est la place qui s'étend à la porte de la ville, devant le rempart, comp. 1 S **31** 10.
b) En Benjamin, Jos **18** 28, peut-être l'actuel Kh. Çalah, non loin de Néby Samwil, le haut lieu de Gabaôn.
c) Ces épisodes des guerres philistines se placeraient mieux après **5** 17-25, au début du règne de David. Les vv. 18-22 se retrouvent dans 1 Ch **20** 4-8. Ce sont des épisodes semblables à ceux dont la lutte entre David et Goliath, 1 S **17**, donne un exemple littérairement achevé : ce sont des combats singuliers entre champions philistins et israélites.
d) Cela prépare le récit des vv. 16-17.
e) Si l'on accepte la correction proposée pour un texte certainement corrompu, il s'agit d'un champion philistin comme celui de 1 S **17** 4, 23, cf. les notes, qui a provoqué David en combat singulier. Celui-ci, fatigué, v. 15, risque de succomber mais il est sauvé par Abishaï, v. 16 (contre les règles du combat singulier).

d'entre les descendants de Rapha[a]. Le poids de sa lance
était de trois cents sicles de bronze[b], il était ceint d'une
épée neuve et il se vantait de tuer David. [17] Mais Abishaï
fils de Çeruya vint au secours de celui-ci, frappa le Philistin et le mit à mort. C'est alors que les hommes de
David le conjurèrent et dirent : « Tu n'iras plus avec nous
au combat, pour que tu n'éteignes pas la lampe[c] d'Israël ! »

[18] Après cela, la guerre reprit à Gob[d] avec les Philistins. ‖ 1 Ch **20** 4-8
C'est alors que Sibbekaï de Husha[e] tua Saph, un descen-
dant de Rapha.

[19] La guerre reprit encore à Gob avec les Philistins,
et Elhanân, fils de Yaïr, de Bethléem, tua Goliath[f] de

---

19. « *fils de Yaïr* » bèn-yâ'îr *Ch ;* « *fils des forêts de tisserands* » ? bèn
ya'rê 'or°gîm H, *avec dittographie de* 'orgîm *de la fin du v.*

---

a) L'ancêtre éponyme des Rephaïm, une race de géants, que connaissait
le folklore de Canaan (textes de Râs Shamra), qui étaient descendus au
séjour des morts, Is **14** 9 ; Jb **26** 5, et dont les Israélites avaient cru retrouver
les survivants en Transjordanie et sporadiquement en Palestine, ainsi le
val des Rephaïm près de Jérusalem, **5** 18. D'après une hypothèse récente,
yâlîd ne signifierait pas « descendant » mais « dépendant, serf », le membre
d'un corps mercenaire, et Rapha (avec l'article !) ne serait pas un nom
propre mais l'appellation de cette troupe, d'après son armement : « le
corps du cimeterre, de la *harpè* ».

b) Environ 3 kilos et demi.

c) La lampe ou le foyer signifient la vie d'une maison, d'une famille
ou d'une nation, comp. **14** 7 ; 1 R **11** 36 ; **15** 4 ; 2 R **8** 19. Il ne s'agit pas ici,
comme à **18** 3, d'interdire à David de prendre part à une guerre : le roi
est, par état, le chef militaire du peuple ; d'après le contexte, on veut seulement l'empêcher de risquer sa vie en combat singulier, comme les champions de sa garde.

d) Site inconnu et texte incertain : le grec a Get, le parallèle de Chroniques a Gézèr. Si l'on s'en tient à l'hébreu, Gob est peut-être une forme
courte de Gibbetôn, à la frontière entre Israël et les Philistins, cf. 1 R **15**
27 ; **16** 15.

e) Nom d'une famille de Bethléem d'ap. 1 Ch **4** 4, cf. le site actuel de
Hushân à l'ouest de Bethléem. Sibbekaï sera nommé parmi les Trente,
23 27.

f) Voir la note sur 1 S **17** 4. Pour éviter la difficulté, 1 Ch **20** 5 a lu
« Lahmi (pris de « Bethléem ») frère de Goliath ». On a voulu récemment concilier les textes en faisant d'Elhanân le nom de naissance de

Gat; le bois de sa lance était comme un liais de tisserand[a].

[20] Il y eut encore un combat à Gat et il se trouva là un homme de grande taille[b], qui avait six doigts à chaque main et à chaque pied, vingt-quatre doigts au total. Il était, lui aussi, un descendant de Rapha. [21] Comme il défiait Israël, Jonathan, fils de Shiméa[c], frère de David, le tua.

[22] Ces quatre-là étaient descendants de Rapha à Gat et ils succombèrent sous la main de David et de ses gardes.

22. [1] David adressa à

Psaume de David[d].   Yahvé les paroles de ce cantique, quand Yahvé l'eut délivré de tous ses ennemis et de la main de Saül. [2] Il dit :

‖ Ps **18**   Yahvé est mon roc et mon bastion,
           et mon libérateur [3] c'est mon Dieu.

---

20. « *un homme de grande taille* » '*îš* middâh *Ch Targ* ; « *un homme de querelle* » '*îš* mâdôn *Qer* (mdyn *Ket*).
22 2. *Après* « *un libérateur* », *H ajoute* « *à moi* »; *omis par Ps.*

David (qui serait son nom de couronnement) et en identifiant cet Elhanân avec le Baalhanân qui, d'après Gn **36** 38-39, aurait régné sur Édom après un certain Shaûl.

a) Comme 1 S **17** 7; cf. la note sur 1 S **17** 4.

b) Le texte est incertain, cf. encore **23** 21. On peut se demander si '*îš* mdyn n'est pas une autre corruption de '*îš* bnym, cf. le v. 16. De fait, ce guerrier « défie » Israël, v. 21, comme fait le champion, '*îš* habbénayim, de 1 S **17** 10, 23; etc.

c) Voir **13** 3, 32. Il est appelé Shamma à 1 S **16** 9. Il est possible que « frère de David » soit une glose et que ce Jonathan soit le même que Yehonatân, fils de Shamma, l'un des Trente, **23** 32-33.

d) Avec beaucoup de variantes, ce cantique se retrouve dans le Psautier, Ps **18**. Son titre le rattache aux circonstances de la vie de David, mais l'absence d'allusions précises et son insertion tardive dans Sam. (voir note sur **21** 1) rendent incertaine son attribution au roi poète. C'est, en tout cas, un chant de victoire et un psaume royal, cf. le v. **51** et les rapports de fond avec les Ps **2** et **110**; son style archaïque invite à le placer assez tôt dans l'époque monarchique. Le Psaume est récité aux Matines du Lundi et souvent utilisé dans le Missel.

Je m'abrite en lui, mon rocher[a],
mon bouclier et ma corne[b] de salut,
ma citadelle et mon refuge.
Tu me délivres de la violence.
⁴ Il est digne de louanges, j'invoque Yahvé
et je suis sauvé de mes ennemis.

⁵ Les flots de la Mort m'enveloppaient,
les torrents de Bélial[c] m'avaient surpris;
⁶ les filets du shéol me cernaient,
devant moi les pièges de la mort.

⁷ Dans mon angoisse j'invoquai Yahvé
et vers mon Dieu je m'écriai;
il entendit de son temple[d] ma voix
et mon cri parvint à ses oreilles.

⁸ Et la terre s'ébranla et chancela,
les assises des cieux frémirent
(elles furent ébranlées parce qu'il était en colère);
⁹ une fumée monta à ses narines,
et de sa bouche un feu dévorait
(des braises s'y enflammèrent)[e].

---

3. « *mon Dieu* » *G Syr cf. Ps* ; « *le Dieu de* » *H. — Après* « *mon refuge* »,
le texte ajoute « *mon sauveur* »; *tout le stique manque dans Ps.*
5. *Avant* « *les flots* », *le texte ajoute* « *car* »; *omis par G et Ps.*
7. « *je m'écriai* » *'ăšawwéaʿ G Syr Ps* ; « *j'invoquai* » *'èqrâ' H.*

---

a) Voir 1 S 2 2.
b) Voir 1 S 2 1.
c) Ce mot qui signifie originellement « sans utilité », puis « vaurien,
méchant », 1 S **1** 16; **2** 12; **10** 27; **25** 25; 2 S **16** 7; **20** 1, etc., est devenu
une épithète du démon, 2 Co **6** 15.
d) Sous David, il n'est pas construit.
e) Cette parenthèse et celle du v. 8 sont des additions qui rompent le
rythme.

¹⁰ Il inclina les cieux et descendit^{*a*},
  une sombre nuée sous ses pieds;
¹¹ il chevaucha un chérubin et vola,
  il plana sur les ailes du vent^{*b*}.

¹² Il fit des ténèbres son entourage,
  sa tente, ténèbre d'eau, nuée sur nuée;
¹³ un éclat devant lui enflammait,
  grêle et braises de feu.

¹⁴ Yahvé tonna des cieux,
  le Très Haut fit entendre sa voix;
¹⁵ il décocha des flèches^{*c*} et les dispersa,
  il fit briller l'éclair et les chassa.

¹⁶ Et le lit des mers apparut,
  les assises du monde se découvrirent,
  au grondement de la menace de Yahvé,
  au vent du souffle de ses narines^{*d*}.

¹⁷ Il envoie d'en-haut et me prend,
  il me retire des grandes eaux^{*e*},
¹⁸ il me délivre d'un puissant ennemi,
  d'adversaires trop forts pour moi.

---

11. « *il plana* » wayyédè' *Mss Ps* ; « *il apparut* » wayyérâ' H.
12. « *sa tente* » sukkâtô *Ps* ; « *les tentes* » sukkôt H. — « *ténèbre* » ḥèškat
G *Ps* ; ḥaṣrat H, *corrompu*.
15. « *il fit briller l'éclair* » *Luc cf. Ps* **144** 6; *omis par* H.

a) Ps **144** 5.
b) L'image rappelle les poèmes phéniciens où Baal est appelé « Chevau-
cheur des Nuées ». Les chérubins tirent le char de Dieu dans la vision
d'Ézéchiel, **1** et **10**, ils surmontent l'arche d'alliance, Ex **36** 7-9, où Yahvé
siège sur les chérubins, 1 S **4** 4; 2 S **6** 2.
c) Les flèches de Yahvé sont les éclairs, v. 15^b; Ps **144** 6.
d) Les vv. 8-16 sont une théophanie dans le cadre d'un orage, comp.
Ex **19** 16 s; Ha **3** 9 s; Ps **97** 2 s.
e) Ps **144** 7.

¹⁹ Ils m'assaillirent au jour de mon malheur,
   mais Yahvé fut pour moi un appui;
²⁰ il me dégagea et me mit au large,
   il m'a sauvé, car il est mon ami.

²¹ Yahvé me rend selon ma justice,
   selon la pureté de mes mains il me rétribue,
²² car j'ai gardé les voies de Yahvé
   sans faillir loin de mon Dieu.

²³ Ses jugements sont tous devant moi,
   ses décrets, je ne les ai pas écartés;
²⁴ mais je suis irréprochable avec lui,
   je me tiens loin de mon péché.

²⁵ Et Yahvé me rétribue selon ma justice,
   ma pureté qu'il voit de ses yeux.
²⁶ Tu es fidèle avec le fidèle,
   sans reproche avec l'irréprochable,

²⁷ pur avec qui est pur
   mais rusant avec le fourbe,
²⁸ toi qui sauves le peuple des humbles
   et rabaisses les yeux hautains.

²⁹ C'est toi, Yahvé, ma lampe[a],
   mon Dieu éclaire ma ténèbre;

---

23. « ses décrets... pas écartés » Ps ; « ses décrets, je ne m'écarte pas de
lui » H.
26. « l'irréprochable » litt. « l'homme (gèbèr) irréprochable » Ps ; « le
vaillant (gibbôr) irréprochable » H.
28. « les yeux hautains » Ps ; « tes yeux sur les hautains » H.
29. « mon Dieu » Mss Ps ; « Yahvé » H.

a) Comp. Jb 29 3.

30 avec toi je force l'enceinte,
   avec mon Dieu je saute le rempart.

31 Dieu, sa voie est sans reproche,
   la parole de Yahvé est sans alliage.
   Il est, lui, le bouclier
   de quiconque s'abrite en lui[a].

32 Qui donc est Dieu, hors Yahvé,
   qui est Rocher, sinon notre Dieu ?
33 Ce Dieu qui me ceint de force
   et rend ma voie irréprochable,

34 qui égale mes pieds à ceux des biches
   et me tient debout sur les hauteurs,
35 qui instruit mes mains au combat,
   mes bras à bander l'arc d'airain[b].

36 Tu me donnes ton bouclier de salut
   et ton armure me couvre,
37 tu élargis mes pas sous moi
   et mes chevilles n'ont point fléchi.

38 Je poursuis mes ennemis et les extermine
   et je ne reviens pas qu'ils ne soient achevés ;

---

30. « *je force l'enceinte* » 'âroṣ gâdér *conj. d'après Luc* ; « *je cours sus à la razzia* » 'ârûṣ geᵈûd *H.*

33. « *qui me ceint* » meᵉazzᵉrénî *Vers. Ps* ; « *mon refuge* » mâʿûzzî *H.* — « *et rend* » wayyitten *Luc Ps* ; « *et délie* » wayyattér (*de ntr*) *ou* « *et épie* » (*de twr*) *H.* — « *une voie* » *Qer Vers.*; « *sa voie* » *Ket.*

34. « *les hauteurs* » *G* ; « *mes hauteurs* » *H.*

36. « *et ton armure me couvre* » wᵉṣinnâtᵉkâ tᵉkassénî *conj.*; « *et ta grâce me grandit* » waʿănotᵉkâ tarbénî *H.*

---

a) Comp. Pr **30** 5.
b) Cf. la note sur 2 S **1** 18.

³⁹ je les frappe, ils ne peuvent se relever,
 ils tombent, ils sont sous mes pieds.

⁴⁰ Tu m'as ceint de force pour le combat,
 tu fais ployer sous moi mes agresseurs;
⁴¹ mes ennemis, tu me fais voir leur dos,
 et ceux qui me haïssent, je les extermine.

⁴² Ils crient, et pas de sauveur,
 vers Yahvé, mais pas de réponse;
⁴³ je les broie comme la poussière des places,
 je les foule comme la boue des ruelles.

⁴⁴ Tu me délivres des querelles des peuples[a],
 tu me mets à la tête des nations;
 le peuple que j'ignorais m'est asservi,

⁴⁵ les fils d'étrangers me font leur cour,
 ils sont tout oreille et m'obéissent,
⁴⁶ les fils d'étrangers faiblissent,
 ils quittent en tremblant leurs réduits.

⁴⁷ Vive Yahvé, et béni soit mon Rocher,
 exalté, le Dieu de mon salut,
⁴⁸ le Dieu qui me donne les vengeances
 et broie les peuples sous moi,

---

39. *Avant* « *je les frappe* », *le texte répète* « *je les ai achevés* ».
42. « *Ils crient* » yᵉšawwᵉʻû *Vers. Ps* ; « *ils regardent* » yiš'û *H.*
43. « *des places* » rᵉḥob *conj.*; « *de la terre* » 'àrèṣ *H* ; « *au vent* » *G.*
44. « *des peuples* » *G Targ* ; « *de mon peuple* » *H.* — « *tu me mets* » tᵉsîménî *Luc Syr Ps* ; « *tu me gardes* » tišmᵉrénî *H.*
46. « *ils quittent en tremblant* » wᵉyahrᵉgû *Ps* ; « *ils ceignent* » wᵉyahgᵉrû *H.*
47. *Après* « *exalté* » *le texte répète* « *Rocher* »; *omis par Ps.*
48. « *et broie* » ûméréd *conj.*; « *et fait descendre* » ûmôrîd *H.*

a) A la suite de ce stique, il faut peut-être transposer le second stique
du v. 49.

49 qui me soustrait à mes ennemis.
Tu m'exaltes par-dessus mes agresseurs,
tu me libères de l'homme de violence.

50 Aussi je te louerai, Yahvé, chez les païens,
et je veux jouer pour ton nom[a].
51 Il multiplie pour son roi les délivrances
et montre à son oint sa grâce,
à David et à sa descendance à jamais[b].

Dernières paroles de David[c].

23. 1 Voici les dernières paroles de David :

Oracle[d] de David, fils de Jessé,
oracle de l'homme haut placé,
de l'oint du Dieu de Jacob,
du chantre[e] des cantiques d'Israël.

---

a) Cité par saint Paul, Rm **15** 9.

b) Cf. le poème suivant, **23** 5, la finale du Cantique d'Anne, 1 S **2** 10, la prophétie de Natân, 2 S **7** et Ps **89**, spécialement vv. 29 s.

c) Ce poème est apparenté aux Psaumes royaux, surtout ceux qui célèbrent la justice du roi, Ps **72**, et rappellent l'alliance entre Yahvé et la lignée de David, Ps **18** = 2 S **23**; Ps **89**, **132**. Rien ne s'oppose à ce qu'il remonte à David ou à son époque, mais rien ne prouve que ce furent ses « dernières paroles » : le titre s'inspire des précédents de Jacob, Gn **49**, et de Moïse, Dt **33**. Plus conforme à l'histoire est le testament de David donné à 1 R **2** 5-9. Le texte a beaucoup souffert et les restitutions sont conjecturales.

d) Le roi est rempli de l'Esprit de Yahvé, 1 S **10** 10; **16** 13, ce qui l'assimile aux prophètes. On a proposé de retrouver dans les quatre qualificatifs que ce v. applique à David la titulature qu'il aurait reçue à son couronnement, à la manière des Pharaons, auxquels cinq noms étaient imposés, cf. une imitation littéraire de cet usage égyptien dans Is **9** 5. Mais on peut comparer aussi l'introduction aux prophéties de Balaam, Nb **24** 3 s, 15 s.

e) D'après un sens de la racine en syriaque et en arabe, on pourrait comprendre aussi : « favori des cantiques d'Israël ». Plus audacieuse est une traduction récemment proposée « aimé du guerrier (Yahvé) d'Israël », en interprétant zᵉmirôt par l'ugaritique.

² L'esprit de Yahvé s'est exprimé par moi,
sa parole est sur ma langue.
³ Le Dieu de Jacob a parlé,
le Rocher *ᵃ* d'Israël m'a dit :

Qui gouverne les hommes avec justice
et qui gouverne dans la crainte de Dieu
⁴ est comme la lumière du matin au lever du soleil,
(un matin sans nuages)*ᵇ*
faisant étinceler après la pluie le gazon de la terre.

⁵ Oui, ma maison est stable auprès de Dieu :
il a fait avec moi une alliance éternelle,
réglée en tout et bien assurée;
ne fait-il pas germer tout mon salut et tout mon
[plaisir ?

⁶ Mais les gens de Bélial*ᶜ* sont tous comme l'épine du
car on ne les prend pas avec la main :   [désert,
⁷ personne ne les touche,
sinon avec du fer ou le bois d'une lance,
et ils sont brûlés au feu.

---

23 3. « *Jacob* » *VetLat* ; « *Israël* » *H.* — « *dans la crainte* » *plusieurs Mss* ;
« *la crainte* » *texte reçu.*

4. « *est comme* » *conj.*; « *et est comme* » *H.* — « *faisant étinceler* » *mᵉnaggéah
conj.*; *minnogah H.*

5. « *est stable* » *nâkôn conj.*; « *pas ainsi* » *lo' kén H.* — « *ne fait-il pas* »
hălo' conj.; « *car il ne fait pas* » *kî lo' H.* — « *mon plaisir* » *conj.*; « *le plaisir* » *H.*

6. « *du désert* » *midbar conj.*; « *évitée* » *munâd H.*

7. « *sinon avec (du fer)* » *'im lo' bab(barzèl) conj.*; « *il est rempli* » *yimmâlé'
H.* — *A la fin, H ajoute* « *dans la résidence* », *répété du v. suivant corrompu.*

---

a) Voir **22** 3.
b) Glose qui rompt la strophe.
c) Voir **22** 5.

|| 1 Ch **11** 11-
41
|| 1 Ch**27** 2-15

Les preux de David [a].

⁸ Voici les noms des preux de David : Ishbaal le Hakmonite, chef des Trois; c'est lui qui brandit sa lance sur huit cents victimes en une seule fois. ⁹ Après lui, Éléazar fils de Dodo, l'Ahohite, l'un des trois preux. Il était avec David à Pas-Dammim [b] quand les Philistins s'y rassemblèrent pour le combat et que les hommes d'Israël se retirèrent devant eux. ¹⁰ Mais lui tint bon et frappa les Philistins, jusqu'à ce que sa main engourdie se crispât sur l'épée. Yahvé opéra une grande victoire, ce jour-là, et l'armée revint derrière Éléazar, mais seulement pour détrousser. ¹¹ Après lui Shamma fils d'Éla, le Haarite. Les Philistins étaient rassemblés à Léhi [c]. Il y avait là un champ tout en lentilles; l'armée prit la fuite devant les Philistins, ¹² mais lui se posta au milieu de champ, le préserva et battit les Philistins. Yahvé opéra une grande victoire.

---

8. « *Ishbaal le Harkmonite* » *d'après Luc VetLat Ch* ; « *habitant dans la résidence Tahkmonite* » yošèb baššèbèt taḥkᵉmonî, *qui suppose Ishboshet, déformation d'Ishbaal, cf.* 2 8. — « *Trois* » *Luc VetLat* ; « *Trente* » *H*. — « *brandit sa lance* » 'ôrér 'èt-ḥănîtô *Ch cf. v.* 18 ; *H corrompu.*

9. « *l'Ahohite* » *Ch* ; « *le fils d'Ahohi* » *H*. — « *Il était* » *Luc Ch* ; *omis par H*. — « *à Pas-Dammim quand les Philistins* » *Ch* ; « *quand ils défiaient les Philistins* » *H*. — « *devant eux* » *Luc* ; *omis par H*.

11. « *Éla* » *Luc* ; « *Agé* » *H*. — « *le Hararite* » *cf. v.* 33 ; *l'article manque dans H*. — « *à Léhi* » *Luc* ; « *par compagnie* » ? lᵉḥayyah *H*.

---

a) Cette section qui faisait suite au ch. **21**, en a été séparée par l'insertion des deux pièces poétiques de **22** 1-**23** 7. Elle rassemble : vv. 8-12, des notices sur les Trois, qui sont des guerriers hors pair; vv. 13-17, un épisode des guerres philistines, introduit ici parce qu'il met en action « trois » héros; vv. 18-24ᵃ, des notices sur Abishaï, Benayahu, et probablement sur Asahel (voir la note au v. 24); vv. 24ᵇ-39, une liste des Trente. Les Chroniques donnent l'équivalent à 1 Ch **11** 11-41 et utilisent une partie des noms pour donner des chefs aux douze corps d'armée de David, 1 Ch **27** 2-15.

b) Même lieu qu'Éphès-Dammim, 1 S **17** 1.

c) Théâtre d'un exploit de Samson, Jg **15** 9; le site est incertain.

¹³ Trois d'entre les Trente descendirent et vinrent, au début de la moisson, vers David à la grotte d'Adullam[a], tandis qu'une compagnie de Philistins campait dans le val des Rephaïm[b]. ¹⁴ David était alors dans le refuge et un poste de Philistins se trouvait à Bethléem. ¹⁵ David exprima ce désir : « Qui me fera boire l'eau du puits qui est à la porte de Bethléem ! » ¹⁶ Les trois preux, s'ouvrant un passage au travers du camp philistin, tirèrent de l'eau au puits qui est à la porte de Bethléem; ils l'emportèrent et l'offrirent à David, mais il ne voulut pas en boire et il la répandit en libation à Yahvé. ¹⁷ Il dit : « Que Yahvé me garde de faire cela ! C'est le sang des hommes qui sont allés risquer leur vie! » Il ne voulut donc pas boire. Voilà ce qu'ont fait ces trois preux.

¹⁸ Abishaï, frère de Joab et fils de Çeruya, était chef des Trente[c]. C'est lui qui brandit sa lance sur trois cents victimes et se fit un nom parmi les Trente. ¹⁹ Il fut plus illustre que les Trente et devint leur capitaine, mais il ne fut pas compté parmi les Trois.

²⁰ Benayahu[d] fils de Yehoyada, un brave prodigue en

---

13. « Trois » Qer Vers. Ch ; « Trente » Ket. — « au début de la moisson » conj.; dans H, les mots sont séparés par le verbe.
15. « puits » be'ér Ket ; « citerne » bor Qer Ch. De même au v. 16.
18. « Trente » Syr ; « Trois » H, les deux fois.
19. « Il fut » Ch ; « est-ce que ? » H. — « Trente » conj.; « Trois » H.
20. « un brave » G ; « un fils de brave » Qer ; « un fils d'homme vivant » Ket. — « citerne » Qer ; « puits » Ket, cf. v. 15.

---

a) Voir 1 S **22** 1 et la note. L'épisode remonterait au lendemain de la séparation de David et de Saül et il est douteux que le corps des Trente eût déjà été constitué. Le récit primitif concernait-il seulement les « trois » précédemment nommés ?
b) Voir **5** 18.
c) Ceux-ci sont un petit corps de guerriers d'élite, qui n'est mentionné que dans ce ch. Voir la note sur le v. 24. Un texte égyptien parle d'une « troupe des trente » dans l'entourage du Pharaon.
d) Voir **8** 18; **20** 23; 1 R **2** 29 s.

exploits, originaire de Qabçéel, c'est lui qui abattit les deux héros[a] de Moab, et c'est lui qui descendit et tua le lion dans la citerne, un jour de neige. [21] C'est lui aussi qui tua un Égyptien de grande taille. L'Égyptien avait en main une lance mais il descendit contre lui avec un bâton, arracha la lance de la main de l'Égyptien et tua celui-ci avec sa propre lance[b]. [22] Voilà ce qu'accomplit Benayahu fils de Yehoyada, et il se fit un nom parmi les Trente preux. [23] Il fut plus illustre que les Trente, mais il ne fut pas compté parmi les Trois; David le mit à la tête de sa garde personnelle[c].

[24] Asahel, frère de Joab, faisait partie des Trente[d].

Elhanân fils de Dodo, de Bethléem.

[25] Shamma, de Harod.

Éliqa, de Harod.

---

21. « *de grande taille* » middâh *Ch* ; « *d'apparence* » mar'èh *H*.
22. « *Trente* » *conj.* ; « *Trois* » *H*.

---

a) « Les deux *'ariél* », peut-être un mot cananéen connu par sa transcription égyptienne, *'i-ir-'i-ra*, employé parallèlement avec des mots signifiant « auxiliaire » et « guerrier ». La version grecque a « les deux fils d'Ariel ».

b) Comp. David et Goliath, 1 S **17** 51.

c) David avait rempli ce poste auprès de Saül, 1 S **18** 5 ; **22** 14.

d) Il est possible qu'une notice analogue aux deux précédentes ait été consacrée à Asahel (sur qui voir **2** 18 s). Un très vieil accident textuel aurait fait sauter cette notice, que suivait immédiatement un « voici les Trente », titre de la liste qui commence à Elhanân et comprend trente noms. Aucun détail n'est donné sur ces héros, dont seuls Sibbékaï et Urie sont connus par ailleurs (**21** 18 et **11** 3 s). Pour autant que les lieux d'origine sont identifiables, ils viennent surtout de la région judéenne, quelques-uns du nord de la Palestine (Piréaton, Gaash, Bet-Maaka) ou de Transjordanie (Çoba, Gad, Ammon) ou de plus loin (Urie le Hittite). Il est vraisemblable qu'ils étaient les meilleurs des compagnons de David dans sa vie aventureuse, constitués peut-être en corps pendant le séjour à Çiqlag. L'institution a pu subsister (bien qu'elle ne soit pas mentionnée dans les récits sur David roi) avec des modifications : promotions d'Abishaï et de Benayahu, mort d'Asahel, qui auraient été remplacés par d'autres guerriers valeureux ? En tout cas la liste a une autre origine littéraire que les anecdotes qui la précèdent.

²⁶ Héleç, de Bet-Pélèt.

Ira fils d'Iqqèsh, de Teqoa.

²⁷ Abiézer, d'Anatot.

Sibbekaï, de Husha.

²⁸ Çalmôn, d'Ahoh.

Mahraï, de Netopha.

²⁹ Héled fils de Baana, de Netopha.

Ittaï fils de Ribaï, de Gibéa de Benjamin.

³⁰ Benayahu, de Piréatôn.

Hiddaï, des torrents de Gaash.

³¹ Abibaal, de Bet-ha-Araba.

Azmavet[a], de Bahurim.

³² Élyahba, de Shaalbôn.

Yashèn, de Gimzo.

Yehonatân ³³ fils de Shamma, de Harar.

Ahiam fils de Sharar, de Harar.

³⁴ Éliphélet fils d'Ahasbaï, de Bet-Maaka.

Éliam fils d'Ahitophel, de Gilo.

³⁵ Hèçraï, de Karmel.

Paaraï, d'Arab.

³⁶ Yigéal fils de Natân, de Çoba.

Bani, le Gadite.

---

27. « *Sibbekaï* » *Ch cf.* **21** 18; « *Mebunnaï* » *H.*
29. « *Héled* » *Mss Ch* ; « *Héléb* » *H.*
31. « *Abibaal* » *cf. Ch* ; « *Abi-Albon* » *H.* — « *de Bahurim* » *Ch* ; « *de Barhum* » *H.*
32. « *Yashèn* » *Luc Ch* ; « *le fils de Yashèn* » *H.* — « *de Gimzo* » *conj.*, *cf. Ch* ; *omis par H.*
33. « *fils de* » *Luc Ch* ; *omis par H.*
34. « *de Bet-Maaka* » *Targ* ; « *fils d'un Maakite* » *H.*

---

a) A lire probablement Azmôt, cf. la transcription du grec : un nom formé avec celui du dieu cananéen Môt : « Force de Môt » ou « Môt est fort ».

³⁷ Çéleq, l'Ammonite.

Naharaï, de Béérôt, écuyer de Joab fils de Çeruya.

³⁸ Ira, de Yattir.

Gareb, de Yattir.

³⁹ Urie, le Hittite.

En tout trente-sept.ᵃ

‖ 1 Ch **21** 1-5

**Le dénombrement
du peuple**ᵇ**.**

24. ¹ La colère de Yahvé s'enflamma encore contre les Israélites et il excita David contre eux : « Va, dit-il, fais le dénombrement d'Israël et de Judaᶜ. » ² Le roi dit à Joab et aux chefs de l'armée qui étaient avec lui : « Parcourez donc toutes les tribus d'Israël, de Dan à Bersabée, et faites le recensement du peuple afin que je sache le chiffre de la population. » ³ Joab répondit au roi : « Que Yahvé ton Dieu accroisse le peuple de cent fois autant, pendant que

---

24 2. « *et aux chefs* » Luc Ch cf. v. 4; « *chef* » H. — « *Parcourez* » *conj. cf. le verbe suivant* ; « *Parcours* » H.

a) Calcul rédactionnel qui paraît additionner : les Trente (vv. 24ᵇ-39) + Joab (qui est mentionné v. 37 et avait certainement un rôle prééminent parmi les preux) + Abishaï, Benayahu, Asahel (vv. 18-24ᵃ) + les Trois (vv. 8-12).

b) Tout ce ch. est le pendant de **21** 1-14, dont il a été séparé par les additions de **21** 15-**23** 39, cf. la note *a*, p. 231.

c) C'est un recensement militaire : il est conduit par les chefs de l'armée, v. 4, et enregistre les hommes en état de combattre, v. 9. Cet établissement de rôles de conscription par les agents royaux était un abandon des règles de la guerre sainte, qui appelait les volontaires aux armes. L'ordre semble venir de Yahvé, v. 1, parce que la mentalité ancienne d'Israël reportait tout à Dieu comme à la cause première; la théologie plus délicate du Chroniste s'en est offusquée et a remplacé Yahvé par Satan. La liaison entre le recensement et le fléau qui suit s'explique aussi par une vieille idée religieuse, illustrée par certains textes de Mari : c'est Yahvé qui tient les registres de ceux qui doivent vivre et mourir, Ex **32** 32-33, un recensement militaire empiète donc sur les prérogatives divines et doit être entouré de précautions religieuses : chacun doit alors verser « la rançon de sa vie afin qu'aucun fléau n'éclate à l'occasion du recensement », Ex **30** 12. David n'a pas tenu compte de ces droits de Dieu, c'est un « grand péché ».

Monseigneur le roi peut le voir de ses yeux, mais pourquoi Monseigneur le roi aurait-il ce désir[a] ? » [4] Cependant l'ordre du roi s'imposa à Joab et aux chefs de l'armée, et Joab et les chefs de l'armée quittèrent la présence du roi pour recenser le peuple d'Israël.

[5] Ils passèrent le Jourdain et commencèrent par Aroër et la ville qui est au milieu du ravin[b], allèrent chez les Gadites et vers Yazer. [6] Puis ils allèrent en Galaad et au pays des Hittites, à Qadesh, ils se rendirent à Dan et de Dan ils obliquèrent vers Sidon. [7] Puis ils atteignirent la forteresse de Tyr et toutes les villes des Hivvites et des Cananéens et aboutirent au Négeb de Juda, à Bersabée. [8] Ayant parcouru tout le pays, ils rentrèrent à Jérusalem au bout de neuf mois et vingt jours. [9] Joab donna au roi le chiffre obtenu pour le recensement du peuple : Israël comptait huit cent mille hommes d'armes tirant l'épée, et Juda cinq cent mille[c] hommes.

---

4. « *(quittèrent) la présence* » millipnê *ou* mipp^enê *Syr Luc Vulg ;* « *en présence* » lipnê *H.*

5. « *et commencèrent... la ville* » *Luc ;* « *et campèrent à Aroër au sud (ou : à droite) de la ville* » *H.* — « *chez les Gadites* » *Luc ;* « *le Gad* » ? *H.*

6. « *des Hittites, à Qadesh* » haḥittîm qâdéšâh *Luc ; H corrompu :* taḥtîm ḥodšî. — « *et de Dan ils obliquèrent* » ûmiddân sâb^ebû *d'après G ; H corrompu :* ya'an w^esâbîb.

---

a) Joab est l'écho de la conscience populaire. Pour éviter la malédiction que pourrait entraîner le projet du roi, il prononce une bénédiction contraire, comp. **21** 3 et la note.

b) Aroër, aujourd'hui Araïr, domine le torrent de l'Arnon; « la ville au milieu du ravin » est Khirbet el-Medeiyné, « la ruine de la petite ville », à la jonction de deux ravins tributaires de l'Arnon. Les deux points marquent la frontière sud du territoire de Ruben (et de tout le domaine israélite en Transjordanie) dans Jos **13** 9, 16, cf. Dt **2** 36. En Cisjordanie, les limites sont Dan au nord et Bersabée au sud, vv. 2, 6-7, 15. Tout le territoire d'Israël est ainsi parcouru. Mais le texte y ajoute Tyr et Sidon et, semble-t-il, Qadesh des Hittites, très au nord sur l'Oronte, qu'on essaye de justifier en invoquant Nb **34** 7-9; Ez **47** 15-17 et les conquêtes de David, **8** 3-12.

c) On remarquera que Juda et Israël sont recensés à part, cf. **11** 11 et les notes sur **5** 3 et **20** 1. Comme beaucoup de chiffres analogues dans

‖ 1 Ch **21** 7-17

**La peste
et le pardon divin.**

¹⁰ Après cela le cœur de David lui battit[a] d'avoir recensé le peuple et il dit à Yahvé : « C'est un grand péché que j'ai commis ! Maintenant, Yahvé, veuille pardonner cette faute à ton serviteur, car j'ai commis une grande folie. » ¹¹ Quand David se leva le lendemain matin — cette parole de Yahvé avait été adressée au prophète Gad[b], le voyant de David : ¹² « Va dire à David : Ainsi parle Yahvé. Je te propose trois choses, choisis-en une et je l'exécuterai pour toi. » — ¹³ Donc Gad se rendit chez David et lui notifia ceci : « Faut-il que t'adviennent trois années de famine dans ton pays, ou que tu fuies pendant trois mois devant ton ennemi qui te poursuivra, ou qu'il y ait pendant trois jours la peste dans ton pays[c] ? Maintenant réfléchis et vois ce que je dois répondre à celui qui m'envoie ! » ¹⁴ David dit à Gad : « Je suis dans une grande anxiété... Ah ! tombons entre les mains de Yahvé car sa miséricorde est grande, mais que je ne tombe pas entre les mains des hommes[d] ! » ¹⁵ David choisit donc la peste.

---

10. « *d'avoir* » *Luc* ; « *il avait* » *H.*
13. « *trois années* » *G VetLat Ch* ; « *sept années* » *H.* — « *ton ennemi* » *conj. (le verbe suivant est au sing.)*; « *tes ennemis* » *H.*
15. « *David... blés* » *G* ; *omis par H.* — « *et le fléau frappa le peuple* » *G* ; *omis par H.*

---

l'Ancien Testament, ceux-ci sont évidemment trop élevés. Les Chroniques les majorent encore : 1.100.000 et 470.000.

a) Il eut des remords, comp. 1 S **24** 6.
b) Voir 1 S **22** 5.
c) Noter la progression descendante : trois ans de famine (comme à **21** 1), trois mois de fuite (allusion possible à la fuite devant Absalom, **15-17**), trois jours de peste. Famine, guerre et peste sont les trois fléaux par excellence, Jr **21** 7, 9; **24** 10, etc., jusqu'à nos Litanies : *a peste, fame et bello, libera nos.*
d) Dieu est plus miséricordieux que les hommes.

C'était le temps de la moisson des blés[a]. Yahvé envoya la peste en Israël depuis le matin jusqu'au temps fixé, et le fléau frappa le peuple, parmi lequel soixante-dix mille hommes moururent depuis Dan jusqu'à Bersabée. [16] L'ange[b] étendit sa main vers Jérusalem pour l'exterminer, mais Yahvé se repentit de ce mal et il dit à l'ange qui exterminait le peuple : « Assez ! retire à présent ta main. » L'ange de Yahvé se trouvait près de l'aire d'Arauna[c] le Jébuséen. [17d] Quand David vit l'ange qui frappait le peuple, il dit à Yahvé : « C'est moi qui ai péché, c'est moi qui ai commis le mal, mais ceux-là, c'est le troupeau, qu'ont-ils fait ? Que ta main s'appesantisse donc sur moi et sur ma famille ! »

Construction d'un autel. [18] Ce jour-là, Gad se rendit auprès de David et lui dit : « Monte et élève un autel à Yahvé sur l'aire d'Arauna le Jébuséen. » [19] David monta donc, suivant la parole de Gad, comme Yahvé l'avait ordonné. [20] Arauna regarda et vit le roi et ses officiers qui s'avançaient vers lui. — Arauna était en train de dépiquer

‖ 1 Ch **21** 18-28

---

20. « *Arauna* (2°)... *froment* » *Ch ; omis par H.*

a) Ainsi s'explique la scène des vv. 20 s.
b) C'est l'exécuteur des vengeances divines, l'Exterminateur d'Ex **12** 23, cf. 1 Co **10** 10; He **11** 28, et comp. spécialement 2 R **19** 35.
c) C'est la forme la mieux attestée du nom, qui appartient à l'onomastique hurrite. On a proposé aussi une origine hittite.
d) David, qui avait cependant choisi la peste, v. 15, est bouleversé par la souffrance du peuple, dernier trait humain qui complète cette grande figure. L'intercession de David serait plus explicite si, comme on l'a proposé, le v. 17 était inséré dans le v. 16 après « l'exterminer ». Mais cette transposition n'est pas soutenue par les témoins du texte. Plus probablement, le récit combine deux traditions : d'après l'une, Yahvé arrête le fléau aux portes de Jérusalem parce qu'il aime la ville, v. 16, et David offre un sacrifice d'actions de grâces « comme Yahvé l'avait ordonné », v. 19. D'après l'autre, la délivrance est obtenue par la prière de David et l'érection de l'autel, vv. 17, 21, 25.

le froment. — Il sortit et se prosterna devant le roi, la face contre terre. ²¹ Arauna dit : « Pourquoi Monseigneur le roi est-il venu chez son serviteur ? » Et David répondit : « Pour acquérir de toi cette aire, afin de construire un autel à Yahvé. Ainsi le fléau s'écartera du peuple. » ²² Arauna dit alors au roi : « Que Monseigneur le roi la prenne et qu'il offre *a* ce qui lui semble bon ! Voici les bœufs pour l'holocauste, le traîneau *b* et le joug des bœufs pour le bois *c*. ²³ Le serviteur de Monseigneur le roi donne tout au roi ! » Et Arauna dit au roi : « Que Yahvé ton Dieu agrée ton offrande ! »

²⁴ Mais le roi dit à Arauna : « Non pas ! Je veux te l'acheter en payant, je ne veux pas offrir à Yahvé mon Dieu des holocaustes qui ne me coûtent rien. » Et David acheta l'aire et les bœufs pour de l'argent, cinquante sicles *d*. ²⁵ David construisit là un autel à Yahvé et il offrit des holocaustes et des sacrifices de communion. Alors Yahvé eut pitié du pays *e* et le fléau s'écarta d'Israël.

---

23. « *le serviteur de Monseigneur le roi* » *conj.*; « *Arauna le roi* » *ou* « *Arauna, ô roi* » *H. Incertain : un espace dans les manuscrits indique que le texte est mutilé.*

---

a) Un autel appelle un sacrifice.
b) La planche garnie de pierres tranchantes qui est encore utilisée en Palestine pour dépiquer le blé.
c) Comp. 1 S **6** 14; 1 R **19** 21.
d) C'est peu (les Chroniques y substituent 600 sicles d'or) : le sicle pesait une douzaine de grammes, et Abraham avait acheté son lieu de sépulture pour 400 sicles. Comp. aussi l'achat du champ de Sichem, où Jacob construit un autel, Gn **33** 19. David ne veut pas qu'il puisse y avoir de contestation sur le terrain qui portera la demeure de Yahvé. L'aire d'Arauna se trouvait en dehors de la ville et plus haut qu'elle (David y monte vv. 18-19), sur la colline qui dominait la Jérusalem primitive au nord et où s'élèvera le Temple de Salomon.
e) Comp. **21** 14, en conclusion du récit qui fait pendant à celui-ci.

TABLE

ACHEVÉ D'IMPRIMER SUR LES
PRESSES DE L'IMPRIMERIE
DARANTIERE A DIJON, LE
DOUZE JANVIER M. CM. LXI

Numéro d'édition 5.058
Dépôt légal 1er trimestre 1961

19231